一笑

古龍

盛期之風貌

臥龍生作品 帶動武俠風潮

《飛燕驚龍》開一代武俠新風

《飛燕驚龍》(1958)爲臥龍生成名作，共48回，約120萬言。此書承《風塵俠隱》之餘烈，首倡「武林九大門派」及「江湖大一統」之說，更早於香港武俠巨匠金庸撰《笑傲江湖》(1967)所稱「千秋萬世，一統」達九年以上。流風所及，臺、港武俠作家無不效尤；而所謂「武林盟主」、「江湖霸業」等新提法，竟成爲社會大眾耳熟能詳的流行術語了。

《飛燕》一書可讀性高，格局甚大。主要是寫江湖群雄爲覬覦傳說中的武林奇書《歸元秘笈》而引起一連串的明爭暗鬥；再以一部假秘笈和萬年火龜爲餌，交插敘述武林九大門派（代表正派）彼此之間的爾虞我詐，以及天龍幫（代表反方）網羅天下奇人異士而與九大門派的對立衝突。其中崑崙派弟子楊夢寰偕師妹沈霞琳行道江湖，卻如夢似幻地成爲巾幗奇人朱若蘭、趙小蝶之絕世武功技驚天龍幫，而海天一叟李滄瀾復接連敗於沈霞琳、楊夢寰之手；致令其爭霸江湖之雄心盡泯，始化解了一場武林浩劫云。

在故事佈局上，本書以「懷璧其罪」（與真、假《歸元秘笈》有關）的楊夢寰屢遭險難，卻每獲武林紅妝垂青爲書膽(明)，又以金環二郎陶玉之嫉才害能，專與楊夢寰作對(暗)爲反派人物總代表。由是一明一暗交織成章，一波未平，一波又起，極盡波譎雲詭之能事。最後天龍幫冰消瓦解，陶玉帶著偷搶來的《歸元秘笈》跳下萬丈懸崖，生死不明，卻予人留下無窮想像空間。三年後，作者再續寫《風雨燕歸來》以交代陶玉重出江湖，爲惡世間，則力不從心，當屬狗尾續貂之作。

在人物塑造方面，臥龍生寫男主角楊夢寰中看不中用，固然乏善可陳，徹底失敗；但寫其他三名女主角如「天使的化身」沈霞琳聖潔無瑕，至情至性，處處惹人憐愛；「正義的女神」朱若蘭氣質高華，冷若冰霜，凜然不可犯；「無影女」李瑤紅則刁蠻任性，甘爲情死等等，均各擅勝場。乃至寫次要人物如「賓中之主」海天一叟李滄瀾之雄才大略，豪邁氣派；玉簫仙子之放蕩不羈，爲愛痴狂；以及八臂神翁聞公泰之老奸巨猾，天龍幫軍師王寒湘之冷傲自負等，亦多有可觀。

與

武俠小說

摘自 葉洪生、林保淳著
《台灣武俠小說發展史》

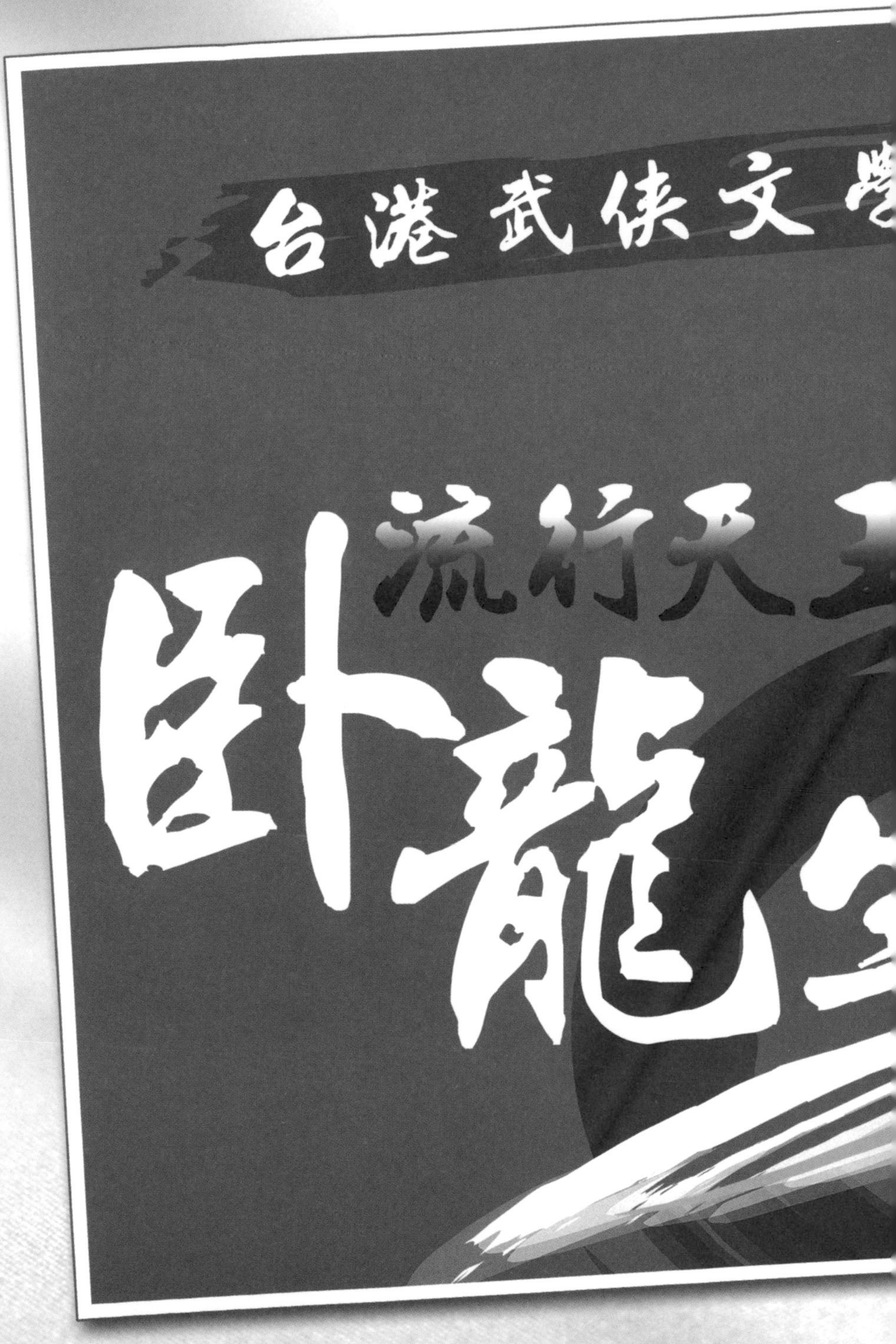
台港武侠文
流行天
臥龍

臥龍生是台灣最著名的武俠小說作家之一，自然也是海外新派武俠小說家中的重要一員。

在台灣武俠小說界，臥龍生曾獨領風騷被稱為「台灣武俠泰斗」。後來司馬翎、諸葛青雲脫穎而出，才與臥龍生並稱台灣俠壇的「三劍客」。那時候古龍還默默無聞。後來古龍名氣漸大，躋身高手之林，與「三劍客」合稱「台灣武俠小說四大家」，但臥龍生仍是深受讀者歡迎的武俠小說作家。

陳墨

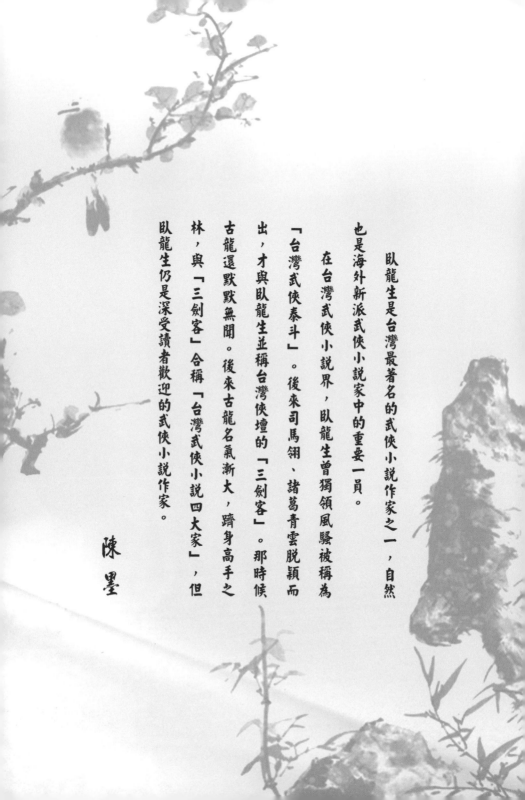

金劍雕翎（一）

臥龍生

武俠經典珍藏版 21

臥龍生精品集㉑

金劍雕翎(一)

目錄

知名評論家
秦懷冰

集雄奇與柔艷於一體的武俠長卷——《金劍雕翎》的特殊地位

《金劍雕翎》是臥龍生在其創作成熟期最重要的一部作品。就篇幅言，這是長達近兩百萬言的巨構，在當初台灣武俠作品尚以小開本供應租書店為主要面世形式之際，它居然出到九十六本之多，而猶自吸引喜愛武俠小說的讀者熱烈地追讀，盛況一路不衰，委實可稱為異數。這樣的大篇幅紀錄，雖然後來已被香港崛起的玄幻武俠名家黃易一再打破，但在台灣武俠小說創作史上，卻一直是無人超越的里程碑，也因卷帙浩瀚，後來出版時分為兩部。就內容言，則《金劍雕翎》乃是臥龍生施展出渾身解數，將他數十年著作歷程中所累積蘊蓄的根柢和功力，藉由一個包羅萬象之故事架構，一舉傾囊而出的「特技展演」，因此可視為他殫心竭慮的扛鼎力作。

無論如何，在當時台灣武俠寫作界名家輩出的年代，這個由臥龍生擔綱的「特技展演」能夠如火如荼地持續進行到最終回，而在租書店前等待後續內容推出的讀者兀自耐心不褪，顯示臥龍生此作確有其不容低估的魅力。

看來，面對武俠寫作界風起雲湧的競爭，及影視媒體普及後娛樂多元化的大勢，臥龍生在創作本書時，是有意識地要將他長期來所蒐羅的、思辨的、綜合的武俠題材，集中作一次噴發式的投射，以試驗自己在故事編織、情節推演、節奏掌控、敘事火候等各方面的力度與韌性。

多元套路的集合展演

事實上，《金劍雕翎》的內容除了經典武俠的路數外，至少涵括了浪漫、悲情、奇詭、驚悚、懸疑、推理、玄幻等各類型的內容或意旨。眾所周知，包括金庸、古龍在內的頂級武俠大師都擅於以諸般旁門雜學的巧妙融入，來添加武俠作品的知識性與趣味性，故而像琴、棋、書、畫、醫、卜、星、相等民間傳統文化精華經常會成爲武俠情節的潤滑劑；臥龍生也不例外，這在他早期作品如《玉釵盟》、《天香飆》，中期作品如《飄花令》、《金筆點龍記》中，均有過令人印象深刻的生動展現。

然而，爲了從事這次大規模的「特技展演」，他必須將這些有趣的旁門雜學穿插在敘事結構所呈現的大圖謀、大對決、大場景之中，庶幾可使情節顯得生動逼真，這就在整體故事進程所營造的氣勢與氛圍之外，還不免會考驗他埋設伏筆、駕馭細節的能力。好在臥龍生畢竟不失爲成名已久的俠壇重鎮，他採取了不疾不徐、不慍不火的敘事節奏，將各個本可獨立成篇的傳奇情節「嵌入」到整體規劃的宏大架構中，使整體與局部之間儼然形成一種迴環呼應的有機聯繫。這種類似《一千零一夜》的敘事模式，使得整個故事的篇幅儘管不斷滋生增長，但在讀者看來卻是有倫有脊，繁而不紊。

兩大伏筆的牽引變化

故事肇始於江湖女傑岳雲姑遭到仇家追殺，身受重傷，被完全不諳武功的蕭姓官員救起，遂允諾擔任其子蕭翎的西席。乍看下如此平淡的開端，不旋踵間卻因岳雲姑突然失蹤，其女岳小釵找上蕭家，而在深井中尋到乃母屍體時，情節立即進入飆風驟雨、狂濤巨瀾的快節奏階段。隨即，在刀光劍影逼人而來之時，作者卻又閒閒設下二處伏筆，作爲整個故事得以向前推展的「動因」所在：一是蕭翎由於先天生理暗帶缺陷，身具「三陰絕脈」，註定將會早夭；故而當變故陡生，外敵來犯時，蕭翎毅然捨家跟著岳小釵逃亡，便是順理成章之舉，從而展開了世家子流浪江湖的旅程。二是岳雲姑之所以遭到各路武林高手圍剿、追殺，是因她偶然取得了百年來牽動了整個江湖命運的曠代異寶「禁宮之鑰」，故成爲眾矢之的，這條伏線是本書的核心秘密，由此引出了波瀾壯闊的相關情節。

岳小釵奉母命要將其遺屍送往特定地點，沿途遭到各方人馬無休無止的追擊，她在危難仍不忘呵護蕭翎，攜他闖過一關又一關險阻；於是，讀者會以爲岳、蕭姐弟的江湖歷險將是本書的主軸。奇詭的是，在途中岳小釵卻忽而失蹤，且在漫長的歲月中無聲無息，不曾給蕭翎任何訊息；而在她身上，顯然深繫著「禁宮之鑰」這一條伏線。岳小釵何去何從？顯然，這是作者設下的一大懸疑，藉由這個大懸疑，臥龍生得以將重心轉到蕭翎身上，因為他已是江湖各門各派企圖追索「禁宮之鑰」的唯一線索；於是，環繞著蕭翎身周，正邪各方展開了緊張熾烈、撲朔迷離的爭鬥與殺搏，自是題中應有之義。

江湖歷險的深遠意涵

在過程中，蕭翎當然嚐遍了世態炎涼、人情冷暖的滋味，也看透了各方高手在面對人性考驗時的嘴臉。蕭翎逐漸從一個天真淳厚的少年蛻變為視生死如等閒、臨白刃而不懼的俠士。接著，他又在重重危難的淬煉中因禍得福，竟然受到三位深居幽谷的世外高人垂青，收為關門弟子，授以高深武藝，並初步解除了他「三陰絕脈」的死劫。這種橋段，當然是武俠小說中常見的套路；故為了增加故事的說服力與懸疑性，作者引入了多種珍禽怪獸、奇人異行，種種橫空出世的超級高手、紛至沓來的陰謀陷阱，更是令人目不暇給。

但萬變不離其宗，蕭翎身上暗繫著「禁宮之鑰」下落之謎，是他一切江湖遭際的根本原因，而作者所埋設的另一個懸疑，自然是幽谷中那三位世外高人的命運，亦為「禁宮之鑰」的下落所牽制。及至蕭翎從幽谷重出江湖，心心念念要破解的無非是岳小釵失蹤及「禁宮之鑰」下落這兩大謎。

然而，重出江湖的蕭翎由於已身負絕技，自會受到各方野心人物的矚目。他以爲和一見如故的「百花山莊」主人沈木風意氣相投，竟貿然結拜；當沈木風逐漸露出企圖羈縻正邪各派高手而一統江湖的真面目之際，蕭翎不得不和他割袍斷義，以致遭到難以想像的連番致命狙擊。由於蕭翎的諸多俠義行徑，當初爲爭奪「禁宮之鑰」而與他作過周旋的各路高手中不乏願站在他一邊者；於是，以蕭翎爲中心，也逐漸形成一股可觀的力量。雖不足以抗衡沈木風的龐大集團，但在局部戰役中已不無一拚的機會。

禁宮之鑰與全局成敗

此時，江湖上忽然出現冒名的蕭翎，所展示的功力說明其人乃是不容輕忽的高手；同時，當初將蕭翎迫墜幽谷的無名人物亦在雙方對陣的外圍若隱若現。若干暗筆指出：這兩位舉足輕重的高手，似乎均與失蹤多年的岳小釵有關。至此，整個情節轉入沈木風集團與蕭翎一方互相對抗、鬥爭的兇險格局。臥龍生擅於抒寫的大場景、大對決，遂漸成爲故事的主軸；然而，前設的伏筆，其隱含的寓意也逐漸透過這些情節而彰顯出來：沈、蕭兩大勢力對峙爭戰的最終成敗，應是繫於「禁宮之鑰」的歸屬，而「禁宮之鑰」的歸屬，又與岳小釵的下落密不可分。

千迴百折之餘，整個故事又轉向起始時設定的兩大伏線。但蕭翎固然已不是心如瑩玉的天真少年，岳小釵更成爲不見廬山真面目的神秘女郎。世事如棋，人生多變；至於結局究竟如何，卻需留待本書續集《岳小釵》來揭曉了。

一　天涯血舟

八月，秋汛初至，湘江水盈，灌滿了丹桂村旁的長碧湖。

深夜，湖心月影正沉浮。

湖畔，桂子頻飄香。

一陣咿呀的櫓聲，劃破了湖面的寂靜；一艘畫舫，緩緩由東方馳來。

船頭端坐著一個輕袍暖帽的老者，一個四旬左右的美婦人，緊傍那老人身側而坐，一個十二、三歲的童子，依偎在那婦人的懷抱。

迎面江風送過陣陣寒意，那中年婦人輕扯一下身上披的錦緞披肩，掩在那孩子的身上，慈母的關愛是這樣的無微不至。

那老人端起身前木几上的香茗呷了一口，笑道：「翎兒睡了嗎？」

那中年婦人啓唇一笑，低頭瞧了瞧懷中熟睡的兒子，道：「睡了。」

那老人緩緩站起身子，仰望明月長長吁一口氣，道：「三十功名塵與土，一片冰心在玉壺。」聲音幽沉，隱隱含著英雄末路的淒涼。

那中年婦人淡然一笑，接道：「夜深了，咱們該回去啦！翎兒著了涼，又要愁煞人。」

那老者頷首揮手，正待命舟子掉轉船頭，突見一艘燈燭輝煌的巨舟，雙帆張風，直馳而來。

那巨舟似是已失去控制，隨著風向，直向畫舫撞了過來。

畫舫上掌舵人似是駛航的老手，不待主人吩咐，立時一轉主舵，畫舫向側旁避去，另一個舟子，卻急奔向船頭，揚起手中竹篙，口中大聲吆喝道：「夥計，睜著眼睛往上撞，什麼意思？」他一連吆喝數聲，始終不聞那巨舟上有人相應。

舟子心中大急，揮篙向那巨舟之上點去。

這時，江風威勢已弱，巨舟吃那竹篙一點之力，登時向一側偏了過去，兩艘船擦身而過。

那輕袍老者一直背著雙手，看著這一幕驚險的經過，神色鎮靜，毫無畏懼之容。

那執篙大漢，眼看巨舟幾乎撞上畫舫，對方卻似渾如不見，忍不住大聲叫道：「喂！你們還有一個活人沒有？」

任他喝罵叫嚷，仍不聞有人相應。

長碧湖佔地百畝，四周生滿了深可及人的蘆葦，那雙桅巨舟，方向一偏，撞入了蘆葦之中。

那卓立在船頭上的老人，看得心中一動，暗忖：看這巨舟似已無掌舵之人，難道沒有人嗎？但見那輝煌的燈火，似又不像無人乘坐。

心頭大感奇怪，揚聲吩咐那掌舵的舟子，說道：「把船駛近那巨舟瞧瞧！」

駕船的舟子一轉舵，把畫舫駛近，緊傍那巨舟停了下來。

那輕袍老者望著那巨舟上輝煌的燈火，凝神靜聽了片刻，回頭對站在船頭手執竹篙的舟子說道：「這巨舟，有些奇怪，你攀上船去瞧瞧。」

那舟子躬身一禮，領命而去，放下竹篙，攀上巨舟。

突聽一聲尖厲的驚叫，那攀上巨舟的舟子，踉蹌奔回，撲通一聲，跌入了湖水之中。

那輕袍老者微微一皺眉尖，一撩長袍，向舟身之上攀去。

那中年婦人懷抱中熟睡的孩子，亦被這一聲尖厲的呼叫驚醒，霍然由慈母懷中站了起來。

迎面江風，飄過來一陣濃重的血腥氣味。

老者停下了腳步，重重地咳了一聲：「有人在嗎？」

目光轉處，只見一條黃色的劍穗，隨風飄動，長劍從一個華衣人後心洞穿前胸，深釘入了艙門處板壁之上，直沒至柄。燭火照耀，清晰可見那華衣人的側面，那是一個年輕人，慘白的面色卻無法掩去他那英俊的輪廓。

輕袍老者微微歎息一聲，舉步向艙中行去。布設華麗的船艙中，一片慘象，桌倒椅翻，血跡處處。距門不遠處，伏臥著一個中年大漢，後腦裂開，早已氣絕死去。

輕袍老人微微歎息一聲，自言自語地說道：「好一幅悽慘的景象！」

轉眼望去，只見靠窗處，站著一個黑衣長衫大漢，雙腿直立，兩手十指深入板壁之中，驟見之下，極似一個人扶著板壁而立，仔細看去，才可看出此人早已氣絕多時，全身僵直，只因十指深深插入了壁板之中，才使他的屍體不倒。此人全身不見傷痕，但口鼻之間，卻不停地滴著鮮血。

輝煌的燈火，照著三具死狀各異的屍體，構成了一幅恐怖絕倫的畫面。深夜血舟，寒風打窗，那老者雖然膽氣逼人，也不禁由心底泛起一股寒意，搖搖頭歎息一聲，緩步向艙外退去。

突然間，由船艙一角中，傳過來一聲微弱呻吟之聲。呻吟聲雖然微弱，但聽在那輕袍老人的耳中，卻有如急雷驟發，驚得全身抖動了一下，停下了腳步。

他緩緩轉過身子，目光環掃，搜尋船艙。只覺那三具死狀不同屍體的形態，愈看愈是恐怖，不禁心頭凜然，正待回身退出，又是一聲微弱的聲音傳來。這一聲，他聽得異常清晰，由那微弱的呻吟，可分出那是個奄奄一息受了重傷的人，所發出的呻吟。

輕袍老人猶豫了一陣，眉宇間泛現出堅定之色，說道：「劫後餘生，奄奄待斃之人，老夫豈能見死不救。」一撩長袍，重入艙中。

凝神望去，只見船艙一角的暗影處，倒臥著一個藍衣婦人，長髮散亂，滿身血跡，上半身依靠在艙壁的木板上，不禁頓生憐憫之心，轉身奔出艙外，招來兩個舟子，卸下了一扇艙門，抬起那重傷婦人。燭光照耀之下，只見她面色慘白，雙目微閉，鮮血濕透了大半幅衣裙。

突然間，她睜動一下微閉的雙目，發出一聲重重的呻吟，就借身子轉動之勢，疾快地伸出手去一拂，一盞油燈斜斜地倒了下去。

她臂上本已受了數處創傷，這強行伸手一拂，震動了傷口，鮮血泉湧而出。

她緊咬著玉牙，強忍著傷痛，緩緩閉上雙目，汗水從她蒼白的臉上滾了下來。

兩個舟子不過剛把那重傷的婦人移上了畫舫，那雙桅巨舟突然冒出一陣濃煙，火舌閃閃，穿窗而出，強勁的夜風中，火勢迅速地蔓延開去。

那輕袍老人打量了那延展的火勢一眼，沉聲說道：「快划開去。」

兩個舟子急急放下那重傷少婦，合力搖櫓急駛而去。

那少婦眼見大火已成，那艘雙桅巨舟，已然難逃火劫，心頭一寬，賴以支持重傷的精神力量，亦隨著鬆懈，暈了過去。

當她醒來之時，發覺自己正躺在一間佈置十分雅致的臥室之中。

紫檀大床上，鋪著厚厚的褥子，四面紫綾壁，梳妝台上，放置著一面兩尺多高的銅鏡，右首壁角，垂吊著一盞白綾宮燈。

一看之下，立時可覺著這是一個十分豪富的人家。

突然間，室中一亮，垂簾起處，緩步走進一個風姿綽約的中年婦人，穿一身青布衣裙，但掩不住那高雅的氣度。

只見她緩步走近木榻，臉上泛現出訝然之情，道：「啊！你醒過來了。」

藍衣婦人輕輕歎息一聲，道：「難婦承蒙相救，還未拜謝救命之恩。」掙扎欲起。

那中年婦人，急急搖手說道：「唉！你全身都是刀傷，不宜掙動。」

藍衣婦人黯然說道：「如非夫人搭救，難婦恐早已沒了性命，大恩不言報，這番情意，難婦當永銘於肺腑之中就是。」

那中年婦人搖頭說道：「不用說感謝的話啦！福禍旦夕，風雲難測，人生在世，誰無危難。你儘管安心休息，寒舍人口簡單，雖非豪富，但多上三、五個人吃飯。也不要緊。」

藍衣婦人接道：「難婦還未請教夫人上姓？」

中年美婦笑道：「我姓蕭。」

藍衣婦人道：「蕭夫人。」

蕭夫人笑道：「快不要這般稱呼，我也許長你幾歲，如不嫌棄，就叫我一聲姊姊吧！」

藍衣婦人略一沉吟，道：「夫人抬愛，如何擔當得起。」

蕭夫人輕輕歎一口氣，道：「妹妹傷勢極重，不宜多勞神，外子已入城替你配藥去了。」

藍衣婦人心中大受感動，熱淚盈眶地說道：「咱們素昧平生，夫人這般對待難婦，叫難婦粉身碎骨也難報答。」緩緩閉起雙目，兩行清淚順腮淌下。

她似是突然回憶起一件什麼重大的事情，剛剛閉上雙目，忽然又睜開眼來，說道：「敢問夫人一聲，難婦乘的那艘雙桅帆船，可還停在湖中嗎？」

蕭夫人搖頭歎道：「燒啦！唉！福無雙至，禍不單行，不但你那雙桅帆船，盡付一炬，連那滿湖蘆葦，也被燒去，最可憐的還是那停泊在湖畔的幾艘漁舟，也被那蔓延的火勢燒燬，火勢燃燒足半夜之久，你那艘雙桅巨帆，早已化作刼灰。」

那藍衣婦人眨動了兩下圓圓的眼睛，默然不語。

蕭夫人望望她身上的刀傷，黯然搖首，退出室外。

那藍衣婦人充滿著痛苦的臉色，這時泛綻出一絲微笑，閉上雙目睡去。

當她再次醒來時，天已入夜。

木案上高燃著一支紅燭，熊熊的火光，照得滿室通明。

寬敞精雅的臥室中，除了美麗的蕭夫人，多了一個身著青緞長袍，面色嚴肅的老人。

燭光下，一個細瓷的藥碗，熱氣還蒸蒸上騰。

那臉色嚴肅的老人，目光一掠木榻，劈頭第一句就對那藍衣婦人道：「你身受九處重傷，仍能保得性命，實出老夫的意外。」

藍衣婦人道：「得蒙恩賜援手，使難婦幸脫死刼。」

老人搖搖頭，說道：「老夫雖然粗通醫理，但像此等重傷，實有無能爲力之感，但你卻能平安度過，目下看來已無大礙，待傷口彌合之後，再養息一段時日，或可康復。案上藥物，費我不少心思，服過之後，還望你能屏絕心中雜念，好好睡上一夜，明晨老夫再來替你把脈。」

說完，背起雙手，緩步走出了臥室。

蕭夫人端起藥碗，行近榻邊，低聲說道：「外子爲人，心慈面冷，對人素來不會說客氣之言，還望妹妹不要怪他才是。」

藍衣婦人急道：「夫人言重了，救命之恩，深如東海，難婦雖死，亦難報萬……」

蕭夫人微微一笑，接道：「妹妹請喝下這碗藥湯。」

藍衣婦人歎道：「難婦落魄之人，怎敢和夫人平輩論交，承蒙抬愛，已然心領。賤名雲姑，請夫人直呼賤名。」

蕭夫人笑道：「妹妹雖受重傷，風采仍然可見，如若我猜想不錯，妹妹必然出身大家，不是個俗凡之人。」

雲姑輕歎一聲，不再答語，接過藥湯喝下。

數日的療養，雲姑大部傷口已合，人已可下床走動。

她從蕭夫人的口中，得知了蕭大人乃是一位廉正的御史，因彈劾權臣，被陷害關入天牢，被一位武林高人所救，埋名歸隱林泉。官海凶險，已使他再無心仕途，每日垂釣、蒔花，樂度餘年，夫婦兩人，膝下只有一子。

又過了一月時光，雲姑傷勢已經痊癒，多日相處，她已和蕭夫人成了閨中密友，但她卻絕口不談自己的身世來歷，對那火劫巨舟，也似忘去一般，從未再提過。

蕭家人口簡單，除了夫婦二人和一個孩子外，只有一個追隨蕭家多年的老家人蕭福，一名長工和一個婢女。

蕭大人那一艘畫舫，也毀於那次大火之中，原來僱用的兩個舟子，也辭工他去，一座寬大的庭院，就只有這幾個人。

那長工除了修整花木，做些粗工之外，從不進後院一步，因此，使這花樹環植的內院中，更顯得分外寂靜。

這日中午飯後，雲姑突對蕭夫人說道：「愚妹傷勢已好，長日無事，太覺閒散，我那姊夫，既喜清靜，倒不如把令郎交我課讀，也讓我消磨這漫長的時光。」

蕭夫人沉吟了一陣，笑道：「妹妹有此用心，那就有勞費心了。」

雲姑知她心中甚多懷疑，也不解說。

次日上午，蕭夫人帶了孩子來拜見老師，雲姑雖然謙辭再三，孩子仍然行了拜師大禮。

蕭大人雖然歸隱林泉，但治家依然極爲嚴謹，雲姑雖由蕭夫人口中知道蕭家只有這個獨子，但自從她清醒之後，就從未見過那孩子之面，在她記憶之中，那蕭大人也只來過一次，這數月來，她見的只是蕭夫人和一個十八、九歲的婢女。

蕭夫人帶孩子拜見過雲姑之後，拉著雲姑一隻手，親切地說道：「妹妹，這孩子天資不弱，悟性極高，只是先天不足，身體虛弱一些，有勞妹妹多費心了。」

雲姑微微一笑，說道：「姊姊但請放心，我自會全心全意地照顧他。」

目光一掠孩子，接道：「我看他崢嶸秀拔，稟賦本厚，日後成就，絕不在姊夫之下。」

蕭夫人歎道：「你那姊夫，因宦海受挫，看破利祿，不願獨子再涉足功名，平日雖也肯教翎兒讀書習字，但讀的卻不是治世經典，而是詩詞歌賦、佛道星卜，隨興之所至，想到什麼，就教他什麼，是以十一、二歲的孩子，卻學了一肚子奇怪的東西……」

雲姑笑道：「姊夫沒有教錯，不論翎兒日後是否將涉足仕途，這些學問都該知道一些的好。」

蕭夫人回顧了孩子一眼，道：「翎兒，好好聽雲姨的教訓。」說罷回身緩步而去。

雲姑也不勸留，起身相送，回身關上了房門。

這座書房，足足兩大間，除了一張木桌、兩張竹椅之外，就只有一套茶具。兩扇木窗，正對花園，盆菊盛放，素梅含苞，點綴出初冬景色。

雲姑仔細打量了孩子兩眼，只見他肌色黃中微現青色，不禁暗自一歎，道：「這孩子幸虧遇上了我，要不然只怕他難以活過二十……」

心中念轉，口中問道：「孩子，你叫什麼名字？」

那孩子道：「我叫蕭翎。」

雲姑笑道：「這名字取得很好，振玉翎，展雁翅，總是飛騰之兆，但願你能光耀門庭……」

蕭翎搖搖頭，說道：「爹爹替我診過脈，說我活不過二十歲，只要我學些雜學，再過兩年，他還要帶我遊玩名山勝水，縱然死去，也不算虛枉此生。」

雲姑先是一怔，繼而淡然一笑，道：「這些話，你可曾告訴過媽媽嗎？」

蕭翎道：「沒有，爹爹再三告誡於我，要我不能告訴媽媽，爹爹說，媽媽若知道此事，定然要痛不欲生。」

雲姑突然一整臉色，那嬌艷的臉上，似是陡然間罩上了一層寒霜，一字一字地緩緩說道：「孩子，你如聽我的話，就可以不死了。」

蕭翎雙目一瞪，道：「當真的嗎？」

雲姑道：「自是千真萬確，但有一件，我教你什麼，不許告訴爹娘。」

蕭翎沉吟了一陣，道：「好吧。」

匆匆時光，轉瞬間又過了兩月。

沒有人知道在這兩個月之中，雲姑和蕭翎在那兩扇木門緊閉的書房之內，做些什麼。但有一點使蕭夫人大爲放心，蕭翎那虛弱的身體，似是逐漸強壯起來，臉上也泛現出紅潤的光采。

蕭大人淡泊世情，雖覺翎兒大異往昔，但他不願多問，蕭夫人眼看愛子身體強健起來，高興地心花怒放，哪裏還去多管閒事，盤根究柢，查問翎兒從雲姑那裏學了一些什麼。

這一天，臘月二十三日，蕭夫人梳洗剛完，忽見蕭翎急急衝進房來，叫道：「媽媽，雲姨留下了一張便箋，悄悄走啦！」

蕭夫人急急接過便箋，只見上面寫道：

難婦既蒙相救，又蒙夫人垂愛，視同姊姊，劫後餘生，本應留府竭盡綿薄課教翎兒，以報再生之德。唯難婦另有要事，必須親去處理，本欲明告，但恐盛情相留，迫於情勢，只得留書拜辭，恩德永銘五內，結草銜環，但祈有圖報之日。臨行不勝依依，情非得已，唯懇宏量海涵。

書上 蕭夫人妝次

雲姑拜留

蕭夫人一口氣讀完留箋，不禁歎道：「這怎麼行，她一個婦道人家，在這等深冬歲暮之時……」忽聽步履聲響，蕭大人啓簾而入。

蕭夫人正急得沒有主意，一見蕭大人入內，便急急說道：「老爺請看，雲姑留字走了。」

蕭大人搖頭道：「不用看啦，此乃必然之事。」伸手接過留箋，扯得粉碎，放入袋中。

蕭夫人呆了一呆，道：「你幹什麼？」

蕭大人道：「此箋留它不得。」

蕭夫人道：「爲什麼？」

蕭大人長長歎息了一聲，沉聲道：「偶然突發，不可臆測之事，正如暑日降雪，江水逆流，總非吉兆，此事既已時過境遷，不提總比提的好。」

這性情耿介的老人，雖然完全不知江湖間事，但久居宦海，畢竟人情練達，閱歷豐富，似乎已看出此事的不祥與凶險。

蕭翎呆呆地瞧著他父親，突然輕輕一歎，道：「依孩兒看來，雲姨絕對不會走的，孩兒遲早會見得著她。」

蕭大人面色一沉，輕聲責道：「小孩子知道什麼。」

但無論蕭大人如何責罵於他，這童子心中，卻始終抱著一種奇異的信念，認為雲姑絕對不會就這樣拋下自己而去，他終究必能再見得著她。

他雖年齡幼小，但凡是下了決心的事，卻從無更改。

此後數日，他一直癡癡地倚門守望，不管寒風如刀，瞪著兩隻圓圓的眼睛，瞧著那被白雪所掩的道路，蕭夫人縱然時時拖他回房，但只要眼睛一瞬，他便又跑了出去，家人們都知道他素來任性已慣，不敢勸攔。

殘冬歲暮，晝短夜長，五日時光似乎過的比往常分外迅快。

除夕前數日，瑞雪紛飛，正是豐年兆端，蕭翎披了件輕裘斗篷，戴著頂寬邊貂帽，和往日一樣的，早飯方罷，便匆匆趕來門外，倚籬而立，遙望著那無邊無際的白雪出神。

突聽一聲長長歎息，來自身後道：「小主人回去吧，大雪封路，嚴寒砭骨，道途不見行人……」

蕭翎回頭望去，不知何時蕭福已到身後，一皺眉頭，怒聲接道：「誰要你管我了，快給我回去……」

喝叫聲中忽然瞥見一條人影，冒著風雪而來，不禁心頭一喜，大聲叫道：「來了，來了，我早就知道雲姨不會棄我而去的。」聲音中充滿著喜悅。

蕭福呆了一呆，隨著他的目光望去，果見那積雪的道路上，踽踽行來了一條人影，身形婀娜，顯然是個女子。

如此嚴寒之中，人們身披重裘，猶覺寒冷，但這女子身上衣衫卻是襤褸單薄，狂風中衣袂飄飄。

人影逐漸接近，面目已清晰可見，原來是一個十六、七歲的青衣少女，長髮散垂，臉色鐵青，風雪中嬌軀不住地顫抖著，顯然，她已耐不住這砭骨的寒風。

蕭翎歡顏頓斂，失望地歎息一聲，正待回身而去，忽聽那少女啊喲一聲尖叫，身軀搖了兩搖，倒臥在冰雪地中。

蕭福黯然歎息一聲，道：「好可憐的孩子！」

他語氣之中，雖然充滿著憐憫之情，但人卻站著不一動不動。

雪如鵝毛，就這瞬息的工夫，那倒臥在地上的青衣女子，已然被大雪埋了半個身子。

蕭翎略一猶豫，大步行了過去，拂開她身上的積雪，伸手拉著她一隻手臂，高聲叫道：「喂，你快站起來，我扶你到我家中，去避風雪。」

蕭福急步行了過來，苦笑道：「這兩天來，老爺、夫人，已甚煩惱，再將這位姑娘抬回去，只怕老爺……」

蕭翎雙目一瞪，大聲道：「老爺怎樣，我爹爹豈是見死不救的人，快將這位姑娘抬回去，什麼事都由我擔待。」

他看這女子之面，不知怎地，但覺這女子眉目之間，似乎和自己頗爲熟悉，無形中便生出了親近之心，是以堅持要把她抬將回去。

老蕭福看他面上的神情堅定，心知拗他不過，長長歎息一聲，伸手抱起那女子，大步向府中走了進去。

他飽經滄桑，老於世故，知道老爺、夫人這幾日正爲著雲姑之事心神不寧，本不敢再以這等閒雜之事，前去打擾。

哪知方自走入院中，偏偏就遇著了蕭夫人，不禁心神一震，躬身說道：「這位姑娘，冒風雪趕路，耐不住寒苦，倒臥雪中，只要加件衣裳也就好了，老奴立刻打發她上路。」

蕭夫人慈祥的目光，在這女子面上凝望了兩眼，忽然輕歎道：「這女孩子可憐兮兮的，身子又單薄，咱們好歹也得留她住上幾天，待這場大風雪過了，再好送她上路。」

蕭福唯唯應了一聲，蕭翎已從她身後竄了出來，一把抱住了蕭夫人的右臂，笑道：「孩兒早知道母親不會責怪於我……」

在這除夕之夜，由於連日風雪不住，寒氣更甚，蕭大人夫婦由蕭翎相陪，圍爐取暖。忽見人影晃動，那青衣少女，緩緩走了過來。

她經過一日夜的養息，體能盡復，燭光照耀之下，只見她嫩臉勻紅，長髮垂肩，雖是布衣荊裙，但掩不住如花容色，嫣然風姿。

她抖抖身上積雪，舉步入室，遙對著蕭氏夫婦拜了下去，輕啓櫻唇，說道：「難女拜謝夫人救命之恩。」

蕭大人仔細打量少女一陣，輕輕歎息一聲，道：「姑娘請起。」

蕭夫人膝下無女，見她容貌姣好，心中甚是喜愛，舉手一招，說道：「孩子你過來。」

青衣少女依言走了過去，緊偎在蕭夫人身旁而立，低垂螓首，柔聲說道：「夫人有何訓教？」言詞清楚，一派大家風範。

蕭夫人側目相顧，愈看愈覺喜愛，拉著她一隻手兒，笑道：「孩子，快坐下來，你叫什麼名字，爲什麼孤伶伶一個人冒著這大風雪趕路？」

青衣少女秀目眨動了兩下，兩顆晶瑩的淚珠，順腮而下，幽婉說道：「難女姓岳乳名小釵，千里尋母不遇，孤女天涯，慈親何處，斷腸歲月，飄零身世，如非老爺、夫人恩賜援手，難女早已埋骨風雪之中。」

她聲音嬌婉、言詞淒然，神情又那般楚楚動人，只聽得蕭夫人幽幽長歎，黯然垂淚。

蕭大人卻是面色肅然，徐徐問道：「令堂行蹤，姑娘可已知曉了嗎？」

岳小釵緩緩抬起頭來說道：「家母行蹤四方，遠在天涯，近在咫尺。」

蕭大人輕輕咳了一聲，道：「姑娘倒是有心人了。」

岳小釵道：「難女尋親情切，尙望老爺海涵。」

蕭翎自岳小釵入室之後，一直留神打量於她，此刻突然插口說道：「爹爹啊！這位姊姊好像雲姨。」

蕭夫人仔細看去，果然發覺岳小釵眉眼輪廓，酷似雲姑，不禁一呆，道：「翎兒說的不錯啊，這岳姑娘當真是有雲姑的七分風華。」

蕭大人輕輕歎息一聲，道：「你們再談一會兒吧！我要回書房去了。」起身緩步而去。

蕭翎目睹爹爹離了大廳，不禁膽氣一壯，望著岳小釵道：「可惜雲姨已在六、七日之前，留書而去！唉……如若你早來幾日，一見到我那雲姨，就知我說的不錯了……」

岳小釵道：「但望公子說的不錯。」

蕭翎道：「你如無處可去，最好能在我們家住下，待雲姨歸來，你就知我所言非虛了。」

岳小釵道：「如蒙得允收留，難女願充侍婢，侍奉夫人、公子。」

蕭翎搖手說道：「不行，我哪裏還要人伺候，你照顧我媽媽一人，也就行了。」

岳小釵星目一轉，回身對蕭夫人跪拜下去，道：「難女多謝夫人收留大德。」

蕭夫人急急說道：「家中人口不多，姑娘如肯留此，老身極是歡迎。」

一夜天變，雪住雲散。大地春回，歲序更新，萬里晴空，捧出來一輪紅日，這是一個美麗的新年早晨。

蕭翎穿著一身新衣，緩步出室，他自得雲姑傳授了內家上乘坐息之法後，不但弱體易強，而且不知不覺中，已奠下習武的根基，養成了早起的習慣。

抬頭望去，只見一襲青衣的岳小釵，正在打掃著庭院內的積雪。

只見她緩緩回過頭去，望著蕭翎嫣然一笑，道：「公子早。」慢步直行過來。

日光照耀著她艷紅的嫩臉，玉人白雪，相映生輝。

蕭翎見她面目、身段，無處不像悄然留字而去的雲姨，不禁看得一呆。

岳小釵看到他呆呆望著自己的木然神情，心中微生羞意，盈盈一笑，道：「公子為什麼一直望著小婢？」

蕭翎長歎一聲，道：「你長得太像雲姨了，唉！如你再大上幾歲，那我就無法分辨了。」

岳小釵臉色微變，但不過一刹那時間，又恢復了鎮靜的神色，緩緩轉身而去。

此刻，蕭翎突然有著失望的感覺，岳小釵的音容笑貌，雖然酷似雲姑，但卻無法代替那雲姑給他的慈愛呵護，在他純潔的心靈裏，已開始嘗受思念的憂苦。

他信步茫然而行，走進了書房。這地方，蕭翎已數日未來，室中擺設依然，雲姑卻如黃鶴。在這裏，他得到了雲姑慈母般的惜愛，在這裏，他學得雲姑上乘內功的坐息之法，他雖然還未完全瞭解雲姑傳授上乘內功的妙用，但他卻知道自己一向虛弱的身體，突然強健起來，都是雲姑所賜，一縷孺慕的懷念之情，已深植在他心中。

睹物思人，不禁黯然閉下雙目，依照雲姑傳授的坐息之法，開始練習起來。

不知過了多少時間，突然被一聲砰砰的脆響驚醒。

睜眼望去，只見岳小釵臉色慘白，一對明亮的眼睛，怔怔地盯在窗上，手上的茶盤，跌落地上，一隻細瓷茶碗摔得粉碎。

蕭翎怔了一怔，道：「你怎麼啦？」

岳小釵如夢初醒一般，舉手理一理鬢邊垂下的散髮，緩緩轉過身來，說道：「你那走失的雲姨，可就住在這書房中嗎？」

她雖然極力想使自己鎮靜，但仍然無法平復激動的心情，聲音微帶著顫抖，言不由衷。

蕭翎雖然覺著她這幾句話，說得十分突然，但仍然搖頭答道：「雲姨住在這書房左側，這地方是她伴我讀書的所在。」

岳小釵道：「雲姨對你很好嗎？」

蕭翎道：「太好了，所以我一直想念著她。唉！但願她能夠早日回來。」

岳小釵強忍著心頭酸楚，說道：「但願如此。」

伏身撿起地上的木盤碎杯，黯然退出書室。

蕭翎智慧過人，目視岳小釵異常的神情，心中忽然動了懷疑，站起身來，行近窗前，仔細瞧了半天，卻是瞧不出一點可疑的事物，心頭納悶，隨手打開了窗扇。

但見滿園白雪，遍地瓊瑤，忽然間，人影一閃，疾快地隱入了覆雪積壓的花叢之中。

匆匆一瞥之間，頗似那岳小釵的背影。

蕭翎好奇心大動，急急奔出了書房，直追過去。

白雪地上，留下了淺淺的足痕，蕭翎依著足痕，追尋過去。

繞過叢叢花樹，行到了花園一角，雪上的足跡突然消失不見。

蕭翎停下了身子，抬起頭來，四外張望了一陣，但見藍天如洗，艷陽高照，哪裏還有絲毫的痕跡可尋。

他舉起手來，拍拍腦袋，自言自語地說道：「這就奇怪了，她跑到哪裏去了呢？」

目光轉處，突然發覺了相距自己停身四、五尺外的白雪地上，有一片三尺大小的洞口。

這是一口水井，在蕭翎的記憶中，早已枯竭甚久。

這地方是蕭家寬大的花園中，最爲冷僻的一角，即是那修剪花樹的長工，也甚少到這角落裏來。一種奇異的感受，使蕭翎不自覺地向井口行去。

一縷淒涼的哭聲，由枯井中傳了上來。蕭翎心中一陣劇跳，探首向井底望去。

陽光照射下，隱約可見井底的景物。

只見一團活動的黑影，緩緩在井底蠕動，淒涼的哭聲，就由那黑影發出，若斷若續，嬌婉動人。

蕭翎窮盡了目力，凝注良久，才看出那正是岳小釵，在她的身前，似是還有一個人，但那人靜坐不動，有如泥塑木雕一般，對岳小釵那淒涼的哭聲，竟然是聽而不聞。哭聲愈來愈淒涼，聲聲斷人腸。

蕭翎凝神靜聽，已隱隱聽出那哭聲中夾帶著輕微的嬌呼道：「女兒晚來了一步，竟無法再見……娘面……」

蕭翎被那哭聲所動，心頭惻然，兩行淚水，滾下雙腮，不自覺地舉起右手衣袖，去拂拭臉上的淚水。

他本是雙手撐地，探首下看，雪地寒冷，雙手早已凍木，右手一抬，全身重量，陡然失去了平衡，啊呀一聲驚叫，直向枯井之中跌去，人類潛在的求生本能，使蕭翎不自覺地伸手向兩側亂抓。

這本是極快的一瞬，蕭翎心中還未來得及轉動生死的念頭，突覺身體被一股柔和的力量，托了起來，一陣淡淡的幽香，撲入鼻中。

定神望去，發覺自己躺在岳小釵懷抱中，她一雙清澈大眼睛之中，仍然不停滾落出淚水。

蕭翎鎮定了一下慌亂的心神，挺身站了起來，目光一轉，忽然驚叫一聲「雲姨」，隨即撲去。

一隻素手，橫裏伸來，擋開了蕭翎的身子。

耳際響起岳小釵幽淒的聲音，道：「公子不可造次，我娘已氣絕死去了。」

蕭翎只覺胸口上，似乎突被人重重地擊了一拳，氣血上湧，滿臉漲得通紅。

這一連串的驚險變故，已使蕭翎有些茫然無措，呆了半晌，才靜下慌亂的心神，他揉揉眼睛望去，只見雲姑盤膝閉目而坐，玉簪插髮，臉色艷紅，衣著整齊，面目如生，頓覺一股怨氣沖了上來，怒道：「你胡說什麼？可是欺侮我年紀小，沒有見過死人嗎？雲姨往常打坐之時，也是這般模樣，哪裏是死了……」

岳小釵搖頭道：「公子哪裏知道，我娘內功精深，又服了保屍靈丹，是以她的遺體不壞。」微微一頓，又道：「公子最好能鎮靜一些，不要驚動了府上之人。」

蕭翎目光中充滿了懷疑，將手指慢慢地觸到雲姑的臉上，只覺如觸鐵石，冰冷僵硬，果然已死去多時，怔了一怔，突然放聲哭了起來。

哭過之後，蕭翎舉起衣袖，拂拭了一下臉上淚痕，道：「雲姨真的死了，我要告訴爹媽，好好的厚葬她。」

岳小釵搖頭說道：「此事不能驚動令尊大人，而且我娘遺書之中，已然說明，你們對她恩義深厚，不能連累到你們，要我把屍體偷偷運走，送往一處安全所在。」

蕭翎突然一整臉色，莊重地說道：「我也要去。」

岳小釵吃了一驚，道：「不行，此去路途遙遠，而且凶險重重，公子如何能隨我冒險。」

蕭翎流下淚來，說道：「雲姨待我好，她死了我豈不該送她下葬！」

岳小釵道：「公子的盛情，小婢這裏心領了。」

蕭翎心頭大急，撲通一聲對雲姑屍體跪了下去，道：「雲姨視我如子，愛惜呵護，無微不至，姑娘何擬是我姊姊，唉！你以後別叫我公子。」

岳小釵道：「那要小婢如何稱呼？」

蕭翎想了一想，道：「我小你幾歲，以後咱們姊弟相稱，也是天經地義的了。」

岳小釵聽他說得誠摯，不忍再出言拒絕，微微一歎，道：「公子這等說法，那我就恭敬不如從命了。」

蕭翎仰臉望天，沉吟了良久，忽然把目光投注到岳小釵的臉上，求道：「姊姊可是討厭我嗎？不然你爲什麼不帶我走？」

岳小釵道：「此去路途遙遠，而且凶險重重，何況兄弟又是孤子，如若我帶你遠行，豈不要急煞兩位老人家了嗎？」

蕭翎緩緩站了起來，凝注著面目如生的雲姑，沉吟了一陣，道：「爹爹教我讀書，博雜得很，佛道卜醫，無所不包，而且他早有心願，要帶我暢遊名山勝水，行萬里路，縱然知道要隨你遠行，也不會阻攔於我，只要想個法兒，使得我娘安心，那就行了。」

岳小釵仰臉望望天色，道：「兄弟先請回去，我們要走也得先行準備一下，今天是不行啦，你也藉這段時光，好好想上一想，咱們晚上再做決定。」

蕭翎抬起頭來，只見井口高達一丈有餘，四周又無攀手借力之處，如何能夠憑空而上，不禁發起愁來，說道：「如若有人在井外花樹之上，結下一條索繩，垂入井中，咱們就可以爬上去了。」

岳小釵淡淡一笑，接道：「兄弟請閉上雙目，我送你上去。」

蕭翎心中暗想：這樣高的削壁，除了生出翅膀飛上之外，如何爬得上去？他心地乖巧，雖然存疑，卻是不肯多問，緩緩閉上雙目。

原來他早已打好主意，要暗中看看岳小釵如何把自己送出這一丈多高的枯井。

只聽岳小釵道：「兄弟小心了。」

她雙手齊出，按在蕭翎的兩肋之上，輕輕說道：「不要怕。」

蕭翎只覺一股強猛絕倫的力量，自肋邊翻騰而起，整個身軀，被那強力捧了起來，眨眼間，目接白雪，寒風撲面，人已出了枯井。

岳小釵跟蹤而起，雙手輕輕一拉，接住了蕭翎向下沉落的身子，低聲問道：「兄弟，害怕嗎？」

蕭翎大大地喘一口氣，道：「有一點怕，不過現在不怕了。」

他目光一轉，望著岳小釵，神色莊重地說道：「雲姨待我好，我心中一直惦念著她，如今雲姨死了，我必得為她送葬，咱們相約之事，一言為定，姊姊可不能騙我，悄然棄我獨去。」

岳小釵緩緩點點頭，道：「好吧！今晚上三更時分，我去找你。」

蕭翎轉身而去，頭也不回地繞過花叢隱失不見。

岳小釵望著蕭翎的背影，心中感慨叢生，忖道：他去時頭也不轉一次，那是相信我定然不會欺騙他了，娘在遺書之上，雖然要我好好的照顧於他，卻是未曾說明是否要帶他離家。蕭家待我娘恩義甚厚，既不能棄下蕭翎不管，又不能當真帶他而去，使兩位老人家嘗受失子之痛。

心念迴轉，竟是難以打定主意。

蕭翎回房之後，急急寫好一封暫時告別爹娘的書信，收拾幾件衣物，打成一個包裹，藏在床下，他雖然從未離家遠行過，但常聽爹爹談起出門之事，心中早有了梗概。

他盼望著早一些日落西山，又盼望這一天長過一年，想到和岳小釵此番離去，不知何日才能歸來，重見爹娘之面，轉念又想到此去定可大大的觀賞一下沿途風光，長些見聞，心中胡思亂想，悲喜交集。

他心中思潮洶湧，哪裏還有睡意，一直坐到了三更時分，還不見岳小釵來，不禁大為焦急起來，正待出室尋去，忽聽窗外傳進來一個柔和的聲音，道：「兄弟，睡醒了嗎？」

蕭翎急急躍起，抓起了藏在床下的包裹，奔出室外。

果然是岳小釵應約而來，接過蕭翎手中包裹，低聲說道：「兄弟，我帶著你走。」攔腰抱起了蕭翎，疾行如飛。

蕭翎看她縱躍之間，有如飛鳥一般，七、八尺高的圍牆一躍而過，心中大是羨慕，暗道：我如能練成和她一般，才算不虛此生。

岳小釵身法奇迅，轉眼間已入荒野。這是個無月的深夜，一天繁星，遍地白雪，寒風砭骨，吹得人陡生寒意。

陡然間，岳小釵停止奔行之勢，柔聲說道：「兄弟上車去吧！」

蕭翎抬起頭來看去，只見一輛黑篷馬車停在白雪地上，寒風中，黑篷微微波動。

岳小釵打開車簾，放下蕭翎，說道：「我已在車中替兄弟鋪好了被褥，你等了半宵，想已十分勞累，趕快睡一會兒吧。」也不容蕭翎答話，立時放下垂簾。

蕭翎搓搓凍得有些僵硬的兩手，說道：「姊姊不進來嗎？」

車篷外傳入岳小釵的聲音，道：「我還要驅車趕路，你自己好好的休息吧。」語聲未落，輪聲轆轆而起，車已馳動。

蕭翎閉上雙目，休息了片刻，再睜眼，已可見車中景物，只見右角處，重重白綾，裹著雲姑的屍體。

雲姑仍然是端坐的姿態，微閉雙目，靠在車欄上，神態仍是那般安詳，就像她往日打坐一般，毫無死後的恐怖形狀。

只聽岳小釵的聲音，重又傳了進來，道：「兄弟，小心些，不要碰著了你雲姨的屍體。」聲音微微一頓，又道：「你心中害怕嗎？」

蕭翎振振精神，道：「不怕，雲姨和活著一般模樣。」

岳小釵長歎一聲，不再言語，篷車卻突然加快，向前奔馳。

蕭翎體質素弱，雖得雲姑傳授了上乘內功，但因他與生俱來的先天缺陷，練武不能急進，雲姑費了數月苦心，也不過使他一向孱弱的身體，強了一些，這日經過一天半夜的勞心未眠，早已疲憊難支，輪聲催眠，不知不覺間，昏昏睡了過去。

朦朧之中，被一陣低微的哭聲驚醒，他生來智慧過人，幼小便務旁學，心思甚是機靈，人雖醒來，卻是不肯稍動，悄然啓開雙目望去。

只見岳小釵跪在雲姑屍體之前，淚水泉湧，哭得甚是傷心，只是聲音十分低微，顯是怕驚醒了蕭翎。

在她的身側，放著一張香箋。

一線日光，由那黑篷縫隙中，透射進來，蕭翎目光轉動望去，只見寫道：「不能讓他大哭……大笑，情緒激動……」下面折疊起來，無法看到，上面卻被蓋在身上的被子擋住，看這幾句話，沒頭沒腦，也不知說的哪個，蕭翎心中暗想：這張香箋的字跡，似是雲姨手筆，定是她的遺書了；不自禁抬起頭來。

岳小釵耳目何等靈敏，蕭翎身子一動，立時警覺，素腕伸動，先取去身側的香箋，舉起衣袖拂拭了一下臉上的淚痕，回過頭來，笑道：「你睡好了？」

她傷痛母親之死，但卻又極力逃避著不願使傷痛之情，落在蕭翎的眼中，不勝悲苦中，忽然盈盈一笑，更見淒涼情態。

蕭翎爬起身來，對雲姑拜下去，岳小釵卻伸手攔住了他，柔聲道：「兄弟你要幹什麼？」

蕭翎道：「我要拜拜雲姨的遺體。」

岳小釵道：「不用啦，你如一拜，只怕又要引起我的悲苦之情，現已天色過午，只怕你腹中早已飢餓，咱們下車進些食物吧。」也不容蕭翎答話，一掀車前垂簾，牽著蕭翎走下車去。

只見陽光耀目，耳際間水聲淙淙，馬車停在一片樹林旁邊，一株老樹根旁，三塊大青石上架著一個鐵鍋，鍋下枯枝高燒，陣陣香氣，撲入鼻來。

岳小釵拉著蕭翎，坐在老樹根上，笑道：「媽媽生前常教我烹飪之術，你看姊姊的手藝如何？」

原來那車中運著雲姑屍體，岳小釵怕露了馬腳，勢將引起麻煩，不敢在店中食宿。

兩人匆匆食過一頓野餐，蕭翎讚不絕口，誇獎岳小釵烹飪的手藝。

岳小釵收了鍋碗，扶著蕭翎登上馬車，就林中幾株大樹之上，劃些記號，才登車而去。

蕭翎看她劃的字不像字，圖不像圖，叫人無法辨認，心中雖疑問重重，卻強自忍下不問。

兩人一車，行了數日，這日中午時分，到一個大鎮之上，但見人馬往來，十分熱鬧。

蕭翎腹中飢餓，但這幾日來一直和岳小釵食宿在荒野，雖然不解，想她必有用心，也不敢提出飢餓之事，強自忍下餓火，可是兩匹拖車健馬，幾日來未得好食，體力大感不支，嘶叫一聲，臥了下去。

岳小釵一皺眉頭，低聲說道：「兄弟，咱們吃點東西再走。」

蕭翎喜道：「我早就有些餓了。」

兩人下了馬車，找了一座客棧，岳小釵吩咐店家，帶著兩匹馬去，好好的飼餵，和蕭翎揀了一處靠窗的位子坐下。

突然間響起一陣急促的馬蹄之聲，兩匹疾奔快馬，急馳而過。

馬上兩個大漢，都佩帶著兵刃，寒冬天氣，跑得兩匹馬汗水淋漓。

忽見那當先一匹馬上的大漢，陡然一收轠繩，急行如飛的奔馬，陡然人立而起，長嘶一聲，停了下來，江南文風鼎盛，文士多不善騎，眼看此人騎術如此精湛，街上行人都不禁喝起彩來。

彩聲未絕，忽又傳出驚叫之聲。

原來後面一匹健馬，不料前行之人，陡然停了下來，急馬狂奔，收勢不及，連人帶馬撞了上來。

只見那當先停馬大漢，百忙之中，突然回身一掌，直向急奔的健馬推去，眾人驚叫聲中，那健馬急奔之勢，竟被那大漢一掌給擋了下來。

彩聲雷動中，兩個大漢齊齊翻身落馬，望了那黑篷馬車一眼，目光四處掃射。

只聽一個大漢說道：「在這裏了。」鬆開手中馬韁，大步行入店中，直對岳小釵走了過來，抱拳一禮。

岳小釵神色鎮靜，微微一聳柳眉，道：「你們急什麼呢？」

那大漢似是自覺形態太過莽撞，尷尬一笑，放緩腳步行來，垂手而立，低聲說道：「我見得姑娘留下暗記，匆匆追來……」

岳小釵玉手一擺，道：「什麼事，等會兒再說不遲。」

那大漢心中似是有甚急話要說，但卻輕咳了一聲，硬給嚥了下去。

蕭翎打量那兩個大漢，都在三旬左右，黑綢緊身小襖，足登薄底快靴，一個背上斜斜揹著一柄單刀，一個斜揹一對判官筆，神態威武，氣度不凡，但對岳小釵卻似有著深深的畏懼，執禮甚恭。

那身背單刀的大漢，似是憋不住胸中的話，忍了一陣，低聲接道：「姑娘的行蹤已然敗露，強敵即將跟蹤而至。」

岳小釵神情微變，大眼睛眨了一眨，緩緩說道：「你們快用酒飯，咱們盡快登程。」

一餐飯匆匆食畢，算了酒錢，牽過馬匹，立時啓程趕路，那佩刀大漢接替了岳小釵，揚鞭馳車，身揹判官筆的大漢，緊緊隨在車後。

此時岳小釵與蕭翎兩個人對面而坐，蕭翎不禁多瞧了兩眼，只見她嬌靨泛愁，柳眉微鎖，凝目沉思，似是正在思忖一件重大之事。

輪聲轔轔，車行極快，片刻間出了市鎮。

岳小釵突然抬起頭來，目光凝在蕭翎的臉上，道：「兄弟……」

蕭翎微微一怔，道：「什麼事？」

岳小釵道：「咱們行蹤已然敗露，恐已難免要有一場生死難卜的惡戰。兄弟不是江湖中人，犯不著和我們冒此凶險，姊姊之意，先把你送往一處安全所在，不知兄弟意下如何？」

蕭翎搖頭接道：「不行，我要和姊姊走在一起，縱有什麼凶險，我也不怕。唉！我爹爹早已告訴我，難活過二十歲，我今年十二歲了，也不過還有八年好活，早死幾年打什麼緊。」

岳小釵本想強他離去，但轉念想到母親遺書中相囑之言，要好好善待於他，此子先天之中暗帶缺陷，縱然授以上乘內功心法，亦不能在短期內療治好他與生俱來的暗疾，兩年之內，絕不能使他大悲大喜，情緒激動，能度過兩年時間，內功基礎深奠，當可挽救他早夭之命。如若強行攆他下去，勢必大傷其心，豈不害了他的性命，慈母遺命，豈可有違……

蕭翎目睹岳小釵沉思不言，忍不住說道：「姊姊，你在想什麼？」

岳小釵道：「兄弟定要隨我同行，必須答允我兩件事情。」

蕭翎道：「什麼事？」

岳小釵道：「不論遇上什麼凶險之事，未得我允准，不許你接口插言，輕舉妄動。」

蕭翎道：「我不言不動就是。」

岳小釵道：「還有一件，不論你看到了什麼悲苦、高興之事，都不能大哭、大笑。」

蕭翎奇道：「這爲什麼？」

岳小釵道：「不要問爲什麼，你如不肯答應，我就立時派人送你回去。」

蕭翎道：「好吧！我答應。」

岳小釵道：「你好好坐著休息。」一掀垂簾，躍出篷車。

但聞車外傳進談話之聲，只是聲音太過低微，聽不清說的什麼。

二 步步驚心

蕭翎只覺馬車行速，逐漸加快，車身顛動劇烈，似是行馳在一條崎嶇的山道上。

突然間，馬車停了下來，岳小釵掀簾而入，抱起了雲姑的屍體，低聲對蕭翎說道：「兄弟，你跟我來。」

蕭翎跳下馬車，抬頭看去，只見遠山凝翠，峰嶺起伏，不遠處一叢修竹中，露出來一間茅屋。

岳小釵急急向茅屋行去，蕭翎用出了全身氣力，緊追在岳小釵的身後，繞過翠竹，到了那茅屋前面。

只見柴扉緊閉，一片寂然。

岳小釵舉手在那柴扉之上，叩了兩下，肅然而立。

足足等待一盅熱茶工夫，才聞那室中傳出來一個蒼老低沉的聲音，道：「什麼人？」

岳小釵道：「晚輩岳小釵。」

茅屋中響起一聲深長的歎息，道：「老身已十年未見賓客，縱是故人之女，也不願破例相見，你回去吧！」

岳小釵急急說道：「晚輩之母，已然謝世，遺體現在室外，萬望老前輩看在亡母份上，破例……」

遙聞一聲厲嘯傳來，打斷了岳小釵未完之言。

茅室中響起了一陣竹杖著地的嗒嗒之聲，柴扉呀聲而開。

蕭翎凝目望去，只見一個滿頭白髮的老嫗，手握竹杖，緊閉著雙目，骨瘦如柴，一臉堆滿皺紋，當門而立。

岳小釵放下了雲姑的屍體，恭恭敬敬對那老嫗拜了下去，道：「叩見老前輩。」

那老嫗現身，有如木雕泥塑一般，動也未動一下，岳小釵拜伏地上，亦似懵然不覺。

蕭翎心中暗暗想道：這老太婆好大的架子。

只見那老嫗緩緩伸出枯瘦的手指，慢慢推動柴扉，道：「老身已見到你了。」

岳小釵道：「老前輩破例賜見一面，晚輩感激不盡。」

那老嫗冷冷接道：「你要見我一面，現在見過了，你還不走，等待什麼？」

岳小釵道：「晚輩還有一件事相求，萬望賜允。」

那老嫗神色冷漠，凝立不語。

岳小釵淒然說道：「家母負傷死亡，遺書要晚輩把她遺體送往衡山一位故人之處……」

那老嫗仍然是靜靜地站著，不動不言。

岳小釵看她沒有反應，接道：「在晚輩記憶之中，老前輩乃家母生前極少的故友之一，年前家母亦曾帶著晚輩來此拜訪，但因老前輩閉門謝客，不敢驚擾，徘徊門外良久，才帶晚輩離去。今日家母已作古人，晚輩依照遺囑，送靈衡山，不想消息走露，招來敵人追蹤鐵蹄。晚輩死不足惜，但恐傷到家母遺體，萬望老前輩破例恩准晚輩寄靈於此，也好放心拒敵。」

那面容冷肅的老嫗，似是被岳小釵言詞所動，已將關上的柴扉，突又大開，道：「看在你死去母親的份上，我允你存靈七日。」

岳小釵道：「老前輩恩澤廣被，幽明同感……」

她目光一掠蕭翎，接道：「晚輩想留下這位兄弟，照顧亡母遺體……」

那老嫗冷冷接道：「洗心茅舍，從未有過三尺童子涉足……」

蕭翎看那老嫗的冷漠神情，心中早已氣憤，只是不便發作，此刻再也忍耐不住，高聲說道：「我不要留在這裏。」

那老嫗不再理會兩人，緩緩回身而去。

岳小釵低聲對蕭翎道：「兄弟不要鬧，咱們處境險惡，追蹤之人，個個武功高強，姊姊自己就無信心勝敵，只怕無能兼顧於你了。」

蕭翎一挺胸，莊重地說道：「我不怕。」

岳小釵看他神色堅決，大有視死如歸之概，不禁呆了一呆，抱起雲姑屍體，放入柴扉之內，回身向林外行去。

蕭翎緊隨在岳小釵的身後，亦步亦趨。

那輛黑篷馬車，仍然停在崎嶇的山道上，兩個隨行的大漢，正在焦急地等待著。

岳小釵拉著蕭翎，跳上馬車，素手一揮，道：「咱們走！」走字出口，車已起行，迅快如飛地向前奔馳而去。

車行不過百丈，突聽一聲沉如雷鳴的吼聲，由後面傳了過來，道：「停車！」

岳小釵盤膝坐在車中，閉目養息，對那傳來的喝叫之聲，恍如不聞。

蕭翎忍不住動了好奇之心，探出車外，向後望去。

只見三匹快馬，風馳電掣一般追來，倏忽之間，已追到車後。

蕭翎看那三騎快馬，都跑得滿身大汗，顯然是經過一段遙長的跋涉而來。

當先一騎快馬離篷車還有一丈左右，馬上三人，卻突然飛躍而起，人離馬鞍，捷如飛鳥，懸空打了一個觔斗，人已越過馬車，腳落實地，攔住了馬車的去路，右掌一揮，猛向那駕轅的快馬頭上劈去。

馭車之人，正是那身揹單刀的大漢，只見他左手一收韁繩，正在奔行的馬車突然一偏，右手長鞭揮處，疾速向那攔路大漢右小臂上抽去。

蕭翎仔細看那攔路大漢，竟然是一個身著黑色長衫的老者，頦下留著四、五寸長的花白山羊鬍子。

只見他身體閃動，陡然間向後退出八尺，避開了大漢一鞭，仍然攔在車前。

蕭翎看這幾人與飛車相搏的驚人舉動，不禁心神嚮往，忘了害怕。

一隻素手，探出車外，抓住了蕭翎的右臂，硬把他拉入車中。

蕭翎望了岳小釵一眼，道：「姊姊，好看得很，他們動作好快，快得我眼花撩亂，看不清楚。」

只聽車後傳來一陣厲喝怒吼之聲，緊接著噹的一聲大震，似是兩件沉重的兵器撞在一起。

馬車的行速，突然減了下來，人喝馬嘶，兵刃撞擊的聲音，交織一片。

岳小釵倚在車欄上，又閉上雙目，似是在想著一件沉重的心事，對車外打鬥之情，置之不理。

陡然間，響起了一聲慘痛的馬嘶，篷車停了下來。

岳小釵睜動了一下雙目，重又閉上。

蕭翎再也忍不下好奇之心，右手一伸，撩起了車簾，向外看去。

只見那駕車大漢，已拔出背上單刀，跳了下去，正和那留著山羊鬍子的老者惡鬥，那老者身上雖也揹有兵刃，卻是沒有取用，赤手空拳，和那施刀大漢相搏，兩人盤旋交錯，打得甚是激烈。

蕭翎不解武功，只見那大漢單刀翻飛，舞起一片白光，把那老者圈入了一片白光之中。

轉頭望去，車後的打鬥，更是激烈凶險，那隨行而來的護車大漢，已拔出背上的判官雙筆，這三人都已動了兵刃，一條金絲軟鞭，和一個奇形怪狀，似刀非刀，似劍非劍之物聯手而攻，車後打鬥，敵方似是佔了優勢，軟鞭和那似刀非刀的兵刃，交織成一片光網，已把那使用判官筆的大漢，圈入其中。

再看車中的岳小釵，仍靜靜坐著不動。

蕭翎心中疑雲叢生，暗暗忖道：車外打得如此凶惡，岳姊姊卻坐著不動，看起來她定是自知武功不行，難以出手幫忙，只好和我一般模樣，坐在車中等待了。

忖思之間，突然一聲暴喝，那手舞單刀的大漢，被那赤手空拳的老者，一掌擊在左肩之上，震得輕輕向一邊退開，讓出一條路，他本是拚命擋那赤手老者，不讓他逼近馬車，終是武功不敵，中了一掌，敞開了門戶。

蕭翎看得啊喲一聲驚叫，說道：「奇怪呀！」

那使刀大漢甚是剽悍，人被掌力震退，一提氣又衝了上來，掄動單刀，擋在車前。

那老者冷笑一聲，道：「好啊！你是不想活了。」右掌一招「飛鈸撞鐘」，迎胸拍了過來。

岳小釵突然睜開雙目，撩起車簾，一掠車前和車後的打鬥形勢。

突然砰的一聲，使刀大漢手中單刀，被那老者右手一掌震得飛了出去。

那老者似是已動殺機，左手隨著右掌拍下來，擊向那大漢前胸，那大漢先已受傷，身子運轉不靈，眼看已無法避開一擊。

蕭翎忽覺眼前黑影一閃，岳小釵突然疾飛而出，直向那老者劈出的掌勢迎了過去。

這是極快的一瞬，蕭翎目不暇接，耳際間已響起了一聲悶哼，那氣焰萬丈的老者，突然踉蹌而退，一條左臂軟軟垂了下去。

岳小釵望了望那使刀大漢一眼，道：「傷得很重嗎？」

那使刀大漢面泛愧色，說道：「一些微傷，算不了什麼。」

但岳小釵已看出他的傷不輕，雖非致命，眼下也得好好養息一下。

一伏身撿起單刀放在車上，低聲說道：「你快上車去，休息一下，等一下咱們還得趕路。」嬌軀一閃，向那老者欺去。

那老者左臂「曲池穴」，被岳小釵一擊點中，一條左臂，已難再使喚，但他神智仍然清楚，眼看岳小釵攻近身來，右手一揮，拍出一掌。

岳小釵去勢如風，招術隨勢而發，右手五指半屈，本是點向那老者，「璇璣穴」，見他右掌劈來，中途折勢，點向右腕。

那老者被她一擊而傷，吃過一次苦頭，知她武功高過自己甚多，當下一沉右腕，身子也同時向後退去，準備取下兵刃迎敵，卻不料岳小釵那半屈的五指，突然伸直彈了出來，幾縷尖厲的指風，急襲而至。

那老者只覺腕上脈穴一麻，全身的勁力，頓然失去，退勢一緩，跌倒地上。

就這一剎那間，岳小釵已經近身，右手連揮，點了他四處穴道。

蕭翎目睹岳小釵出手克敵的快速手法，心中又是敬慕，又是歡喜，暗道：原來她有這般高強的武功，早先那閉目不聞之狀，只不過是不屑和這般人動手罷了……

他這裏心念轉動之時，岳小釵已飛身車後，喝退那手使判官筆的大漢，躍身而上，赤手空拳和兩人相搏。

這三人之中，以那老者武功最強，兩人眼看為首之人，躺在地上不動，生死不知，心神大亂，岳小釵出手又快，不過四、五個回合，已點中兩人穴道。

蕭翎的心頭暢快，高聲歡呼道：「姊姊的本領真大！」

岳小釵仰望了兩隻掠空而過的健鴿一眼，眉宇間隱隱泛起一片愁容，目光注向那使用判官筆的大漢道：「咱們行蹤已露，對方不得手，決然不肯罷休……」

蕭翎接道：「姊姊武功如此高強，怎的膽子卻是甚小！縱然再有人追來，也難擋得姊姊一擊。」

岳小釵淡淡一笑，道：「兄弟不知江湖上事，姊姊這點武功，只不過螢火燭光而已，家母武功強我何止十倍，亦是難免身受內傷而死。」

岳小釵轉頭吩咐那使用判官筆的大漢，把三個敵人用繩索捆起，再點他們幾處穴道，棄置田野之中，再選一匹健馬，套上車轅，遙指前面一座高峰說道：「把車馳向那高峰之下。」縱身登上馬車。

那大漢心頭懷疑，但卻不敢多問，揚鞭驅車而行。

岳小釵探手從懷中摸出了兩粒丹藥，交給那閉目養息的大漢服下，才輕輕歎息一聲，低聲對蕭翎說道：「家母雖爲令尊所救，但她實則生機已絕，內傷沉重……」
蕭翎奇道：「雲姨在我們家中，連住數月之久，如是早受重傷，豈能活得那麼久時間？」
岳小釵道：「家母內功精深，得令尊相救之後，強行運功穩住傷勢，憑仗隨身攜帶的一瓶靈藥，保住性命。行動上看去雖和常人無異，其實每日都在忍受著傷勢發作之苦，如我能早到兩月，或可助她療治傷勢，至少可護她離開府上，訪求療傷名醫，因她那時武功已失，孤身一人，實難受長途跋涉之勞，誰想我晚到數日，竟成永訣，難再見家母一面。」
蕭翎道：「雲姨能支持數月不死，何以竟不能多等幾日？」
岳小釵道：「她傷勢沉重，全憑藥力相助，才保得一口元氣不散，靈藥用盡之後，已知難生人世，這才寫下遺書，悄然躲入那枯井之中死去。」
蕭翎長歎一聲，說道：「我還有一事思解不透，天涯遼闊，姊姊何以找上了我們家去？」
岳小釵道：「家母早在那丹桂村外，留下暗記指標，只不過無人識得罷了。」
蕭翎道：「姊姊在書房之中，看到雲姨留下暗記，才知她躲在枯井之中死去嗎？」
岳小釵點點頭，說道：「家母在你書房之中，留下了死亡暗記，並指出藏屍所在，所以我看到那暗記之時，失手打碎瓷碗。」
她舉手拂拭滾滾而下的淚水，接道：「家母遺書之中，談到兄弟，你雖然已得家母傳授了上乘內功的坐息之法，但尚未能登堂入室，盡窺奧秘，如若修爲有誤，那不但難以掃除你先天中身體缺陷，躲過二十歲的必死關口，且將促成提早死亡，豈不是恩將仇報？所以才在遺命中要我指點於你，如非家母遺命，縱然你苦苦相求，我也不敢帶你同行。」

忽聽一陣急促的喘息之聲，傳入耳中。

轉頭望去，只見那靜坐養息傷勢的大漢，滿臉脹紅，好似一口氣吊在了咽喉之中，無法出來一般。

岳小釵揚手一指，點擊那大漢後背之上。

只聽他長長吁一口氣，喘聲頓住，臉上脹紅，也逐漸地消散開去。

但見那大漢緩緩睜開雙眼，道：「多謝姑娘兩次搭救。」

岳小釵心中憂苦，淡然一笑，也不答話。

馬車中突然間靜下來，只有轆轆輪聲，劃破了山野的沉寂。

不知行了多久，輪聲倏然而住，車簾外響起個粗豪聲音，道：「姑娘，車已難再前行。」

岳小釵一撩車簾，跳下了馬車，只見晚霞絢爛，已是太陽下山時分了。

蕭翎站起身子，縱目四眺，但見群山起伏，一峰獨秀，嶺上積雪，在夕陽返照中，一片銀粧玉琢的世界，不禁心胸一闊，大聲笑道：「好一片景色。」

岳小釵看他歡顏不減，全然不知大難當頭，心中惻然，暗道：他父母施恩於我，我如不能保得他的性命，縱然活在世上，也是負疚一生。

不覺間激起豪情，打量了四下地勢一眼，嬌聲說道：「咱們棄車而行。」當先向前行去。

蕭翎在兩個隨行大漢的扶持之下，不知不覺，越過了幾處山峰。

岳小釵停身在一處懸崖所在，道：「今夜咱們就在此處度過，你們先掃去積雪，我去去就來。」轉身一縱，人已到了一丈開外。

蕭翎打量了一下四周形勢，只見停身之處，形勢險要異常，一面高峰聳立，峭壁千尋，三面深谷百丈，觸目驚心，除了來時一條小徑，可以攀登之外，再無可通之路。

目光轉動，只見那扶持自己登峰的兩個大漢，都在不停喘息，臉上隱見汗水。

蕭翎望了兩人一眼，說道：「兩位大叔貴姓？」

那揹刀大漢道：「公子這等稱呼，我等可擔當不起，承蒙下問，賤名張乾。」

背插判官筆的大漢接道：「兄弟叫何坤，請教世兄大名？」

蕭翎笑道：「我叫蕭翎。兩位大叔是我岳姊姊的什麼人？」

張乾輕咳了一聲，道：「咱們都是岳姑娘的屬下，公子有什麼事，儘管吩咐咱們去辦！」

蕭翎道：「我那岳姊姊是何等人物？」

張乾、何坤，相互望了一眼，齊聲說道：「公子還是去問岳姑娘吧！」

說話之間，岳小釵已抱著一綑乾枯的松枝走來，柔聲對蕭翎說道：「兄弟，剛才那番搏鬥，你是親眼看到了。」

蕭翎道：「是啊！姊姊本領高強，小弟好生羨慕。」

岳小釵道：「這不過是幾個馬前小卒，強敵高手，即將趕到，他們有靈鴿追蹤，今晚只怕是難免一番血戰……」

蕭翎道：「姊姊不用擔心，生死由命，富貴在天，小弟雖不會武功，卻一點也不害怕，再說，縱然沒有此事，我也是沒得幾年好活，姊姊帶我廣開眼界，早死幾日，也值得了。」

岳小釵正色說道：「如非為了兄弟的安全，我也不會選擇這樣一處險要所在拒敵，你若不肯聽話，那也不必跟我走了。」

蕭翎急急說道：「誰說我不聽話了。」

岳小釵微微一笑，道：「這樣才好，等會兒如有強敵追到此處，你切不可亂跳，藏在巖下那塊大石之後，如若家母陰靈相佑，咱們今晚能夠剷除強敵，就可起程趕路了。」

張乾道：「強敵有靈鴿搜蹤，防不勝防，行蹤既被他們發現，只怕脫梢不易，必得先行想出對付那靈鴿的法子才行。」

岳小釵道：「據我推想，他們這一路追蹤咱們之首腦人物，今晚當可趕到，只要能除了今夜之敵，近慮即解，縱然他們有靈鴿搜蹤，其他之人，也難在三、五日內趕到。」

何坤道：「屬下有一件不解之事，想請示一、二。」

岳小釵道：「你說吧！什麼事？」

何坤道：「姑娘適才你不許殺戮那三個追蹤之人，留下了三條命，豈不是給敵以可索之驥？」

岳小釵道：「殺了三人也無濟於事，那不如留下他們活口，代為咱們傳播惑敵耳目之訊……」語音微微一頓，目光轉望了張乾、何坤一眼，接道：「為了應付晚上大戰，你們此刻也該好好的休息一下了。」

張乾、何坤齊聲道：「姑娘也該養養精神，想來追蹤之敵，絕非好與之輩。」

岳小釵仰天長長吁了一口氣，低聲對蕭翎說道：「兄弟，你也好好的睡一覺吧，等一會兒強敵找到，難免惡鬥一場，那時候你再累，只怕也難以睡得著啦。」這幾句說得柔和異常，關愛之心流露於言詞之間。

蕭翎只覺她對待自己，忽而關愛柔婉，忽而冷漠難測，對她有些敬愛，又有些害怕，當下閉上雙目，坐息養神。

夜幕低垂，荒涼的山野中一片冷寂，幾聲狼嗥、鳥鳴遙遙傳來，增加了不少恐怖之感。

突然間，長嘯劃空，傳入耳際。

蕭翎睜開雙目望去，只見繁星閃爍，夜色中峰嶺聳立，深夜荒山，是這般淒涼、幽沉。

耳際間響起岳小釵嬌柔的聲音道：「兄弟，敵人已然找來，你快躲到那大石後面去吧。」

蕭翎倒是聽話得很，站起身來，向那大岩石後行去，剛行兩步，只覺一隻滑膩的手掌，抓住自己的右腕，一陣幽香，撲入鼻中，轉臉望去，只見岳小釵滿臉愁苦，不禁一怔，說道：「姊姊還有事嗎？」

岳小釵道：「兄弟，來人武功高強，個個心狠手辣，兄弟雖然尚未成年，又不會武功，但如落入他們手中，肯定難逃傷亡，姊姊拒敵之時，恐怕無能兼顧到你，不論這番打鬥如何激烈，兄弟千萬不可現身瞧看，只管藏好身子，別讓他們瞧見。」

蕭翎道：「我記下啦，姊姊放心。」大步行入那巖下大石後面。

岳小釵目注蕭翎藏好了身軀，一整臉色，對張乾、何坤說道：「今宵之戰，非一般武林同道比武過招，是一場生與死的搏鬥，你們只管施下毒手，多傷一個敵人，咱們就減少一分危機。」

張乾、何坤齊聲應道：「姑娘放心，今宵如不是敵死，便是咱們兄弟橫屍……」

突然一陣梟鳴般的怪笑，起自數十丈外，來勢奇快，倏然之間，已到了懸崖之下。

岳小釵早已想好了拒敵之策，當下一揮右手，張乾、何坤立時移到預定的方位之上。

三個人依著懸崖的形勢，排成了一個三角形的拒敵之陣。

岳小釵伸手入懷，一鬆腰間扣把，抖出一條二指寬窄，四尺八寸長的軟劍，緩步行近崖邊，左手卻探入懷中，摸出一把銀針，扣在手中。

只聽懸崖之下，傳上來一個陰沉、蒼勁的聲音，道：「小賤人，你們已陷入重困之中，有如籠中之鳥，如圖做困獸之鬥，可別怪老夫手段毒辣了。」

張乾一向對岳小釵敬愛異常，聽得有人罵她，不禁大怒，厲聲喝道：「兔崽子出口傷人，有膽子你上來。」

但聽崖下怪笑震耳，一條人影，有如靈猿攀樹一般，直向懸崖上面搶來。

原來，來人雖然追蹤尋來此地，但因夜色幽暗，不知岳小釵等停身之處，才故意出言相罵，好叫對方答話，以辨幾人停身之位，張乾不辨皂白，中人之計。

岳小釵看那人搶登懸崖的身法，已知來人武功不弱，她心中殺機啓動，悄立崖邊，不動聲色，直等那人要登上懸崖，才陡然一揚左腕，一把銀針，激射而出。

這一下，距離既近，岳小釵打出銀針的腕勁，又極強烈，那人本是萬難逃避，卻不料來人的武功之高，竟是大出了岳小釵的意料之外，只見他匆忙之中，身子突然一伏，右手斜斜拍出一掌，應變迅快至極，在間不容髮之下，避過了岳小釵一把銀針。

幾支銀針掠過他頭頂飛過，餘下的也爲他劈出的掌力震得偏了準頭，斜向一側飛去。

岳小釵心頭凜然，暗道：單看他攀登這懸崖和讓避銀針的快捷身法，顯然是一個勁敵……

忽聽張乾暴喝一聲，緊接著一陣叮叮噹噹的兵刃相擊之聲，岳小釵匆匆回頭一瞥，只見張乾單刀飛舞，正和一個黑衣人打在一起。

只見那黑衣人手中銀光閃閃，使的竟是一對外門兵刃「亮銀萬字奪」，掛、鎖、勾、封，正是張乾所使單刀的剋星。

單以兵刃而論，張乾便已居下風，何況大凡能使這種外門兵刃之人，武功必有獨到造詣。但張乾卻憑著一股凌厲的銳氣拚力而戰，刀光霍霍，俱都是進手招術，單刀直劈、橫斬，黑衣人竟然絲毫未能佔得上風。

這時，何坤防守之處，亦自傳來一陣斥喝之聲，一個身材枯瘦如竹的禿頂老人，不知何時亦搶上了這片懸崖，以雙掌接住了何坤的判官雙筆。

這禿頂老人雖是赤手空拳，但三招之間便已將何坤雙筆封死，施展的竟是「大鷹爪功」夾雜著「空手入白刃」的小巧功夫，夜色中但見他白鬚飄飛，武功之高，又遠在那黑衣人之上。

就在這刹那之間，強敵已有兩人搶上懸崖，岳小釵目光左右轉動間，那躲開銀針之人，亦已借勢飛身撲來。

岳小釵手中長劍一抖，銀虹般斜斜飛起，劍光閃動，幻起了朵朵銀花，點擊而去。

那人冷笑一聲，雙臂暴起，雙袖之中，突地閃出了兩道烏黑的光圈，竟是一對寒鐵所製的「龍虎雙環」。

他這對鋼環本乃隱在袖中，此刻驟然抖出，但見雙環交錯，向岳小釵劍上封去。

只聽「噹」的一聲龍吟，環劍相擊，火星四濺，岳小釵掌中筆直的劍，寒芒忽然一折，閃電般劃向對方握環的雙腕。

要知她這柄長劍本是剛中帶柔，柔中帶剛，這一招的變化，自然大出對方意料之外。

那使環人原想封開對方長劍後，借勢搶攻，卻不料岳小釵軟劍竟能折轉，大驚之下，變招已不及，撒手拋環，凌空一個翻身躍下了懸崖，夜色淒迷中，只見一串血珠，隨著他身形落下，顯然他腕脈間已被劃破一道血口。

岳小釵似乎未想到，一招便能把強敵逼下懸崖，不禁呆了一呆，就這一怔之間，懸崖下已有一條高大人影閃電般撲了上來，岳小釵手腕一振，本自套在她劍尖的一對鋼環，激射而去，直向那高大人影的胸腹之間撞去。

她這一著本無傷人之意，只想借此一擊搶得先機，雙環出手，她掌中長劍便已隨之點去。

哪知她身形方動，那一雙鋼環，竟被對方凌厲的掌風反撞回來。

岳小釵心頭一驚，急急轉身，只聽一陣颯颯風聲，夜暗中閃起一條疾如靈蛇般的黑影，劃空而來，竟是一條奇形蛇頭軟鞭。

岳小釵掌中軟劍一抖，銀光流轉，以攻制攻。

兩人交手三招，岳小釵已覺出來人武功高強，手中軟鞭變化詭奇，莫可預測，當下一緊手中軟劍，登時寒芒暴張，劍花錯落，直罩過去。

原來岳小釵自知今宵之戰，宜在速戰速決，只要能把今宵追蹤而來的強敵首腦，傷在劍下，即可從容脫身而去，是以，一動上手，立時施展絕學，全力求勝。

但來人武功奇高，一條奇形蛇頭鞭，不但變化難測，而且腕力奇大，左蕩右掃，挾著呼呼風嘯，岳小釵攻勢雖然凌厲，但卻奈何不了強敵。

凝目望去，只見來人以黑紗蒙面，只露出一雙精光閃閃的眼睛，手中的蛇頭軟鞭伸縮點擊，怪招百出。

岳小釵心中暗覺怪奇，忖道：此人既然追我而來，武功又如此高強，何以不肯現出他真正面目，難道這其間還有著什麼隱秘不成？

忖思之間，突聽一個冷冷的聲音喝道：「撒手。」只聽噹的一聲，似是兵刃著地的聲音。

岳小釵百忙中回頭望去，只見何坤左手中一支判官筆，已被那枯瘦禿頂老人，擊落在地上，單餘下右手一支判官筆在手，他雙筆在握時亦是無法抵敵，此刻只餘一筆，更是被迫得險象環生，岌岌可危。

目光轉處，只見張乾和那使用亮銀萬字奪的大漢，激戰雖烈，但還暫時保持個不勝不敗之局，心下微微一寬，玉臂疾振，連出三記絕招，刹那間，寒光電掣，劍花繽紛，逼得蒙面人連退三步。

這時，那禿頂老人已然連連施下毒手，迫得何坤左閃右避，如以兩人武功而論，這何坤本難和這老人搏鬥如此之久，但他存了必死之心，雖在生死呼吸之間，仍是牢牢記著不能讓強敵衝過，以免岳小釵腹背受敵，是以死命固守方位，不肯退讓。

但雙方武力懸殊，這場惡戰，勢不均，力不敵，自是難保平衡之局。但何坤心有所專，憑一股堅強意志，竟然支撐了數十個照面之久。

但時間一長，終是難敵，左手兵刃被人拍落之後，更是有著措手不及之感，眼看難以再撐下去，忽聽一聲清叱，寒芒疾閃，刺了過來。

那枯瘦禿頂老人武功果然了得，黑夜中聽風辨器，身子未轉，右掌疾揮，拍出一股強猛的內力，一擋劍勢，人卻向橫裏躍開數尺。

岳小釵相援一招，解了何坤之危，那蒙面人手中的蛇頭軟鞭，卻借勢施展開，直攻過來。

這兩人本是打個旗鼓相當，劍術、鞭招，各極詭奇，攻拒之間，各有戒心，誰也不敢招數用老，以免應變不及，傷在對方手中。

是以，長劍、軟鞭上的凌厲招數，都未施用出來，但岳小釵分心旁顧，援救何坤一劍，那蒙面人卻藉機揮開軟鞭，但聞嘯風盈耳，頂端處的蛇口也突然張開，發出一種嗚嗚怪叫之聲。

岳小釵那柄軟劍四尺八寸，但那蒙面人手中的蛇頭軟鞭，卻足足有七尺長短，掄展開來，方圓丈餘之內，盡都是縱橫鞭影、盈耳怪嘯，此刻他搶得先機，蛇頭軟鞭的威勢，更見強猛。

岳小釵全力揮舞長劍，在重重鞭影中，展開反擊，但見劍氣漫展，破圍而出，不到十回合，已把劣勢穩住。

只聽那蒙面人歎息一聲，道：「岳家劍果然是名不虛傳……」聲音陡然頓住，似是霍然記起了什麼重要之事。

岳小釵精神一振，長劍忽的一招「冰河開凍」，劍身震顫之間，幻起三朵劍花，分襲向那蒙面人三處大穴。

這一劍去勢迅辣，那蒙面大漢，只覺岳小釵刺來的劍勢，若點若劈，手中的蛇頭軟鞭，亦被岳小釵的劍勢封出了門戶之外，空有七尺兵刃，難以收回封架，匆忙中仰身倒臥，施展出鐵板橋的功夫，才算把一劍避開。

岳小釵一劍得手，搶回主動，哪還容得強敵有還手的機會，劍招如急瀑狂流，綿綿而出，剎那間寒芒電轉，環繞在那蒙面人的身上，迫得那蒙面人手忙腳亂，借那臂揮腿彈之力，全身有如風車一般，輪轉不息，岳小釵連攻十幾劍，竟然未能傷得了他。

岳小釵閃轉錯落的劍花，密如飄雲落英，雖然未能傷得那蒙面人，但蒙面人也無法突破那綿密不絕的劍光而出。

那蒙面人又勉強支撐一陣，突然鬆手丟了蛇頭長鞭，右手探入懷中，摸出了一把匕首，大喝一聲，匕首連揮，青光閃展，封開長劍，挺身站了起來。

岳小釵劍勢一緊，不讓他衝入劍圈，冷笑一聲說道：「既然彼此爲敵，何以不敢以真實面目示人，我已數度劍下留情，如若再不肯現出真正面目，可不要怪我手下毒辣了。」

原來，岳小釵已從來人聲音和招術手法之上，隱隱覺出此人和自己十分熟悉，只是還沒有把握，不便出言揭穿。

那蒙面人一面揮動手中匕首封架長劍，一面想撿回地上的蛇頭軟鞭，但因岳小釵劍勢迅快，竟是無法分神撿起軟鞭。

兩人又相搏幾招，場中情勢又起變化，只聽一聲悶哼，何坤身軀搖了幾搖，跌坐在地上。

原來，岳小釵助他一劍，逼退枯瘦禿頂老人，何坤藉機撿起判官雙筆，雙筆在手，精神爲之一振，又和那禿頂老人動起手來。

兩人武功相去甚遠，何坤憑仗一股銳利之氣，前幾招，倒也打得有聲有色，雙筆交錯攻出，寒芒點點。但五招一過，又被那枯瘦禿頂的老人搶回了主動，左掌一晃，引開何坤雙筆，右掌抵隙擊去，正中何坤肩頭。

這一掌落勢甚重，何坤拿樁不穩，跌在地上，一條左臂，也爲之痲木難抬，左手中判官筆隨著跌坐在地上的身軀，落在地上。

岳小釵回目一瞥，只見那枯瘦禿頂老人正自揚起左掌，劈了下去。

縱然此刻，岳小釵沒有強敵纏鬥，形勢上也來不及出手搶救。

突然間響起一聲大喝，何坤忽然揚起右手判官筆，投擲了出去。

他在生死交關之下，奮盡餘力，投出一筆，去勢勁道甚強，那禿頂老人眼看敵人即將斃命掌下，心中歡喜，不料何坤竟把兵刃當作暗器，投擲了出去，不禁一呆。

就這一緩工夫，岳小釵左手已探入懷中，摸出了一把銀針，揚腕打出。

岳小釵忽覺劍上壓力大減，耳際響起了一個細微卻十分清晰的聲音，道：「快去救人。」

岳小釵聽聲辨向，已知是那蒙面人所發，當下無暇多想，陡然一躍，長劍閃閃，直向禿頂老人刺去。

那禿頂老人匆忙中閃過何坤投來一筆，卻不料岳小釵一把銀針，銜接而來，數量又多，在這等夜暗之間，閃避甚是不易，只覺右肩左臂，微微一痛，中了兩枚銀針，不禁一驚，心神未定，岳小釵的劍勢，已接踵而至。

此人武功果是不凡，雖然中了暗器，心神仍是不亂，疾向旁側移開，進過一劍，岳小釵身隨劍至，飛起一腳，踢中那禿頂老人的小腹。

夜色中響起了一聲慘叫，那禿頂枯瘦老人的身軀飛了起來，摔下懸崖。

陡然間金刃劈風，一條蛇形軟鞭，筆直點了過來。

岳小釵回手一劍，擋開軟鞭，抖腕一劍刺了過去。

只聽那細微的聲音，重又傳入過來，道：「快去助張乾，殺了那人，不可留活口。」軟鞭一收，留下一個空隙。

岳小釵聽他直叫出張乾的名字，已知猜測不錯，長劍一掄「起鳳騰蛟」，從那重重的鞭影之中，穿了過去，直向那使用亮銀萬字奪的大漢衝去。

劍風破空，夜色中閃起了一道銀虹。

張乾和那大漢相搏，雖然武功稍遜一籌，但他卻存了拚命之心，每當形勢危迫，將要落敗之際，索性放開門戶，不計自身安危，卻疾出一刀，刺向那大漢要害，如那人不肯回手救招，縱然把張乾傷斃在「亮銀萬字奪」下，自己不死亦將重傷。

那人佔盡優勢，勝算在握，傷斃對手，只不過是時間長短而已，自是不肯甘冒性命之險，和他死拚，只好回招相救，這一來，無疑給了張乾緩手之機，兩人鏖戰四、五十回合，張乾捨命連走兩次險招，才保得一個勉強不敗之局。

岳小釵劍去如風，那大漢聽得兵刃破風而來，一奪逼開張乾，回手一招「力屏南天」，亮銀奪舞起銀光護住了身子，擋開岳小釵刺來的一劍。

岳小釵人劍並至，劍勢被他封開，左手卻疾快地拍出一掌，右腳同時飛踢了過去。

那大漢身軀橫移，竟然把一掌一腳，同時避開。

轉眼見那蒙面人握著蛇頭軟鞭不動，心中疑雲頓起，大聲喝道：「劉香主……」

蒙面人冷笑一聲，接道：「怎麼樣，你動了疑心嗎？」

岳小釵劍勢一緊，連攻三招，那大漢被迫得手忙腳亂，哪還有暇講話，只聽那蒙面人冷漠地喝道：「可惜你知道晚一些了。」

那大漢眼見大勢已去，鬥志盡失，岳小釵劍招何等凌厲，他縱然全心全意地出手抵拒，也是招架不住，何況這等心神不寧，一個失神，左臂中劍，鮮血泉湧而出。岳小釵反手一掌，拍在他背心之上。

這一劍一掌，雖不足以制命，但已重傷難支，身子搖了幾搖，倒在地上。

只聽那蒙面人道：「此人已窺破我的行藏，留不得活口。」

張乾提刀站在一側，應聲踏上一步，手起刀落，生生把那人斬作兩斷，飛起一腳，把屍體踢下懸崖。

岳小釵回身對那蒙面人欠身一禮，道：「多謝相助之恩。」

蒙面人扯下臉上黑紗，長長一歎，沉聲說道：「岳姑娘可還識得我嗎？」

星輝雪光之下，只見那人長髯飄風，方面闊口，左頰之上，有條很深的刀疤。

岳小釵道：「果然是劉老前輩，晚輩適才已然由老前輩鞭法之上，猜想出來……」

那人舉手摸一下臉上的刀疤，接道：「老前輩這稱呼，在下如何敢當，姑娘如不見棄，就直呼在下的名字。」

張乾忽然拋了手中單刀，直奔過來，說道：「文奇兄，咱們十幾年沒見面啦。」

遙聞何坤喊道：「一別十餘年，想不到今宵能在這荒山之中相見。」他受傷不輕，站起了身子，卻是不能奔行。

劉文奇輕輕地歎息一聲，道：「兩個小聲一些，此時此情，實宜小心些好。」

岳小釵目光一轉，沉聲說道：「今宵承你相救，我們感激不盡。」微微一頓，又道：「你在神風幫中的身分，似是不低。」

劉文奇道：「現爲神風壇下香主。」

岳小釵道：「昔年家母把你逐出門下，你能不記舊惡，相助我們……」

劉文奇肅然接道：「姑娘不用再提昔年之事，那完全是在下之錯，如論在下身犯戒律，實該一死才對，令堂眷念故舊，不忍讓我飲血劍下，那已是天高地厚的恩情了……」

他仰臉望望天色，接道：「在下別後情長，一言難盡，目下情勢緊張，勢難向姑娘重敘往事，還望原宥。」說罷抱拳一禮。

岳小釵歎道：「家母不幸仙逝，昔年舊事，已成過去，你離開岳家已經十易寒暑，那是不用對我這般行禮了。」

劉文奇道：「如非昔年令堂那寬宏大量，在下哪裏還有命在。」語聲一頓，急急接道：「目下情勢不同，寸陰如金，這些瑣碎舊事，無暇多談，而且我也難在此地多留，還有幾件重要之事，告訴姑娘。」

岳小釵理一下山風吹亂的秀髮，說道：「什麼事？」

劉文奇道：「據在下所知，除了神風幫外，還有數起武林高手，追蹤姑娘而來。」

岳小釵輕輕歎息一聲，欲言又止。

劉文奇接道：「姑娘雖已盡得主母劍學真傳，但一人之力，只怕也難拒數路高手圍攻，那必須早作安排才好……」目光轉動，四外打量一下，壓低了聲音接道：「今天日落時分，在下接得靈鴿傳諭，神風幫主，要帶著壇下四大護法高手，親身趕來，顯然對此事重視異常……」

岳小釵一直凝神靜聽，不插一言。

劉文奇輕輕咳了一聲，道：「洩露幫中之密，要受神蛇噬體之苦，但回念主母恩情，在下也只有冒此奇險了……」

張乾突然插嘴接道：「神風幫崛起江湖，不過十幾年的時光，但聲名卻已大噪江湖。不知那神風幫主，是何等樣的人物？」

劉文奇道：「說來慚愧得很，兄弟雖已入幫十年，也曾爲幫中盡了很多心力，但卻未見過神風幫主之面，但那壇前四大護法，卻是個個身負絕技。唉！如若神風幫主果然親身趕來，只怕在下實無能相助了……」

突然一聲尖厲長嘯，遙遙傳了過來。

劉文奇臉色一變，但他仍然強自鎮靜地說道：「神風幫中靈鴿追蹤之術，冠絕當代武林，姑娘如想避開追蹤，必須先得設法逃避過那靈鴿之目……」

目光突然轉到張乾臉上，接道：「張兄，請給兄弟一刀，我要走了。」

張乾怔了一怔，道：「幹什麼？」

岳小釵玉腕一振，長劍疾飛而出。寒芒一閃，劃破了劉文奇的左臂，一股鮮血，疾湧而出，岳小釵收了長劍，一皺眉頭，道：「可是重了一些嗎？」

劉文奇回顧了左臂的傷勢一眼，道：「傷得太輕，也無法瞞得過他們的雙目，姑娘珍重，在下告別了。」突然縱身一躍，疾奔而去。

岳小釵望著劉文奇的背影，消失在夜色之中，突然長長歎了一口氣，仰首望著滿天繁星，陷入了憂鬱的沉思之中。

張乾、何坤呆呆地站在一側，不敢出聲驚擾了她。

足足有一盞熱茶工夫之久，岳小釵才似突然下了決心，目光一轉，投注到何坤的身上，問道：「你傷勢如何？可能趕得路嗎？」

何坤一咬牙齒，道：「趕得。」

岳小釵探手入懷，摸出一個玉瓶，倒出兩粒藥丸，道：「好！你服下這兩粒丹丸，咱們就走。」

何坤接過丹丸服下，閉目運氣調息。

岳小釵盤好軟劍，緩步向那突巖下大石後面走去。

只見蕭翎背依大石而坐，閉著雙目，正在打坐運息，當下輕輕咳了一聲，道：「兄弟。」

蕭翎睜開雙目，望了岳小釵一眼，笑道：「那些人可都被姊姊打跑了嗎？剛才我隱在石後一角偷瞧，見姊姊武功高強，把那人打得摔下懸崖之後，我就未再看啦。」

岳小釵看他全身微微抖動，顯是體質嬌弱，難以和這等嚴寒抗拒，心中微生憐惜，伸過玉掌，握住他雙手，說道：「你冷嗎？」

蕭翎道：「手腳有些寒冷。」

岳小釵道：「咱們要即刻登程連夜趕路，只是山道崎嶇，積雪掩徑，縱是身有武功之人，走起來，也是十分困難，你如何能夠行得，我要那張乾背著你走如何？」

蕭翎自知實難行這崎嶇山道，強不得嘴，當下默然不語。

岳小釵解下腰間絹帶，把蕭翎綁在張乾身上，低聲說道：「兄弟，不要怕，什麼事都有姊姊。」

蕭翎點點頭，道：「我這樣大了，哪裏還會害怕。」

岳小釵口中雖然慰藉蕭翎，但心中卻是滿懷愁苦，此段行程，危險艱苦，實是生死難卜。

何坤已運息完畢，睜開雙眼看了一下眼前形勢，說道：「張兄，兄弟給你開路。」

岳小釵道：「你們跟我身後，好好的保護蕭公子。」當先舉步行去。

何坤雙手握筆，緊隨在張乾身後而行，他雖經過一番調息，又服用過岳小釵兩粒靈丹，但傷處仍然隱隱作痛，甚感不便。

岳小釵輕功絕倫，雖在這大雪封掩的山徑之上，亦可放腿而行，但因張乾背負蕭翎，何坤掌傷未復，只好放緩腳步，等候兩人。

岳小釵當先帶路，下得懸崖，折向一條山谷之中行去。

谷中風勢大減，不似峰上那等寒冷，岳小釵行了一段，忽然停下身，繞行奔走，在那白雪地上，印滿散亂腳印痕跡。

幾人又行了一陣，岳小釵突然停下，就道旁削下兩根竹竿，道：「你們在此休息片刻。」轉過身子，原路而回，沿途上手不停揮地毀去了幾人留的足跡，足足有里許之遙，然後左右雙手各握了一支竹竿，借兩個竹竿支撐之力，懸空而行，這兩根竹竿長都在一丈之上，一收一躍，就是兩、三丈遠。

蕭翎見她遙遙行來，一起一伏，有如凌空滑翔而至，片刻之間，已回到停身之處，雙腕振處，兩根竹竿劃起一陣嘯風之聲，飛了出去，蕭翎心神嚮往，不禁一歎。

岳小釵道：「兄弟，你歎什麼氣？」

蕭翎道：「姊姊這麼大本領，實叫人羨慕得很。」

岳小釵笑道：「你如肯用心學習，憑你的才智、稟賦，日後成就超過於我也不是難事。」

蕭翎歎息一聲，道：「可惜我活不過二十歲，有負姊姊的厚望了。」心頭黯然，緩緩垂下頭去。

岳小釵心中一動，暗暗忖道：母親遺書之上，再三提示於我，他生具絕症，二脈三穴閉塞不通，行血難以暢通全身，雖得母親授以太乙氣功，但在根基未奠之前，不能憂傷過甚，亦不能太過歡樂，大哭大笑，都有生命之險。當下低聲勸慰道：「兄弟不用擔心，只要你肯聽姊姊的話，別說二十歲，活上一百歲，也非難事……」

蕭翎若有所悟地說道：「我也可以練武功嗎？」

岳小釵暗暗忖道：此時此情，必須先要激起他向上的雄心，以堅他求生的意志。

微微一笑，說道：「不錯，我娘的遺書之上，再三提到你的骨骼才智，都是上上之選，只要你肯用心地去學，不難成就一身絕技。」

蕭翎雙目眨動了兩下，臉上飛揚起一片歡愉之情。

張乾、何坤經過這一陣調息之後，精神大見好轉，岳小釵目光一掠兩人，低聲說道：「你們兩人的傷勢好些嗎？能否攀登峭壁？」

張乾、何坤齊聲應道：「不礙事了。」

岳小釵道：「好！咱們走！」轉身向一座峭壁上面爬去。

千尋峭壁，加上大雪的封遮，攀登起來，甚是不易，岳小釵輕功卓絕，行起來還不覺出困難，但張乾身負蕭翎，何坤傷勢未癒，行來更是困苦萬狀，舉步維艱，爬上峰頂，已累得滿頭大汗，上氣不接下氣。

這座峰頂，只不過三、四丈方圓大小，生滿了嶙峋怪石，但大都被峰上積雪掩去。

岳小釵選擇了一處避風所在，撥開積雪，說道：「兄弟，高山寒夜，你身體又極虛弱，披上這衣服吧！」說話之間，取出一件十分柔軟的衣服，披在蕭翎的身上。

蕭翎伸手摸摸披在身上的衣服柔軟如棉，但卻單薄異常，也不知是何物做成，心頭大是感激，說道：「姊姊待我真好。」

岳小釵微微一笑，目光掃掠過張乾、何坤，說道：「你們也藉機會好好運氣調息一下，也許天亮之後，還要有一番惡戰……」語聲微微一頓，接道：「上有靈鵠搜尋，下有強敵追蹤，咱們勢難遠走，眼下之策，只有暫時避開強敵銳鋒。此峰獨秀群山，形勢險要，縱然被敵人發現，亦可憑險相拒。如能僥倖出敵意料之外，誘敵遠去，那是最好不過，否則，據高俯瞰，查敵來勢，再定退敵之策。」

何坤道：「姑娘料事如神，我等向來佩服。」

岳小釵仰臉望天，緩緩說道：「來敵除了神風幫外，還有甚多高手，咱們必須設法挑起他們自相殘殺、火併，才能坐收漁利，藉機遁身。」

張乾、何坤雖是久走江湖之人，但兩人一向不善心機，想不出拒敵之策，只好默不作聲。

寒夜漫漫，風雪中更見遙長，蕭翎緊依岳小釵身旁而坐，依照著雲姑傳授的打坐之法，運氣調息。他雖不知雲姑傳授的乃武林中上乘太乙氣功，但卻隱隱覺到，每日經過一陣坐息之後，禦寒之力，就增強甚多，爲了抗拒嚴寒的侵襲，全神貫注在運功之上，心神集中，事半功倍，竟然大有進境。

岳小釵冷眼旁觀，看他調元運息，漸入忘我之境，心中暗喜，似這般情勢發展，不出一年，蕭翎當可度過險惡的時期。

三　靈鴿躡蹤

不知過去了多少時光；東方天際，微現曦光，天色已快大亮。

突然間，一聲「汪」的狗叫傳了過來。

岳小釵心中一動，暗道：寒夜深山，大雪封徑，哪裏來的狗叫之聲……

心念初動，耳際間，又響起了一陣鴿翼劃空之聲。

岳小釵霍然站起身子，低聲對張乾、何坤說道：「你們好好保護於他。」縱身一躍，人如掠波燕剪，飛落到峰邊一座突立的大山石上。

隱下身子望去，曙光中只見兩隻健鴿，疾從峰腰飛過，直向深谷而去。

只聽汪汪兩聲犬叫，傳了過來，抬頭看去，山峰下白雪地上，疾速奔來三點黑影。

岳小釵內功精湛，目力過人，隱隱可見兩頭高大的黑犬，急急奔來，兩犬之後，緊追著一條人影。

雙犬一人的來勢奇快，眨眼間已抵峰下。

岳小釵看來人一襲天藍長衫，青色氈帽低壓眉際，遮去了半個臉孔，兩條黑犬，卻是高大得驚人，四足著地，幾乎和那藍衣人一般高矮。

但見雙犬仰首上望，似是要攀登上峭壁，但那藍衣人卻緊緊拉著手中兩條皮索不放。

突然間，響起了一聲長嘯，山谷中遙現出兩點人影，疾如離弦流矢般，急奔而來。

岳小釵暗暗忖道：這藍衣人，不知是何來路？看情形，他手下牽著的雙犬，分明已嗅出我們停身所在，不知他何以不肯登上峰頂？

忖思之間，那兩條遙現的人影，已然奔近峰下。

來人是兩個身佩兵刃的勁裝大漢。

那手牽雙犬的藍衣人，剛好站在道路正中，手牽雙犬的皮索甚長，擋住了兩人的去路。

來人的招子很亮，打量了那藍衣人一眼，似是已看出是個極不好惹的人物，當下拱手一禮，道：「朋友請讓讓路。」

只見那藍衣人緩緩轉過頭去，冷冷地望了兩人一眼，突然一抖手中皮索，兩隻奇大的黑犬，「汪」的一聲大叫，疾向兩個大漢撲去。

兩個大漢齊齊揮動兵刃，舞出一片光幕，護住了身子，一面向後躍退。

藍衣人手中皮索一抖，向前猛撲的雙犬，忽然收住去勢，向下一伏身子，避開兩人兵刃，忽的人立而起，探爪抓去。

兩個大漢側身避過，兩柄厚背鬼頭刀，迎頭斬下。

雙犬、兩人，在峰下白雪地上，展開了一場惡鬥，兩隻大黑犬，在那藍衣人皮索操縱之下，進退攻拒，隱隱有武學家數，兩個大漢空有兵刃，竟然奈何那雙犬不得。

人犬相搏，大約一刻工夫，那藍衣人突然鬆開了手中皮索。

雙犬少去了限制，撲擊更見猛惡，繞著兩人，疾轉如輪，兩人刀光霍霍，卻無法逼退雙犬。

岳小釵看著暗皺眉頭，忖道：這兩隻似狗非狗的巨大怪物，雖然天生猛惡，但牠們總是無智無識的動物，能和武林高手相搏，實非易事，這藍衣人不知是何許人物，竟然能把兩條巨犬訓練得這等厲害。

又鬥幾回合，忽見兩個大漢一緊手中鬼頭刀，逼退雙犬，疾快地向後退去。

這兩人雖未敗在兩條巨犬的利爪之下，但顯然已自知難以制服兩犬，見機而退。

藍衣人突然低嘯一聲，雙犬疾追而上，轉過山角不見，藍衣人抬頭望了峰頂一眼，突然振臂一躍，飛起來兩丈多高，手足並用，直向峰頂上攀來。

他的動作奇快，轉眼間已近峰頂。

岳小釵不知來人是哪道人物，一時之間甚難決定是否該出手阻攔，就這一猶豫，那藍衣人已登上峰頂，目注岳小釵停身之處，冷冷說道：「岳姑娘嗎？」

張乾、何坤，霍然站了起來，橫刀握筆，疾奔而上。

岳小釵素手一揮，道：「你們退下。」

兩人齊齊應了一聲，退到一丈開外。

藍衣人似是有意地掩遮去自己的面貌，氈帽更低，掩住了右面半個面孔，只露出一隻左眼，語氣冷漠地說道：「在下和姑娘有過一面之緣，不知姑娘是否還記得我？」

岳小釵低頭沉思，搜遍枯腸，想不起幾時見過這樣一個怪人，他裝束詭異，帶著幾分神秘之氣，如果見到過他，自然是不易忘記。

只聽那藍衣人冷冷地接道：「貴人多忘事，姑娘是否還記得我，無關緊要，在下此來，只是想和姑娘談筆生意。」

岳小釵道：「什麼生意？」

藍衣人道：「岳姑娘想已知自己處境，除了神風幫中的高手苦苦追蹤之外，還有不少武林人物陸續趕來，姑娘想是早知道了。」

岳小釵道：「承蒙指教，感激不盡。」

藍衣人道：「岳家劍雖是武林一絕，但雙拳不敵四手，好漢難擋人多，姑娘一個人，還要保護一位不解武功的孩子，處境自是岌岌可危了。」

岳小釵冷笑一聲，道：「咱們這生意如何一個做法，你開出價錢來吧！」

藍衣人微微一笑，道：「姑娘倒是乾脆得很，在下如再推拖講價，那就不夠意思了，我助姑娘脫險，但卻要見令堂一面。」

岳小釵道：「你說得太晚了，我娘已不在人世。」

藍衣人道：「如若她還活在世上，在下也不致冒昧求見了。」

岳小釵道：「那你是何用心？」

那藍衣人道：「我只要看看令堂的遺體。」

岳小釵心中大覺奇怪，道：「死了的人，有什麼好看的？」

藍衣人道：「目下寸陰如金，哪裏有暇討論此事，姑娘答不答應，快快請說。」

岳小釵道：「你送我脫了危境，就依你之言去辦，如若脫不出險呢？」

藍衣人道：「姑娘放心，在下做買賣向不賠錢。」

岳小釵心中一動，道：「只是看看我娘遺體，不許動她身上之物。」

藍衣人沉吟了一陣，冷冷說道：「在下相助姑娘脫險，可說是甘冒和無數江湖高手結仇之險，如若這般廉價，豈不是賠定了。」

岳小釵口裏和這藍衣人在說話，心中卻在思量著這藍衣人的來歷，聽他口氣，似對自己的行動，知道得十分詳細，目下強敵環伺，處境險惡，看此人舉動之間，分明身懷絕技，最可怕的還是那兩隻高大的黑犬，追蹤之能，猶勝過神風幫中的靈鴿，非不得已，最好是不要和他鬧翻。

只聽那藍衣人冷漠的聲音，重又傳了過來，道：「做買賣講求的是將本求利，如若姑娘答允和在下合作這次買賣，我們固可賺上一筆，但姑娘亦可安然脫圍；姑娘如不肯答允這次買賣，憑姑娘一人一劍，想闖出這高手環伺的重重圍困，豈是容易之事……」

藍衣人冷哼一聲，接道：「姑娘可知道這些人甘冒風雪，千里迢迢追蹤而來，是爲了什麼？」

岳小釵突然想到母親遺書之上，要她通權達變，不可太過固執。

藍衣人頓了一頓，又道：「這些人中，也許大部分人尚不知令堂已然仙逝，是以凡是追來之人，不但自忖能夠對付你岳姑娘，甚至連令堂也計算其中，姑娘行蹤，一旦暴露，動手搏鬥，凶險是不難想像了……」

突聽一陣低沉的嗚嗚之聲，傳了過來，打斷藍衣人未完之言。

岳小釵臉色微變，極目遠眺。

那藍衣人卻是面現歡色，微微一笑，道：「姑娘不用擔心，來的不是外人。」一探手，從懷中摸出一個牛角製成的小巧喇叭，吹了三響。

岳小釵暗皺眉頭，忖道：這人當真可惡，他這號角三聲，固可招來同伴，但亦將招來敵人，顯然他有意造成緊張形勢，好逼我屈服……

號角聲倏然中斷，寒山雪峰，又恢復了原有的沉寂。

岳小釵心潮起伏，忖思著對付眼前形勢之策，只覺既不便開罪此人，又不便答應於他，心念電轉，竟是想不出如何處理才好。

那藍衣人突然輕輕咳了一聲，道：「我們老大來了，談買賣，他比我內行得多，岳姑娘和他談談吧！」

岳小釵心中一動，忽然想起兩個人來，說道：「老前輩可是中州二賈……」

那藍衣人頭也不抬地說道：「不錯，在下正是冷面鐵筆杜九……」

話未說完，突聽一陣哈哈大笑，峭壁間，疾如飛鳥一般，攀登上一個人來。

此人一張圓團團的面孔，白中透紅，大腹便便，足登福履，一件青綢長衫，外罩墨緞團花大馬褂，一臉和氣生財的笑容，登上山峰頂，立時抱拳一個長揖，道：「兄弟晚來一步，有勞諸位久候。」說完話，又是一陣哈哈大笑。

冷面鐵筆杜九輕輕咳了一聲，道：「大哥來得正好，岳姑娘的生意難做，大哥和她談談價錢。」

來人又是一陣哈哈大笑，道：「好談，好談，咱們少看點利息就是……」

談笑聲中，抱拳對岳小釵一揖，道：「兄弟金算盤商八。」

岳小釵道：「中州二賈並駕齊驅，小釵這裏失迎了。」欠身還了一禮。

金算盤商八打了兩個哈哈，道：「好說，好說，我這位兄弟洽談商務，素不內行，言語間如有得罪姑娘之處，還望看在兄弟份上，多多海涵。」

蕭翎本在盤膝而坐，閉目調息，被冷面鐵筆杜九吹出的號角之聲驚醒過來，看那人一副怪模怪樣的裝束，心頭甚是厭惡，別過頭不去瞧他，但見商八一副團團面孔，笑容可掬的和氣神色，覺著此人甚是可親。

只見金算盤商八抱拳一個羅圈揖，笑道：「諸位兄弟，有道是禮多人不怪，在下這裏有禮了。」哈哈一笑，目注岳小釵接道：「兄弟做生意，一向是童叟無欺，信用卓著，名滿天下，姑娘只要答應和我們成筆交易，當知兄弟之言，不是信口開河了。」

岳小釵秀眉微微一聳，道：「兩位老前輩遊戲人間，盛名滿武林，晚輩今日能得一見，實感榮幸得很……」

金算盤商八笑道：「兄弟爲人，最重信用，承朋友的捧場，使兄弟的生意，愈做愈大，這幾年來，也算得一帆風順。」

岳小釵暗暗忖道：母親生前，提到過中州雙賈，身負絕世武功，但卻介於正邪之間，伸手管事，索價驚人，這兩人雖無大惡，但卻生具一副做買賣的性格，是非觀念，甚是淡漠……

忖思之間，金算盤商八又已接口說道：「咱們兄弟一向只談生意，不問是非，但亦不願乘人之危，藉機勒索，岳姑娘目下的處境，已是生死交關。兄弟適才聽得消息，連那輕易不肯現身江湖的神風幫主，亦要趕來，除此之外，這百里之內，準備打劫姑娘的武林高人，少說點，也在十位左右，二、三流的腳色，那是不用提了，觸目皆是，接踵擦肩。老實說，除了我們兄弟之外，岳姑娘就是出價再高，也不會有人淌這次混水，接這筆買賣。」

此人十分健談，一開口滔滔不絕地直說下去，只見他口沫橫飛地接道：「以姑娘個人之力，絕難敵這許多武林高手的重重攔截、圍擊，如有損傷，哪還有能力去保護令堂的遺體，此時此情，姑娘已爲勢所迫，這筆買賣，該是非做不可了。」

岳小釵細想他言，亦覺有理，處此形勢，實難有兩面兼顧之策。

金算盤商八打了兩個哈哈，接道：「姑娘脫險之後，我等只求得令堂身藏遺物一件，但如姑娘爲敵所傷，那是連令堂的遺體，也難保全了。」

岳小釵突然一整臉色，道：「家母遺物豈能輕易送人，兩位老前輩盛情，在下心領了。」

金算盤商八哈哈一笑，道：「漫天討價，就地還錢，生意不成仁義在，咱們兄弟絕不強買強賣，在下就此別過。」回身舉手一招，道：「老二走吧！這筆買賣談不成了。」首先向峰下奔去。

冷面鐵筆杜九應聲而起，緊隨商八身後，疾掠下峰，兩人身法奇速靈巧，奔走在滿鋪白雪的峭壁之間，如履平地，眨眼間已到峰下。

岳小釵望著兩個人消失的背影，想到眼下即將再現的一場凶猛搏鬥，不禁黯然一歎。回頭望去，只見蕭翎瞪大著一雙星目，望著自己，一臉堅決神色，似是對自己寄予了無比的信託，想到這無辜的孩子，跟著承受風塵跋涉的勞苦，生死難卜，心頭更是惻然，慢步走了過來，柔聲道：「兄弟，可憐你富貴世家，小小年紀，不但跟我嘗受這風雪襲擊之苦，而且還要冒兵刃凶危之難，生死難卜，叫我如何心安。」

蕭翎微微一笑，道：「不要緊，姊姊本領高強，那些人絕非敵手，和姊姊在一起，縱是陷身於千軍萬馬，刀山劍林之中，我也不怕。」

岳小釵呆了一呆，道：「如是姊姊傷亡在敵人手中，無法保護於你，豈不害了你的性命？」

蕭翎道：「不會的，萬一姊姊死了，我也不願獨生。」

他幼務旁學，胸中記了甚多同生共死的故事，這番言語，隨口說出，並無特殊用意，但岳小釵卻聽得大是感動，黯然神傷，不能自已，只覺肩上責任重大，心頭如負上一塊重鉛。

張乾、何坤似是都已瞭然到險惡的大戰迫在眉睫，回顧了岳小釵一眼，道：「姑娘，咱們行蹤已露，坐以待敵，倒不如拚盡全力，趁早衝出圍困的好。」

岳小釵道：「太晚了，我料敵有誤，自陷絕境。」

蕭翎突然插口說道：「姊姊，我心中有一樁不明之事，不知是否當問？」

岳小釵微微一笑，道：「你說吧！也許咱們已來日無多。」

蕭翎道：「這些武功高強之人，追蹤咱們，究是爲了何事？」

岳小釵沉吟了一陣，道：「他們想得家母遺物。」

蕭翎似懂非懂地點點頭，道：「原來如此。」

岳小釵忽然挺身而起，一把抱起了蕭翎，橫跨數尺，把蕭翎放在一塊突起的大岩石後，說道：「兄弟，小心。」

縱身一掠，飛躍向一側峭壁邊緣。

這時，張乾、何坤亦似有了警覺，匆匆站起，拔出兵刃，奔向峭壁邊緣。

耳際間響起了岳小釵一聲嬌叱，緊接著又是一聲慘叫。

蕭翎探首向外望去，只見一條人影閃動，向峰下跌去。

岳小釵長劍已然出鞘，卓立在峭壁邊緣，衣袂飄飄。

一陣急勁的山風吹來，吹落了石上積雪，打在蕭翎的臉上。

蕭翎舉手拂拭，回目一瞥間，發現一個背插單刀的大漢，正悄無聲息地攀上了峰頂，不禁大驚，叫道：「姊姊，後面有人來啦。」

那大漢動作甚快，雙手一按壁間山石，一個觔斗，直翻過來。

蕭翎只覺一條黑影，有如一隻大鳥般凌空直撲過來，心頭駭然，但卻無法避開。

驀然間白光閃動，冷芒電掣，蕭翎看也未看清楚，耳間已響起悲叫之聲，緊接著一團黑影，騰空而起，飛投峰下。

定神望去，只見岳小釵悄悄站立身側，手中長劍垂地，隱隱可見血跡。

她緩緩蹲下身子，伸出左手，扶在蕭翎肩頭，低聲說道：「兄弟，你受驚了！」

蕭翎長長吁一口氣，道：「姊姊的動作好快，那個人呢？」

岳小釵道：「已被我長劍穿心而死。」

但聞兵刃相擊之聲傳了過來，張乾、何坤，已和兩個登上山峰的大漢，動上了手。

岳小釵似是立下了死中求生之心，神情反而鎮靜了下來，伸手入懷摸出了一把銀針，說道：「兄弟，你瞧瞧姊姊的銀針手法如何？」玉腕連揚，數縷銀線，電射而出。

銀針出手，應聲慘呼，和張乾、何坤動手的兩個大漢，每人中了兩針，手腳一慢，一個被張乾順勢一腳，踢了下去，另一個被何坤判官筆點中死穴，橫屍當場。

蕭翎看得大為敬佩，讚道：「姊姊銀針手法，當真是神乎其技。」

讚聲未絕，突聞一陣陣朗笑傳來，道：「銀針手法，何足為奇，可要試試老夫的子母神膽？」

岳小釵嬌軀一挺而起，護在蕭翎身前，抬頭看去，只見一個身材魁梧、白鬚飄飄的老者，挺立在峭壁邊緣，背負一雙青銅日月輪，雙手各握一枚鴨蛋大小的鐵膽。

此人來得無聲無息，岳小釵等竟不知他何時登上了絕峰。

只聽張乾大聲喝道：「好啊！想不到大名鼎鼎的聖手鐵膽楚崑山楚大俠，竟然也效江湖宵小，乘人危難。」

聖手鐵膽楚崑山，只覺臉上一熱，羞泛兩頰，沉吟良久，才緩緩說道：「老夫縱不出手，諸位也是難逃這次危難，如其讓人，何不自己出手……」

他自解自嘲地大笑一陣，接道：「何況此物關係甚大，如若落在他人手中，豈不成了貽害江湖之患？」

只聽岳小釵冷笑一聲，道：「久聞楚大俠三十六招龍虎輪法，子母鐵膽，傲視中原武林，今日有幸一會。」眉宇間泛起一片殺機，大有立刻出手之意。

美麗的岳小釵，似是已被強敵連番迫逼，撩起了怒火，準備硬拚到底。

聖手鐵膽楚崑山重重地咳了一聲，緩緩收了掌中鐵膽，打量了岳小釵一眼，只見她秀眉聳揚，橫劍而立，雖然滿臉怒容，但氣不浮、神不躁，分明已得上乘劍術真傳，想到自己一生俠名，如是真要出手和這個年輕女孩動手，勝之不武，敗則把一世英名，盡付流水，當下說道：

「姑娘是岳雲姑的什麼人？」
岳小釵道：「那是家母。」
楚崑山道，「失敬，失敬，原來是岳姑娘，老失和令堂有過數面之緣。」
岳小釵看他幾句話，大有自愧行徑之感，心中暗道：此人雖然是來意不善，但卻不失爲大俠氣度，心頭怒火消減不少，說道：「楚前輩既和家母相識，尙望能看亡母面上，放過晚輩。」
楚崑山拂髯一笑，答非所問地接道：「老夫對令堂的劍法，向極敬服，可惜一直未能領教，實乃一大憾事……」
岳小釵歎道：「老前輩這份心願只怕永難實現了，家母已然仙逝。」
楚崑山道，「姑娘瞞得別人，只怕難以瞞過老夫，老夫只要和令堂見上一面，領教她幾手劍法就走。」
岳小釵恍然大悟，暗忖道：原來他存心未變，只不過自恃身分，不肯和我動手罷了。心頭怒火又起，冷冷說道：「家母仙逝之事，不論老前輩是否相信，都無關緊要，但如想一試岳家劍法，晚輩倒是可以奉陪。」
楚崑山沉吟一陣，道：「老夫這把年紀，實不願和姑娘動手。」
岳小釵細想眼下情勢，確然已成了四面楚歌，寒山空谷，鐵騎無數，不知有多少武林高人追來，既不能善罷，逃又無望，倒不如放開手來，傷得對方幾人，也可出出胸中一口悶氣。

當下一振玉腕，四尺八寸的長劍，閃起一道銀虹，說道：「老前輩可是不屑和我動手？」

楚崑山搖頭說道：「據老夫所知，令堂一身內功，已入爐火純青之境，岳家劍法又是武林一絕，天下能夠傷得令堂之人，實難找出幾個，因此，老夫堅信令堂還活在人世。」

岳小釵暗道：這人當真是頑固迂腐，看來倒是難以和他說清楚。

忖思之間，突聽何坤怒喝一聲，揮搖雙筆，直撲過去。

岳小釵轉頭望去，只見兩個青色勁服的大漢，手中橫著厚背鬼頭刀，已然攀上峰來。

張乾緊隨何坤身後奔了過去，分抵兩人，立刻打了起來。

雙方一出手，都是拚命的招數，刀光霍霍，筆影縱橫，出手攻勢都是一擊致死的要害。

岳小釵看來人武功，實不足言敵，只一出手，立時可以把兩人傷斃劍下，有心過去相助，但又怕楚崑山會藉機出手，傷了蕭翎。

楚崑山似是已看出了岳小釵的心事，拂髯一笑，道：「來人都是神風幫中三、四流的腳色，這般人個個作惡多端，素爲武林不齒，姑娘如想出手，老夫絕不相助。」

岳小釵暗道：此人頑固迂腐，世所罕見，性格怪異，倒與那中州雙賈有甚多相同之處，大可利用他頑固的性格，先把來人除去再說。

心念一轉，仗劍一掠，直向兩個青衣人迎了過去。

蕭翎突然舉步而行，直向楚崑山走了過去，遙遙抱拳一揖，道：「老伯伯。」

楚崑山一皺眉頭，還了一禮，道：「小兄弟有何見教？」

蕭翎毫無怯意，昂首挺胸走了過去，說道：「你爲什麼不信我姊姊的話呢？她說我雲姨死了，那是千真萬確的事。」

楚崑山搖搖頭，道：「你姊姊那些心機，騙得過別人，但如何能夠騙得過老夫，我走了數十年江湖，不知會過多少高人，綠林道上，聽得老夫之名，無不望風而逃……」

忽然想起眼前之人，只不過是個十二、三歲的孩子，知曉什麼江湖大事，拂髯一歎，道：「唉！這些武林大事，告訴你也是聽不明白。」

蕭翎當下微微一笑，道：「老伯伯你殺了很多壞人，那你自然是個大大的好人了。」

楚崑山道，「那是當然，大江南北武林道上，一提起老夫之名，哪個不尊稱一聲楚大俠。」

蕭翎道：「老伯伯既是好人，爲什麼要欺侮我岳姊姊呢？」

楚崑山怔了一怔，道：「這個，這個……」

他爲人雖是迂腐頑固，但卻耿直不善謊言，被蕭翎這一問，瞠目結舌，這個了半天，說不出個理由來。

蕭翎看他神情尷尬，心中暗暗歡喜，忖道：這個老人很好玩，相貌堂堂，不似壞人，我倒要和他交個朋友。

心念轉動，微微一笑，道：「老伯伯，你這人看上去不像壞人嘛。」

楚崑山道，「哼！老夫俠名遠播，濟困扶危，自然不是壞人了。」

蕭翎道：「那你為什麼要搶我岳姊姊的東西？」

楚崑山又是一怔，持髯沉吟了良久，才道：「因那東西關連天下，如果讓它落在不肖綠林人物手中，為害天下至大，因此老夫非得把它搶到手中不可。」

蕭翎道：「我岳姊姊是壞人嗎？」

楚崑山看他小小年紀，口齒伶俐，膽氣過人，不覺間生出喜愛之心，說道：「她出道不久，這好壞之評，眼下還難下定論，不過她母親岳雲姑，倒是一位十分可敬之人。」

蕭翎想了一想，道：「老伯伯，究竟是什麼東西這等寶貴，引得這樣多的人來搶，唉——爹爹告訴我懷璧其罪，看來是不錯了。」

楚崑山哈哈大笑，道：「咱們武林中人，由來輕賤財物，如若岳姑娘收藏的是黃金珠寶，別說老夫不會追來，就是神風幫那般江湖黑道人物，也不會這般緊追不捨了……」

忽聽一聲慘叫，一個青衣大漢被岳小釵長劍洞穿前胸，大叫一聲，跌下峭壁。

蕭翎道：「不是金銀珠寶，那究竟是什麼啊？」

楚崑山道：「禁宮之鑰。」

蕭翎不解江湖中事，茫然誦道：「禁宮之鑰，禁宮之鑰……」

楚崑山道，「不錯，『禁宮之鑰』，天下武林人物，無人不存取得之心。」

蕭翎道：「什麼是『禁宮之鑰』？」

這一老一小，談得十分投機，楚崑山竟是無所不言，拂髯說道：「那『禁宮之鑰』雖只是一把鑰匙，但它卻能揭開數十年來，武林中的一大隱秘……」

忽聽岳小釵嬌脆的聲音傳了過來，道：「兄弟，快回來，咱們要上路了。」

蕭翎轉眼望去，山峰上惡戰已止，岳小釵橫劍站在一丈開外，瞪著一雙星目，望著自己，滿臉盡是關愛之情。

蕭翎微微一笑，伸手輕拂著楚崑山長垂的白髯，說道：「老伯伯，我要告訴你一件事，我姊姊沒有騙你，我那雲姨真的已經死啦。」說罷轉身而去。

岳小釵縱身一躍，飛落到蕭翎身側，說道：「兄弟，他沒有傷害你嗎？」

蕭翎道：「沒有，我們談得很好。」

岳小釵歎息一聲，道：「楚大俠身分極高，行事光明磊落，不會傷你這個不解武功的孩子，但江湖險詐，防不勝防，此事不可爲例，以後切不可隨便和人接近。」

楚崑山聽得岳小釵問蕭翎是否受到傷害，心頭大怒，正待發作，又聽岳小釵出口讚他，一腔怒火立時消去，拂髯一笑，道：「岳姑娘說得不錯，憑老夫在江湖的聲譽，豈會傷害一個天真爛漫的孩子。」

岳小釵暗暗想道：此人性格頑固，拘泥於俠名身分，放不下臉來和我爲敵，樂得利用一下他這迂腐固執的性格，少樹一個強敵。

當下說道：「家母確已仙逝，老前輩又不肯和晚輩動手，大度放過晚輩，這番情意，我這裏謝過了。」欠身一禮。

楚崑山被她帽子一扣，一時之間心中轉不過彎，雖是不願就此罷手，放棄那奪取「禁宮之鑰」的念頭，但偏又想不出以何措詞回答，口中不由自主地應道：「好說，好說。」

岳小釵道：「晚輩就此別過。」牽著蕭翎，暗運內勁，托著他的身子，疾奔下山而去。

楚崑山呆呆望著四人背影，逐漸離去，消失不見，才忽然覺著，那「禁宮之鑰」，非同小可，豈能被人幾句恭維之言，輕輕放過，遂拔步疾追上去。

岳小釵牽著蕭翎一陣急奔，足足有六、七里路，才放緩腳步。回頭看張乾、何坤，雖然仍追在身後，但兩人已累得大汗淋漓。

張乾舉起衣袖，擦拭一下頭上的汗水，道：「姑娘，咱們要到哪裏去？」

岳小釵道：「咱們眼下處境，十分險惡，看來已是難再兼顧我娘的遺體，目下情勢，咱們只有先行衝出這險地，趕到衡山沉燕谷去……」霍然驚覺，住口不言，流目四外打量。

何坤道：「主母遺體，豈可不顧，咱們拚了性命，也得護走主母的遺體。」

岳小釵搖頭道：「一則來人的目光，都已集中我的身上，二則那地方十分安全，要緊的是，咱們如何擺脫追蹤鐵騎。」

張乾道：「姑娘才智，向非我等能及，那自然是不會錯了。」

岳小釵辨認了一下方向，牽著蕭翎，直向西南行去，一路上選行密徑，步涉澗谷，盡量隱秘行蹤。

三人行了半日之久，居然未再見攔路和跟蹤之人。

冷陽西斜，照耀著白雪山峰，幽靜的深山中，突然間響起了一聲長嘯。

岳小釵霍然收住腳步，隱身一處山壁大巖下面，低聲說道：「看來敵勢強大，遍佈這綿連大山之中，神風幫又有靈鴿，想在白晝避開敵人耳目，只怕不是易事，只有認定方向，俟天色入夜之後，再行趕路。」

張乾道：「姑娘說得不錯。」取下身帶乾糧，分別食用。

其實幾人這一陣渡澗掠谷奔行，除了岳小釵內功精湛，不覺著疲累之外，張乾、何坤都已十分疲乏，需要休息，蕭翎雖是被岳小釵半抱半拖趕路，但冷風如劍，早已吹得半身僵硬了。

岳小釵對蕭翎十分愛惜，停下之後，立時要他打坐調息，並以本身內功助他，催動氣血取暖。

只聽那長嘯之聲，漸漸遠去，顯然敵人已走岔了路。

蕭翎得岳小釵功力之助，血流運行加速，不大工夫，僵硬的身軀已逐漸回暖，他長長吁出了一口氣，道：「姊姊，那『禁宮之鑰』，究竟是一件什麼寶物，竟然有這樣多的人來搶？」

岳小釵道：「這是武林中一個真實的往事，數十年來，武林很多高人都在尋找那『禁宮之鑰』，因爲那『禁宮之鑰』關係一件絕大的隱秘。」

蕭翎聽得神往，說道：「姊姊，可以告訴我這段故事嗎？」

岳小釵輕輕歎息一聲，說：「這並非故事，聽我娘說過，這是件千真萬確的事，被捲入這場漩渦的人很多，連少林、武當、峨嵋、華山四大門派，都牽涉在其中。」

她抬起頭來，遙望遠處一座山峰，緩緩地接道：「實際的年代，我已經記不清了，大約是四十年前吧！那時，武林中人才鼎盛，爭名之烈，尤勝今日，逐鹿爭霸的結果，脫穎而出十個奇人，武功各擅勝場，其中有一人，不但武功卓絕，且更善建築之術。

「因這十人個個才氣縱橫，雖然修習的武功路數不同，但都已入爐火純青之境，爲了相互克制，每三年相約比試一次，一連十八年，較技六次，仍然無法分出勝敗……」

蕭翎正聽到熱鬧之處，岳小釵突然住口不言，心中大急，問道：「姊姊，以後呢？」

岳小釵淒涼一笑，接道：「他們經過十八年的比試，無法分出勝敗，心中都知道，無法在武功上勝過眾人了，因爲一個人受體能限制，遇上才智相若，又同樣肯下苦功的對手，就是拚鬥一生，也很難在武功上分出勝敗，如要勝過眾人，壓倒群雄，非得別走蹊徑，出奇制勝不可……」她忽然住口不語，側耳聽了一陣，道：「有人來了。」

語聲未住，突聽汪汪兩聲狗叫，兩隻高可及人的捲毛黑狗，並馳而到。

岳小釵一鬆腰間軟劍的扣把，抖出長劍，挺身而出。

那兩隻黑狗，奔近幾人停身處丈餘左右，陡然停了下來。

只聽一陣哈哈大笑，黑狗之後，現出的來人，正是中州二賈中的老大，金算盤商八。

岳小釵柳眉聳動，冷冷說道：「前輩可是想恃強動手……」

金算盤商八輕輕咳了一聲，道：「在下只有三、四句話，說完就走。據在下得到的訊息，除了神風幫和中原、江南一帶的武林高手之外，少林、武當都有高手趕來，看目下情勢，來人有增無減，這筆買賣的本錢，越來越大，如若姑娘再不答應成交這筆生意，只怕要後悔莫及了。」

岳小釵冷冷說道：「不答應。」

商八哈哈一笑，道：「咱們生意人，也不便強人買賣，在下就此別過。」

雙掌「啪」的互擊一響，兩條黑毛巨犬，汪的一聲大叫，放腿疾奔而去，金算盤商八緊追在二犬身後，奔行若飛。轉眼間，走得蹤影不見。

岳小釵望著金算盤消失的背影，自言自語地說道：「中州雙賈有極善追蹤的靈犬，看來咱們是難以逃過他們的追蹤了。」

蕭翎緩步由岩石間走了出來，接口道：「姊姊，這些窮追咱們的各方人物，可都是想搶那『禁宮之鑰』嗎？」

岳小釵心頭煩躁，怒聲答道：「小孩子家，別管閒事。」

蕭翎看她忽然間厲顏相向，呆了一呆，道：「姊姊不用生氣，我以後不問就是。」

岳小釵轉臉望去，只見他被冷風刺腫的嫩臉上，強忍著無限的委屈，目光含淚，口帶微笑，不禁心頭一軟，緩緩伸出手去，拉過蕭翎，柔聲說道：「姊姊心頭煩躁不安，說話重了一些，你不要放在心裏才好。」

蕭翎望了望岳小釵，道：「我知道，我以後不再多說話了。」

岳小釵歎息一聲，道：「『禁宮之鑰』現在何處，連姊姊也不知道。」

蕭翎似想再問，但口齒微一啓動，立時又緊緊閉上。

岳小釵知他心意，婉然一笑，道：「也許在我娘的身上，姊姊實在不清楚。」

蕭翎道：「這些人甚是可惡，也不問問清楚，就認定了那『禁宮之鑰』在姊姊的身上。」

岳小釵微微一笑，道：「咱們趕路吧！」牽著蕭翎，大步向前行去。

她此刻已知難逃過強敵追蹤之厄，如其躲躲藏藏，倒不如挺身昂首而行，大險已成，她反而放開了胸懷。

天際泛起一片晚霞。

蕭翎在岳小釵挾扶之下，足不著地，奔行在滿鋪白雪的山上。

不知奔行了多少路程，天上已升起一輪明月。

冷厲的夜風中，張乾和何坤，都跑得不住舉手揮拭著臉上的汗水。

山路迴轉，景物一變，淙淙泉水聲劃破深夜的靜寂，眼前是一道寬闊的山峽，蒼松聳立，寒風減威，峽中氣候溫和了不少，小溪一道，蜿蜒在松石間。

一株高大的蒼松下，響起了一聲低沉的佛號，緩步走出一個身著月白僧袍的大和尚，右手橫提禪杖，左手當胸而立，欠身說道：「來的女施主，可是岳雲姑嗎？」

岳小釵道：「那是家母名諱，大師父有何見教？」

大和尚微微一笑，說道：「貧僧甚少涉足江湖，不識姑娘，還望原恕貧僧不知之罪。」

岳小釵暗道：中州雙賈，身列武林名宿，決計是不會謊言相欺，這大和尚忽然出現在這荒山深夜之中，只怕也是爲著那「禁宮之鑰」。

當下說道：「這點小事不足掛懷，大師深夜攔道，是何用心？」

那大和尚又喧了一聲佛號，道：「貧僧乃嵩山少林本院智光，奉命而來，有要事求見令堂。」

岳小釵道：「家母已然仙去，大師父有何事見教，對我說吧！」

智光大師道：「阿彌陀佛，貧僧前來的不巧了……」抬起頭來，望了岳小釵一眼，接道：

「令堂生前收存『禁宮之鑰』的事，女施主是知道了？」

岳小釵道：「不知道。」

智光大師呆了一呆，道：「那『禁宮之鑰』和本寺關係甚大，女施主如若存心隱藏，只怕是有害無益。」

岳小釵道：「少林寺被武林尊爲泰山北斗，大師父可是要仗勢欺人嗎？」

智光大師被她說得啞口無言，暗道：這女娃兒說得不錯，我在少林寺中，名列「達摩院」八大高手之一，豈能和一個女孩子家動手，何況那「禁宮之鑰」是否在她手中，還難料斷，無憑無據，豈可入人之罪……

這麼想上一想，頓覺理屈語塞，沉吟良久，答不上話。

良久之後，智光大師才緩緩說道：「老衲這把年紀，如是以武功強壓你交出『禁宮之鑰』，確有些仗勢欺人之嫌，但那『禁宮之鑰』，卻又是本派必欲取得之物，貧僧等奉命而來，如若聽女施主幾句話就這般自行而退，何以向掌門方丈覆命？」

岳小釵道：「那你要怎樣呢？」

智光大師道：「令堂仙逝一事，江湖從未傳聞，貧僧甚望能一晤令堂遺容。」

岳小釵道：「亡母已然入殮，男女有別，不便應命。」

智光大師長歎一口氣，道：「少林寺戒規森嚴，女施主縱然講得句句真話，貧僧也難作主……」

岳小釵接道：「該將如何？」

智光大師道：「要有勞女施主，隨貧僧同赴嵩山一行。」

岳小釵道：「我如不去呢？」

智光大師緩緩退後兩步，一橫手中禪杖，道：「那只有請女施主憑仗武功，勝過貧僧手中禪杖，如若貧僧技不如人，甘願回寺去，領受責罰。」

岳小釵估計情勢，已難善罷，一抖手中軟劍，道：「大師父名剎高僧，說了可是不能不算。」起手一劍「斗柄犯月」，直刺過去。

她急欲脫身趕路，出手劍勢，十分凌厲。

智光大師禪杖斜撩，封開長劍，卻不肯揮杖還攻。

岳小釵知他存心先讓幾招，以重身分，暗道：少林正大門派，果是有別江湖宵小。心頭念轉，手中劍勢卻連施奇招，連環三劍。

智光大師揮舞禪杖，封開連環三劍，心頭暗生懍駭，暗忖道：岳家劍能在江湖上獨樹一幟，果非虛張，這女娃兒年歲不大，卻似已得真傳，不可輕敵。施開禪杖，反擊過去。

他兩臂膂力驚人，鴨蛋粗細的禪杖，揮舞開來，帶起一陣呼呼的風聲。

只見兩人搏鬥之勢，愈來愈是驚心動魄，岳小釵劍轉如風，但卻始終在那大和尚縱橫的杖影包圍之下。

突然間響起了一陣嬌喝，蕭翎心頭一震，暗道：完了。閉上雙目不敢再瞧，在他的想像之中，一定是岳小釵傷在了那老和尚的禪杖之下。

只聽一個清脆的聲音說道：「大師父，承讓了。」

蕭翎急睜雙目望去，只見兩人都好好地站在月光下，已然停手罷鬥，心中好生奇怪，無法分辨出誰勝誰敗。

智光大師收了禪杖，閃開一步，說道：「岳家劍盛名不虛，女施主請吧！」

岳小釵欠身一禮，牽著蕭翎大步而去。

張乾、何坤緊隨岳小釵身後，匆匆行過。

智光大師果是言而有信，肅然而立，目注幾人行過，不再阻攔。

四　萬里追騎

幾人又奔行一陣，出了峽谷，明月西斜已經過了子夜，岳小釵仰望明月，不禁一歎，暗暗忖道：追蹤強敵，不知多少，似這般衝殺下去，不知要打到幾時才能停手……

心念轉動之間，突聞大笑聲傳來，谷口外山壁之下，突然站起七、八個人。

原來這些人一聲不響地坐在山壁暗影之下，不出聲息，岳小釵雖有極好的目力，但因未曾留心，竟未覺查。

蕭翎見敵人眾多，暗自想道：岳姊姊本可越峰渡澗而行，只因帶我同走，諸多不便，我如不再累贅於她，她或可脫出強敵的追蹤、圍截，當下道：「姊姊，你們走吧，不用管我了。」

岳小釵黯然說道：「你可是害怕了嗎？」

蕭翎道：「我不是害怕，只是覺著累贅了姊姊。」

岳小釵笑道：「兄弟不要多心，是姊姊拖累了你。」左手一伸，抱起蕭翎，右手揮動長劍，向前衝去。

張乾、何坤齊揮動兵刃，分由岳小釵兩翼，向前衝殺。

岳小釵劍風如輪，招招辛辣，當一交接，已有兩人傷在劍下。

蕭翎依偎在岳小釵的懷中，鼻息間甜香幽幽，目光中卻是劍氣縱橫，刀影如雪。

激鬥中，突然聽得岳小釵一聲嬌叱，長劍疾揮，慘叫聲中，又一人中劍倒下。

幾個攔路大漢，眼看岳小釵勇猛無敵，心中大是驚駭，雖想退避，但想到那違抗令諭之後，身受的慘刑、痛苦，尤重過死亡數倍，哪裏敢擅自退避，一人倒下，立時又一人揮刀衝上。

岳小釵辣手頻施，手中軟劍，幻化起劍花朵朵，片刻工夫，又有兩人傷在劍下。

那八個攔路大漢，已有五人中劍倒摔在地上，餘下三個人，還在奮勇苦戰。

這三人雖然捨死忘生，奮力苦戰，但已無能攔得岳小釵，被那飄雪落英般的劍花，逼的向一側退去。

岳小釵看眼下橫屍流血的慘劇，似是也不願多傷人，一挫柳腰，揮玉腕，人隨劍走「龍行一式」，連人帶劍，一衝而過。

張乾、何坤趁勢刀筆齊揮，大喝聲中，緊隨著岳小釵衝了過去。

蕭翎輕倚岳小釵肩頭之上，但覺耳邊勁風呼呼，奔行奇快，轉眼間，已繞過兩座山峰。

岳小釵停下腳步，放下了懷抱中的蕭翎，歎息一聲說道：「戰陣凶危，生死一髮，兄弟生長在富貴人家，目睹此事，只怕難免要驚心動魄……」

蕭翎舉起衣袖，拂拭一下臉上濺落的血珠和冷汗，說道：「現在想來，確實有些害怕，但當時，看姊妹出劍如風的英勇，目不暇接，早已把害怕忘記了。」

岳小釵悽婉一笑，道：「咱們如能平安度過此難，找一處清靜地方住上一年，待兄弟那太乙氣功，紮好了根基，送你回去，和父母團聚……」

蕭翎搖頭接道：「我不回去了！」

岳小釵道：「你不回去了……」

蕭翎接道：「我要跟姊姊，走遍天下，行高山峻嶺，看浩瀚煙湖，海上觀日出，大漠望風沙。」

岳小釵笑道：「那怎麼行，你……」

蕭翎接道：「不要緊，等我練會了武功，就可以跟著姊姊跑了，不要你再抱我……」

一聲淒厲長嘯傳來，打斷了蕭翎未完之言。

岳小釵臉色一變，道：「兄弟，又有人追上來了，我背著你走吧！」

蕭翎道：「不行，背著我豈不有碍姊姊的手腳……」

岳小釵突然伸手，點了蕭翎穴道，解下腰間的汗巾，把蕭翎綑在背上。

就這一瞬工夫，追蹤強敵，已然趕到。

岳小釵長劍一揮，嬌喝道：「擋我者死。」杖劍當先，向前衝去。

蕭翎話未說完，卻被岳小釵點了穴道，只覺全身一麻，暈了過去。

暈迷中不知道過去了多少時間，醒來看見自己正停在一處山谷之中，夕陽西下，天際間泛現出一片瑰麗的晚霞。

耳際間響起了岳小釵柔婉的聲音，道：「兄弟，你醒了麼？」

蕭翎轉目望去，不禁心頭一震。

只見岳小釵背靠在一塊大山石上，眉宇間泛現出無比的睏倦，身上濺滿了血跡，髮亂縱橫，臉色蒼白，目睹蕭翎微微一笑，緩緩閉上雙目。

再看張乾側身斜臥，已斷一臂，半個身子，都已爲鮮血浸透，日光映下，變成了一片深紫顏色，刀倚身旁，雙目緊閉，似是沉沉睡去。

何坤緊傍著張乾而坐，好像睏倦難支，依在山石上，雖未完全睡熟，但看樣子已是朦朧無知。

這是副黯然、悲壯的畫面，鮮血和疲倦編織成劫後餘生的淒涼。

蕭翎遍搜枯腸，勾不出一點回憶，只記得明月寒夜鐵騎追至，他被岳小釵一指點中了穴道，此後就暈迷不醒。

回頭望去，岳小釵已然沉沉睡去。

原來岳小釵早已睏倦，但她又擔心蕭翎閉穴過久，雖經解活了穴道，不知能否醒來，她強忍著睏倦等待，只待蕭翎行血流暢，睜開了雙目，她才微微一笑，閉目睡去。

何坤雖亦睏倦難支，但他心中一直惦記著張乾的安危，這一個沉重的事，使他一直未能睡得十分酣熟。

蕭翎慢慢行近張乾身側，道：「這位張叔叔傷得很重嗎？」

何坤道：「斷了一條膀子，如非姑娘身懷靈丹，替他閉穴止血，單是疼也得把他疼暈了過去。」

蕭翎歎然道：「身受斷臂重傷，不能及時療養，露宿這荒山窮谷，受風吹日曬之苦，當真是人間慘事。」

何坤微微一歎，道：「公子睡熟在姑娘的背上，不知咱們這一番衝殺的凶險，在下走了大半輩子江湖，可是第一次經歷這等凶惡之戰。」

他忽然一拍大腿，接道：「這一戰雖是凶險百出，但也算開了一次眼界，姑娘的一支劍出神入化，連闖過二十八個險關，劍下傷人總在四十以上，她背負公子，連經惡戰，一晝夜未得稍息，這份能耐，在當今江湖上，也算是少見的了。」

蕭翎接道：「兩位從旁相助，幫我岳姊姊拒擋強敵，幸脫險難，那也功不可沒。」

何坤道：「慚愧得很，咱們不但未能幫助姑娘，反累她處處分神照顧，主母在世之日，岳家劍名震一時，咱們在江湖之上行動，不論黑白兩道中人，誰不刮目相看，在主母的威名蔭護之下，咱們從來是有驚無險。」

他回顧了倚靠在山石間沉睡去的岳小釵，忽的黯然一歎，道：「這一番惡戰，可也把姑娘累壞了，唉！縱然鐵打銅鑄的人，也是擔受不起。」

蕭翎突然一聳雙眉，說道：「何大叔，咱們可是脫了險難嗎？」

何坤急道：「公子，可別這樣叫我，以後有事吩咐，叫我一聲何坤也就是了……」

他微微一頓，又道：「這次攔截咱們之人，可算是廣包黑白兩道、正邪各門，看他們緊追不捨之情，咱們遠避到天涯海角，只怕也無法逃得過他們的追尋。」

一言甫落，突聞冷笑傳來，山坳一角處，緩步走出來兩個身穿黑衣，面容陰沉，身形瘦高的人來。

何坤吃了一驚，伸手抓起雙筆，挺身而起，奮力一躍，攔住了兩人，厲聲喝道：「站住！」這兩個字喝聲響完，只震得四下山谷回鳴。

何坤雖然武功不高，但他常年在江湖之上走動，見識卻很廣博，看兩人來勢從容，步履凝重，分明是身懷上乘武功的高手，自知難敵，想借這一聲大喝，驚醒岳小釵。

兩個黑衣人相互望了一眼，停下腳步，冷冷地望著何坤，臉上是一片莫測高深的神色。

何坤回目一顧，只見岳小釵酣睡如故，蕭翎卻站起了身子，走了過來，不禁心頭大駭，但此時此刻之中，勢又不能顯露出怯敵之狀，當下一分手中雙筆，擺一個迎敵的姿勢，大聲接道：「兩位是哪條道上？」

左面那黑衣人冷冷地答道：「神風幫。」三個字說得冷漠無比，生似不是從活人的嘴裏說出。

何坤心頭一震，道：「神風幫兄弟倒是聽人說過，但卻從未見過兩位，可否見告大名？」

他覺出事態嚴重，已非自己力量能夠對付，只有盡量拖延時間，希望岳小釵能夠及時醒來，是以每一句話，都說得十分洪亮。

只聽左面那黑衣人冷冷說道：「神風幫主，壇前開道二將，鐵判左飛。」

右面那黑衣人接道：「在下冤魂方橫。」

何坤道：「兩位果然是人如其名……」

左飛冷冷接道：「我等奉命而來，無暇和你多說閒話，讓開。」左手一揚，橫裏拍來。

何坤目睹這兩人像貌森冷，但卻不擅機詐，本待和他多扯上幾句，拖延時光，但不料對方，突然出手，一掌拍來，匆忙間判官筆尖鋒疾轉，迎向左飛脈穴之上點去。

鐵判左飛動作奇快，左掌一收，右掌卻同時拍出，一掌正擊在何坤右腕之上，判官筆脫手飛出，跌撞在山石之上。

何坤疲睏之身，早已自知難和來人抗拒，但卻未料到，交手一招，就被人拍中手腕，震落鐵筆，心頭大駭，左手判官疾出一招「劃分陰陽」，口中卻大聲喝道：「姑娘快些醒醒……」

那站在右側的冤魂方橫突一挪身子，呼的一聲，由何坤身側搶過，疾向岳小釵撲了過去。

蕭翎心道大急，大喝一聲：「不要傷了我岳姊姊。」伸手向方橫抓去。

方橫冷笑一聲，隨手一擋，蕭翎頓覺手腕脈如被人用鐵棍重重擊了一下，疼徹心肺，身子也被震得向一側摔去。

岳小釵仍然靜坐不動，似是根本未聽到這呼喝尖叫之聲。

蕭翎強忍傷疼，站了起來，尖聲大叫，又向方橫撲去。

方橫的撲襲之勢，迅快無比，蕭翎看方橫伸出的右手，已然快抓到了岳小釵的頭上，岳小釵仍似未醒，不禁失聲哭叫道：「姊姊啊……」

就在方橫手指將著未著之際，突然一聲冷哼，疾向後面躍退了數尺。

岳小釵霍然挺身而起，長劍一抖，寒光暴閃，點擊過來。

原來她早已被何坤的呼喝之聲，驚醒過來，微啓雙目一看，強敵已然快近身側，看來人勁氣內歛，分明是身懷上乘武功的高手，但自己體力未復，也難和這等高手過招，大危當頭，也只有施用險詐求勝了，當下閉上雙目，裝作沉睡未醒之狀，暗中取出一把金針，扣在手中。

方橫被何坤和蕭翎的喝叫之聲相擾，竟然未看到岳小釵暗取銀針之事。

岳小釵內功精湛，能得片刻熟睡，精神已好轉不少，一面扣針待發，暗中卻運氣調息，直待冤魂方橫掌勢將要及身之時，才陡然向後一仰嬌軀，銀針借勢而落。

方橫驟不及防，距離又近在咫尺，只見銀芒一閃，雙膝、雙臂數處穴道，已爲銀針刺中。

方橫穴道中針，運轉已不靈活，腳落實地，身子搖了幾搖，幾乎拿不住樁。眼看岳小釵劍芒閃閃刺來，心中又急又怒，回首一瞥間，蕭翎和身撲到，當下伸臂一探，抓過蕭翎，當做兵刃施用，橫向岳小釵長劍之上封去。

冤魂方橫凶性大發，舉起蕭翎，正待摔向一塊大岩石上，突聽一聲大喝，道：「摔不得。」喝聲中人影一閃而至，雙手齊出，抓住方橫兩隻手腕。

來人正是中州二賈中的老大，金算盤商八。

商八五指運力，緊扣著方橫雙腕脈穴，但也不奪下蕭翎，卻回頭望著岳小釵哈哈一笑，道：「人生何處不相逢，岳姑娘你好啊！咱們又碰上了。」

這時，何坤單餘左手鐵筆，力拚鐵判左飛，勉強支撐三、四個回合，被左飛一招「迴光返照」，拍中了左臂「曲池穴」，左手的鐵筆也應手而落，左飛欺上一步，揚手一掌，拍向何坤「天靈」要穴。

忽然間，一隻腳橫裏飛來，踢向左飛肘間關節。

這一腳來得無聲無息，急快中不帶一點聲息，當真是突如其來，莫可預測。

左飛拍出的右掌，疾快的一偏，身隨臂轉，橫跨了一步，轉頭望去。

只見一個身穿藍衫，氈帽壓眉，身子瘦高之人，冷冷地站在三尺開外，他踢出的一腳，已然收回，落日餘暉中，只見他側臉旁顧著山峰的景物，生似那一腳不是他踢出的一般，不禁心頭大怒，冷笑一聲，道：「你是誰？」

何坤記憶猶新，識得此人正是中州二賈中的冷面鐵筆杜九，此人本和自己相對為敵，不知何以會突然出手相救。

只聽杜九冷冷說道：「兄弟是做買賣的，如果這筆買賣談不好，兄弟回頭就走，決不管兩位的閒事。」他聲音冷漠，但言詞卻是十分和氣。

左飛極少江湖閱歷，不識中州雙賈，當下怒喝一聲，呼的一掌劈了過去。

杜九身軀一閃，退到一丈開外，說道：「兄弟說過，向來不打閒架，一出手就得賺錢，你還是等著的好。」

左飛雖然甚少在江湖上單獨走動，見聞甚少，但他已從來人閃避的身手上，看出武功不弱，不敢再輕敵大意，暗中提聚真氣準備。

回頭望去，只見方橫高高舉起一個童子，但雙腕脈穴卻被一個矮胖之人扣著，動彈不得，心中又驚又怒，厲喝一聲，撲了過去。

但覺眼前人影一閃，遙站在一丈開外的杜九，突然攔在了身前，擋住去路。

左飛正向前衝，杜九來勢奇快，一去一迎之間，撞個正著，杜九靜站不動，左飛卻被那一撞之勢，震得向後退了一步，心頭不禁駭然，知道自己遇上了強敵，不敢再隨便出手。

只聽商八哈哈大笑一陣，道：「岳姑娘，留得青山在，哪怕沒柴燒，咱們生意如能談成，那是兩取其利，姑娘執意不肯，咱們生意人，只得等著瞧熱鬧了。」

岳小釵手橫長劍，暗中運氣調息，仍是不言不語。

眼看岳小釵無開口之意，商八接道：「在下只要一鬆雙手，你這兄弟的一條小命，非被活活的摔死不可。」說話之間，退後了一步，大有放手而去之意。

岳小釵再也沉不住氣了，黯然歎息一聲，道：「你說吧！你要什麼？」

商八道：「其實我不說，姑娘心中也十分明白，這樣多武林高手，追踪姑娘，不都爲了那『禁宮之鑰』麼？就眼下形勢而論，憑仗你岳姑娘一人之力，已然無法再保得住那『禁宮之鑰』，與其落入別人之手，倒不如和在下成此交易。」

岳小釵道：「可是我並不知道『禁宮之鑰』現在何處？」

商八雙眉聳動，哈哈一笑，道：「兄弟做生意向不怕人賴帳，只要姑娘答應，這筆買賣咱們就算一言為定。」

岳小釵道：「我真不知道『禁宮之鑰』……」

商八接口道：「不要緊，如若那『禁宮之鑰』確不在姑娘身上，兄弟就認下這一樁賠錢買賣，但要姑娘寫給在下一個字據，咱們自會去找令堂說話。」

岳小釵黯然說道：「好吧！我答應你。」

商八高聲說道：「杜老二，咱們和岳姑娘這樁生意談成了。」喝聲之中，突然雙手加力，右腳一抬踢了過去。

只聽一聲悶哼，方橫瘦長的身軀，陡然飛了起來，摔到七八尺外：手中的蕭翎也被商八奪了過去。

左飛暗中凝聚功力，已到了蓄勢待發之境，正待發動攻襲杜九，忽聽悶哼之聲傳來，轉臉望去，只見方橫躺在石地上，雙目緊閉，傷的似是甚重，顧不得再向杜九施攻，縱身一躍，飛了過去，探手抓起方橫，一躍丈餘，急奔而去。

冷面鐵筆杜九，睨了左飛的去向一眼，說道：「大哥，可要把那兩個小子擒回來麼？」

商八笑道：「不用啦，咱們得先和岳姑娘談正經事。」

杜九舉步行來，順手一把，抓住了何坤，輕輕一掌，擊在何坤背後的命門穴上，說道：

「朋友，好好的養息一下。」鬆開何坤，走到商八身後。

何坤吃他一掌擊在命門穴上，全身血脈頓時一暢。

岳小釵早已奔了過來，接過蕭翎，急急說道：「兄弟，你怎麼樣？」

商八搶過蕭翎之時，已然暗運內力，催動蕭翎的氣血。

蕭翎睜開雙目，望了望岳小釵焦急的臉色，微微一笑，道：「姊姊不用擔心，我很好。」挺身由岳小釵懷中站了起來。

商八打了個哈哈，道：「令弟幸未受傷。」

岳小釵冷冷道：「可惜我不知那『禁宮之鑰』的存放之處，亦未見過此物，這樁生意只怕兩位賠定了。」

商八微微一怔，道：「兄弟經過了無數的大風大浪，絕不至於在陰溝裏面翻船，這一點姑娘儘管放心。」

冷面鐵筆杜九冷冰冰地接道：「咱們兄弟做生意，向來是現錢交易，從不拖欠，只因岳姑娘這筆生意太大，我們破例從優，准予賒欠，但空口無憑，還得姑娘寫一個字據。」

說完話，竟然從腰間解下了一個黃色的小包袱，打開包袱，赫然是一個白絹裝成的帳本和筆硯等物。

冷面鐵筆杜九，攤開帳本，放好筆硯，隨手抓了一把白雪，托在手中，眨眼間手中雪團，化成點點雪水，滴入了石硯之中。

商八目注岳小釵哈哈一笑，道：「『禁宮之鑰』雖不在姑娘身上，但它卻爲令堂所收存，所以，姑娘只要在我們兄弟那帳本之上，記下一筆，咱們這筆交易，也就算敲定了。」

岳小釵掠了那帳本一眼，說道：「要我如何落筆？」

金算盤商八又回復了滿臉笑容，說道：「簡單得很，在下口述，姑娘用筆寫下就是。」

岳小釵冷然一笑，提起了毛筆。

金算盤商八略一沉吟，隨即朗聲說道：「賒欠人岳小釵，如今親口允諾，願把家母收存的『禁宮之鑰』一把……」

岳小釵正待揮筆，突然又停了下來，道：「且慢，我如依你之言，寫下了這筆欠債，你們要付些什麼代價？」

商八笑道：「那絕不讓姑娘吃虧，黃金千兩、錦緞百匹、明珠十顆，外加削鐵如泥的寶刃一把，並負責送姑娘和令弟，安全離開危險地。」

岳小釵道：「天下無數的武林高手，包括那少林、武當兩大門派，都無緣無故地和我作對，追蹤鐵騎，如影隨形，這天下雖大，哪裏有我立足之地！」

商八道：「這個姑娘不用擔心，這無數武林高手，苦苦追蹤姑娘，都是爲了那『禁宮之鑰』。『禁宮之鑰』如已爲我們兄弟收存，此訊傳出之後，姑娘就不會再有麻煩了……」

岳小釵道：「如果兩位取不到那『禁宮之鑰』呢？」

冷面鐵筆杜九緩緩接道：「我們兄弟明查暗訪，早已調查得十分清楚，那『禁宮之鑰』確已爲令堂取得，除非是姑娘有意推拖毀約，絕無取不到手之理。」

商八接道：「此物關係著武林中數大門派和無數高手的命運，姑娘留著它，實是有害無益。」

杜九冷冷接道：「岳姑娘，時光不早了，請姑娘大筆一揮吧！」

岳小釵瞪了杜九一眼，道：「我雖是女流之輩，說了也不會不算，但要我寫下這筆欠帳，還有兩個條件。」

商八道：「什麼條件？」

岳小釵道：「第一件，如是兩位訪查錯誤，那『禁宮之鑰』不在我娘的身上，那這筆帳就算一筆勾銷。」

商八略一沉吟，道：「只要姑娘不從中吞沒隱蔽，我們便認下了。請說那第二個條件吧。」

岳小釵道：「第二件，就是那『禁宮之鑰』確爲本姑娘之物，被兩位要挾取去。」

商八笑道：「這個容易，只要我們兄弟不死，禁宮未開，那『禁宮之鑰』價值不失，姑娘隨時可以向我們兄弟追討。但醜話說在前面，姑娘要想討回那『禁宮之鑰』，可得要憑仗武功，只要你能勝過我們兄弟，也就是砸了我們的生意招牌，那時姑娘不但可取回『禁宮之鑰』，而且還可以開出價錢，向我們兄弟討點利息。」

岳小釵道：「就此一言爲定。」揮動毛筆，就絹而書，寫道：「願把家母收存的『禁宮之鑰』一把……」

停筆問道：「下面該如何落筆？」

啇八晃了兩下腦袋，道：「下面該接上：售與中州雙賈，定金是：明珠十顆，黃金千兩，錦緞千匹，削鐵如泥寶刃一把，日後得『禁宮之鑰』後，再行補上……」

岳小釵依言寫好，道：「行了嗎？」

啇八道：「還得加上兩句，恐口說無憑，書帳爲證。」

岳小釵揮筆書成，冷冷說道：「好了吧？」

啇八道：「好了，有勞姑娘。」

冷面鐵筆杜九收好了帳本、毛筆，說道：「有了這筆帳，在下等也可理直氣壯向你姑娘討債了。」

岳小釵心頭煩惱，不再理會兩人，牽著蕭翎，走向一側大岩石邊坐下，閉上雙目，倚石睡去。她疲累未復，又經一番搏鬥，此刻倚石養神，竟然沉沉睡去。

冷面鐵筆杜九，回顧了啇八一眼，道：「老大，咱們就守在這裏等著嗎？」

啇八微微一笑，道：「岳姑娘一諾千金，絕不致有悔約賴帳的舉動，你把身上靈丹，送給這位小兄弟，和這兩位朋友，每人一粒，咱也要藉機會休息一下。」

杜九應了一聲，取出一個小巧的玉瓶，倒出三粒紅色的丹丸，送給了何坤兩粒，說道：「這兩粒鎮神保元丹，功效強大，你自己吃一粒，另一粒給你那位被人砍掉了手臂的朋友。」

他也不看何坤反應如何，把兩粒鎮神保元丹，交給何坤，轉身走近蕭翎，冷冷說道：「小兄弟，吃下這粒丹丸。」

蕭翎抬起頭來，望了杜九手中的丹丸一眼，道：「我不吃。」三個字說得斬釘截鐵。

杜九揚了揚手中紅色丹丸，冷漠地道：「你此刻不肯吃下，日後只怕後悔就來不及了。」

蕭翎道：「就是吃下去，可多活上一百歲，我也不要吃它，快拿開去。」

杜九碰了釘子，心中既覺好氣，又覺好笑，暗道：這娃兒出言豪壯，膽氣倒是可佩得很。當下收了紅色丹丸，退後幾步，靠在一塊大山石上。

天色逐漸地暗了下來，一勾新月高掛天邊，山峰聳立，白雪映月，深山寒夜，一片蕭索。

岳小釵經過了一陣酣睡，精神大振，睜開眼來，見中州二賈一個盤坐調息，一個倚石而立。

只見商八微閉的雙目，突然一睜，哈哈一笑，道：「岳姑娘醒來了嗎？」

岳小釵冷笑一聲，道：「有勞兩位久候了。」

舉步走到蕭翎身側，只見他閉著雙目，正在運功調息，寒夜淒冷，以蕭翎的功力，顯然無法抗拒這深夜的刺骨寒氣，但他卻有著無比堅強的意志，一面哆嗦抖動，一面仍自運氣調息。

岳小釵油然生出憐惜之心，輕輕歎息一聲，道：「兄弟，很冷嗎？」

蕭翎睜開雙目，望了岳小釵一眼，笑道：「我不怕冷。」

金算盤商八大步行了過來，笑道：「兄弟有一件貂皮寶衣，保暖之力，十分強大，如若令弟需要，在下可以奉送。」

蕭翎道：「我不要，凍死了我也不要穿你的衣服。」

商八微微一笑，道：「小兄弟這點年紀竟有如此風骨，實叫在下佩服。」

岳小釵拉起了蕭翎，回顧張乾一眼，道：「你傷勢好些嗎？」

張乾一挺身站了起來，道：「流血已止，傷疼大減，可以趕路了。」

岳小釵道：「好！那咱們就此登程。」牽著蕭翎，當先舉步行去。

何坤接過杜九相送的鎮神保元丹，自行吃了一粒，一粒讓張乾服下，略經調息，果覺精神大振，心中暗暗想道：看來中州雙賈，不但廣積財寶，只怕連丸藥也在收集之列，這紅色丹丸，也不知是出自何人之手，神效如此奇大。提起雙筆，緊追張乾身後而行。

冷面鐵筆杜九突然一橫身子，攔住了岳小釵的去路，道：「岳姑娘，你可是已經忘記了小號這筆帳了嗎？」

岳小釵道：「沒有忘記。而且兩位不是想見我仙逝的母親嗎？」身子一側，向前行去。

杜九急急說道：「岳姑娘既然記得，那是最好不過，小號人手不多，姑娘早些說出令堂的停身之處，也好了清這筆帳目。」

岳小釵道：「神風幫追兵將至，待我脫出險地之後，再告訴你不遲。」

金算盤商八大笑說道：「這話不錯，岳姑娘大主顧，老二咱們客氣些。」喝聲之中，疾如飄風一般，掠著岳小釵身側而過，搶先奔出谷口，撮唇一聲長嘯。

但聞幾聲汪汪叫，兩條黑毛巨犬，疾奔而至。

巨犬見了商八，一陣搖首擺尾之後，緊依在商八身旁。

岳小釵緊跟著商八的身後，出了谷口，抬頭打量了一下地勢，直向正西行去。

金算盤商八低聲對杜九說道：「老二，你跟著岳姑娘護駕，我到前面探道，只要能夠避開那神風幫主，和幾個特別難纏的老怪物就行了。」

抬眼望去，岳小釵、何坤已走出數十丈外，一拍杜九肩膀接道：「老二，快追上去。」當先一躍而起，快似奔雷，幾個飛躍，人已掠過岳小釵。

兩條巨大的黑犬，緊追在商八身後，風馳電掣而去。

冷面鐵筆加快了腳步，緊追在何坤身後而行。

岳小釵冷眼旁觀，看中州二賈的匆忙奔走，顯是必有勁敵，不由得生出了一種十分奇怪的心理，此時此刻，她倒真的希望有強敵出現，讓中州二賈吃個大虧。

蕭翎在岳小釵右手抑扶之下，放腿奔行，翻越過兩座山峰之後，寒意盡消，回頭看去，見那氈帽兒低壓眉際的杜九，緊緊追在何坤身後，果然是相隨保護，心中暗暗忖道：這人雖然長得面目可憎，但他武功高強，當可能爲岳姊姊拒擋強敵……

忖思之間，突聽一聲汪的狗叫，山坳轉角處，人影乍現，疾奔而至。

岳小釵左手一轉，輕輕把蕭翎帶在身後，右手緊握劍把，準備迎敵。

只聽來人輕輕咳了一聲，道：「岳姑娘不要誤會，在下商八。」說話間，人已奔到了岳小釵的身前。

月光下只見他一張圓團團的臉上，不住的冒出熱氣，一望可知他是經過一陣全力的奔行。兩隻黑毛巨犬，仍緊緊的追隨在身後。

岳小釵口齒啓動，本待出言相詢，但話到口邊，突然又嚥了下去，冷冷的望了商八一眼，默然不言。

金算盤商八神色間雖然流現出了緊張，但卻笑容依舊，望了岳小釵一眼，笑道：「真糟，兄弟和岳姑娘這筆生意，只怕是真的要虧本。」

岳小釵道：「能使中州雙賈視作勁敵的人，自不是無名之輩了？」

商八笑道：「姑娘說的不錯，適才兄弟發現了兩個近年甚少在武林中現身的難纏人物，但這兩個人，一向是淡薄名利，此來不知是巧合，還是也參與了奪取『禁宮之鑰』的是非？」

岳小釵道：「你可是害怕了麼？」

金算盤商八笑道：「當今武林之世，能使我們兄弟畏懼之人，還不易找出幾個，但在下爲姑娘借箸代籌，多一事不如少一事，能夠逃避得過，何苦又自尋麻煩。」

岳小釵道：「高見如何？」

商八道：「在下之意，繞道而行，避開兩人。」

岳小釵道：「你說了半天，還未提到遇上的何等人物？」

商八道：「這兩人大大有名，姑娘縱然未曾會過，也該聽令堂提過。」

岳小釵道：「什麼人？」

金算盤商八突然轉過身子，向正北行去，一面說道：「咱們一面趕路，一面談吧……」

回頭望去，只見岳小釵站在原地不動，不禁一皺眉頭，接道：「姑娘如想平安無事的脫出高手的大包圍，最好能和我們兄弟合作……」目光一掠蕭翎，又道：「姑娘縱然不計本身的安危，兩位隨員的死活，但也該爲令弟設想，兵戰凶險，難免有護衛不週之慮。」

這幾句話，果然打動了岳小釵的芳心，牽著蕭翎，折向正北行去。

商八微微一笑，道：「姑娘如肯和我們兄弟合作，安過重圍，並非難事。」

岳小釵想到兩人迫自己手訂約書之事，心中就油生怒意，冷冷說道：「兩位武功高強，盛名遠播，但行事爲人，卻難爲天下人所敬仰。」

以中州雙賈在武林中的威望，聽到這等當面激辱之言，縱不立刻發作，亦將面現不愉之色，但金算盤商八，不但毫無惱意，反而有些沾沾自喜的說道：「岳姑娘說的不錯，我們兄弟向不喜沽名釣譽，只講求實惠，千百年來，武林道上，不少豪富，但如論積聚之廣，獲寶之多，在下雖不敢斷言後無來者，但卻是前無古人。」

岳小釵沒好氣地說道：「金銀財寶，有什麼用？死也不能帶進棺材裏。」

金算盤商八怔了一怔，道：「人各有志，勉強不得，儘管有人視金銀珠寶有如糞土草芥，但在下兄弟，仍是樂此不疲……」

他仰天打個哈哈，接道：「在下倒是忘記告訴姑娘，適才遇上哪兩個難纏的人物了。」

岳小釵心中雖然鄙視兩人行徑，不願和他們多所搭訕，但仍是忍不下好奇之心，不自覺地問道：「那是什麼人？」

商八道：「這兩人大概就是姑娘所敬所慕的人了，他們浪跡江湖，濟困扶危，輕財仗義，以博俠名，和咱們做買賣的，那是大大的不同……」

商八微微一笑，續道：「姑娘可聽說過酒僧、飯丐這兩個渾號嗎？」

岳小釵心中微微一動，暗道：酒僧、飯丐，都是名重一時的大俠，難道這兩人也趕來參與奪取那「禁宮之鑰」不成？

心中念轉，口中卻冷冷說道：「只聞其名，未見其人。」

商八笑道：「酒僧是個和尚，雖是人在三界之外，但卻是酒肉不戒，而且酒量奇大，當真是千杯不醉，昔年在黃鶴樓上，和人相較酒量，三日三夜杯不釋手，與會之人，大都當場醉倒，只有那和尚若無其事，因而得了酒僧之號。」

蕭翎突然插嘴道：「原來如此，酒僧能酒，那飯丐想是能吃飯吧？」

商八道：「小兄弟猜得不錯，那飯丐食量大得驚人，一餐食斗米不飽。」

蕭翎一伸舌頭，道：「那酒僧、飯丐的本領大不大？」

商八道：「大得很……」

蕭翎突然皺起了眉頭，道：「他們趕來這萬里雪封的大山之中，定然是和兩位一般用心，來搶岳姊姊那『禁宮之鑰』，是不是？」

商八笑道：「這兩人行事難測，來意如何，在下不敢斷言，不過，但願他們不是才好。」

蕭翎奇道：「爲什麼？」

金算盤似是和蕭翎談得十分投緣，有問必答，哈哈一笑，道：「因爲那『禁宮之鑰』，已由你那岳姊姊賣給小號了。」

岳小釵冷嗤一聲，右手暗運真力，托起蕭翎，放腿向前奔去。

商八突然加快腳步，搶在前面說道：「在下爲姑娘帶路。」

張乾斷臂不久，緊趕一陣，傷口迸裂，鮮血泉湧而出，他雖勉力苦撐，但人終是血肉之軀，如何能夠受得，又行了一陣，只覺頭重腳輕，眼前金星亂閃，一個觔斗向前栽去。

但覺一陣疾風，掠身而過，那斷後而行的冷面鐵筆杜九，突然一躍而前，探手一抓，抱起了張乾，右手疾快地點了張乾兩處穴道，止住流血，摸出一粒丹丸，送入張乾口中，說道：「快吞下去。」也不管張乾是否吞下，抱著向前奔去。

岳小釵陡然止步，回頭問道：「什麼事？」

冷面鐵筆杜九冷冷答道：「他傷口迸裂，人要暈倒，現在不妨事了，在下抱著他趕路也是一樣。」

岳小釵暗道：你們這般舉動，還不是爲了早脫圍困，逼我交出那「禁宮之鑰」。也不致謝，轉身又向前奔去。

山道曲轉，一夜奔行，也不知行了多少路程，天色又到了破曉時分。

只聽汪汪兩聲狗叫，緊接著響起了一聲大喝，道：「狗眼看人低，你這畜生，也敢欺侮我老叫化子。」

商八暗道：糟！怕鬼偏遇見鬼，繞來繞去，怎麼又遇上了這老叫化子。

停下腳步望去，只見三道山谷交連之處，有一座小土地廟，廟前老松之下，坐著一個鶉衣百結，簡直遮不住身體的老頭子，身前放著一個大鐵鍋，旁邊橫著一支木杖。兩隻高大的黑毛巨犬，站在四、五尺外，望著那褸衣老人，作勢欲撲。

商八口中低嘯一聲，召回兩隻黑毛巨犬，拱手一禮，道：「沈兄，久違了！」

那褸衣老人緩緩轉過臉來，望了金算盤商八一眼，說道：「商兄是越來越發福了，生意發財。」目光移注到那兩隻黑色巨犬身上，說道：「這兩隻畜生，可也是商兄養的嗎？」

金算盤商八道：「兄弟遠行西域做了一筆買賣，錢沒有賺到，卻帶了這兩隻虎獒回來。」

那褸衣老人道：「商兄有錢人，連那兩隻大狗，也帶了一身富貴氣，見著老叫化這副形貌，很不順眼。」

金算盤商八笑道：「畜生無知，沈兄不用見怪，兄弟這裏賠禮就是！」說罷抱拳一揖。

褸衣老人目光一轉，投注到岳小釵的身上，道：「不得了，商兄的生意是越做越大了，連人口也販賣起來。」

岳小釵心中惱怒，本待發作，繼而一想，以商八在武林中的威望，對這老叫化竟然這般客氣，看來又不似想和他談生意，定然是一位大有名望之人，說不定就是俠名滿江湖的飯丐了。當下隱忍下去。

只聽商八打了兩個哈哈，說道：「沈兄言重了，這位姑娘乃我們兄弟一位大大的主顧。」

冷面鐵筆杜九突然放下懷抱中的張乾，大步行了過來，冷冷接道：「咱們兄弟買賣事忙，無暇和沈兄敘舊，異日有緣再會，就此別過。」

那褸衣老人突然放聲大笑，道：「老二究竟是不如老大沉得住氣……」

杜九冷冷接道：「沈兄可是有意和我們兄弟爲難嗎？如是有意找我們兄弟麻煩，乾脆劃出道來！」

那褸衣老人探手從面前大鐵鍋中，抓起一把米飯，一口吞了下去，笑道：「有道是窮不和富鬥，你們兩兄弟，富甲天下，老叫化窮無立足之地，如若鬥將起來，老叫化是必敗無疑。」

商八接口說道：「沈兄遊戲風塵，俠名卓著，兄弟一向敬重得很……」

褸衣老人道：「好說，好說。」

商八接道：「咱們明人不做暗事，沈兄此來，想必也是爲著那『禁宮之鑰』？」

褸衣老人道：「這個老叫化想是想，但只怕無福取得。」

商八臉色一變，道：「兄弟有一件事，必得先行說明。」

褸衣老人道：「願聞高論，老叫化洗耳恭聽。」

商八目光一掠岳小釵，道：「這位岳姑娘令堂保存的『禁宮之鑰』，早已賣給我們兄弟了，沈兄如若是爲此而來，在下先致歉意，只怪沈兄來遲了一步，被我們兄弟搶了先著。」

褸衣老人道：「這麼說來，那『禁宮之鑰』是已落在商兄的手中了？」

商八道：「迄至目前，兄弟還未見過那『禁宮之鑰』，不過這位岳姑娘已立約爲憑，賣給我們兄弟了。」

褸衣老人又探手向那鐵鍋之中抓起兩把冷飯吞了下去，說道：「請問這位岳姑娘，可是岳雲姑的後人？」

岳小釵道：「家母已仙逝多日了。」

那褸衣老人突然長長歎息一聲，自言自語地說道：「老叫化生平之中，從未對任何人有過點滴的負欠，唯獨……」

突然有所警覺，住口不言，回顧了中州二賈一眼，緩緩說道：「老叫化聽得傳言，趕來此地，有道是見者有份，你們兄弟這些年來，生意一帆風順，那也不過是別人不屑爲金銀珠寶與兩位爲難罷了，但這『禁宮之鑰』，卻是大不相同……」

冷面鐵筆杜九冷笑一聲，打斷那褸衣老人之言，接道：「老叫化不用討巧賣乖，既有意和我們兄弟爲難，用不著嫁禍他人，杜老二久聞你飯丐之名，今宵能有機會領教領教，也算是一件幸事。」

褸衣老人冷冷說道：「想打架，老叫化當然奉陪。」

金算盤商八外表一團和氣，其實卻是個極工心計之人，一看今宵形勢似是難以善罷，與其拖延時光，倒不如早些動手，飯丐之名，雖然震動江湖，出了名的難纏，但估計他一人之力，絕難攔得住自己兄弟兩個，當下微微一笑，道：「老二，沈兄武功高強，你要小心一些了。」

這兩句話，其實卻是點醒杜九，要他快些動手，不要拖延時間。

杜九如何會聽不出商八言中的弦外之意，當下右掌護身，左掌待敵，身子一側，向前衝去，正待出手，突聽一聲長笑傳來。

轉臉看去，只見一條人影，疾如隕星飛墜一樣，由對面不遠處，一棵千年巨松之上，急瀉而下，落著實地，兩個飛躍，已到幾人身前。

隨著那急來的身影，飄過來一陣酒氣。

冷面鐵筆杜九，陡然收住身子，凝目望去。

只見來人身軀高大，滿臉紅光，光著一個腦袋，身披一件袈裟，但卻沾滿了油污，醉眼半啓半閉，掃掠了中州二賈一眼，笑道：「我道是什麼人？原來是兩位大老闆。」

說著話，回手一撈，從背後抓過來一個奇大的鐵葫蘆，拔開塞子，咕嘟咕嘟大喝一陣，才緩緩放下鐵葫蘆，合上蓋子，笑道：「好酒，好酒。」

冷面鐵筆杜九冷冷說道：「兄弟倒是忘了，醉僧、飯丐，由來是焦不離孟，孟不離焦。」

酒僧醉眼乜斜，身子不住地左右晃動，生似醉得已站不穩腳步，口中卻哈哈大笑：「恭喜兩位大老闆，生意發財呀！」

金算盤商八心中叫苦，口中卻微笑道：「托福，托福，大賺小虧，差強人意。」

酒僧伸出右手指著商八笑道：「兩位大老闆向來有賺無賠，今宵只怕是要打錯算盤了。」

杜九冷哼一聲，道：「就是兩位嗎……」

酒僧笑道：「你慌什麼？還多得很。」

金算盤商八心知，酒僧看上去雖然醉態可掬，似是終日裹沉迷醉鄉，其實是機智過人，絕不放無的之矢。

當下他喝住了杜九，大步迎了上去，抱拳笑道：「兄弟領教，不知還有哪幾位高人，要和我們兄弟爲難？」

金算盤商八目睹酒僧出現之後，已知今宵之局，極難對付，酒僧、飯丐盛名卓著，武功高強，一對一的對起手來，已不是三、五百招，能夠分出勝敗，他長於算計，既無必勝把握，倒不如待機再動。

酒僧突然語氣嚴肅地說道：「常年上山終遇虎，兩位大老闆這次只怕要遇上麻煩了。」

商八笑道：「酒僧、飯丐，如若執意要和我們兄弟爲難，倒是麻煩得很。」

酒僧道：「除了和尙和老叫化之外，神風幫高手如雲，已經傾巢而來。」

商八道：「神風幫中高人，咱們兄弟已經會見了幾個，那也不過是虛有其名。」

酒僧冷笑一聲，道：「一般武林中人，自是不會放在兩位大老闆的眼中，但那神風幫主……」話還未說完，突然幾聲尖厲的長嘯傳來。

酒僧突然回過身去，行到飯丐身旁，盤膝而坐。

四外人影閃動，兩隻虎獒巨犬狂狺不休。

啇八沉聲喝止兩犬，目光轉動，打量了一下四周形勢，低聲對岳小釵道：「姑娘請移駕左側背峰那塊大岩石之旁，看來今宵只怕難免一場拚鬥了。」

就這一瞬工夫，那四下裏人影閃動，已然逼近到幾人停身處數丈之外。

岳小釵星目流轉，看左側背峰屹立的突巖，不失爲一處較好的避敵所在，當下牽著蕭翎，走了過去。張乾、何坤，緊隨在岳小釵身後行去。

啇八目觀四方敵勢，手中卻鬆開了兩隻虎獒頸間的鐵環。

顯然，他已對逼近的敵勢，生出了警惕之心。

蕭翎站在岳小釵的身邊，雙目轉動，四下掃視，只見逼近之人，個個都是夜行勁裝，手中兵刃，都已出鞘，寒光在星月下閃動。

啇八、杜九選擇了一處有利的地形，背對背站在一起。

蕭翎估計那些四面包圍而來的勁裝大漢，不下二十餘人，但在逼近四、五丈時，都停下不動，三五成群的扼守住四周通路，似是在等待什麼。

但聞一陣嗚嗚的怪鳴聲傳了過來，遠遠地，現出來兩點燈火。

那燈火來勢奇快，轉眼間已到十餘丈處。

燈光更見明亮，來人已清晰可見。

五　妙手回春

蕭翎凝神注視，不禁打了一個冷顫，只覺一股寒意，由心底直泛上來。

只見兩個細高的黑衣人，高舉著兩盞垂蘇氣死風燈開路，兩盞燈火之後，是四個身軀魁梧的大漢，凜冽的寒風中，赤著雙臂，抬著一個面目猙獰、體格高大的怪狀神像，疾奔而來。

在那神像之後，緊隨四個全身黑衣，身佩彩帶的人。

深夜、荒山、星月下，凜冽寒風雪光中，出現了這一群裝束詭奇的人物，也帶來了一陣陰森、恐怖之氣。

中州雙賈常年在江湖之上走動，雖已早聞神風幫主之名，但卻未見過其人。這股新近崛起武林的勢力，擴展迅速，充滿著神秘。

冷面鐵筆杜九輕輕吁一口氣，低聲說道：「老大，這些人抬了座猙獰的神像，不知是何用心？」

金算盤商八施展傳音入密之術，答道：「單是聞神風幫三個字，也不難想到那主事之人，極善故弄玄虛，見怪不怪，咱們等著瞧吧！看他們究竟要出些什麼花樣。」

只見那兩個高舉氣死風燈的瘦高黑衣人，陡然停下了腳步，雙手高高舉起。
四個高大赤臂人，緩緩放下了抬著的猙獰神像，排列在那神像兩側。
商八藉著燈火，打量那座神像，放在地上，仍有著七、八尺高，頭如巴斗，臉似藍靛，高鼻闊口，卻微閉著兩隻眼睛，嘴角處，兩根獠牙，伸出有七、八寸長，前面兩隻手，合掌當胸，後面兩隻手，高高舉起，一手執著令牌，一手執著長劍。
以中州雙賈的見識之廣，亦是認不出，這是座什麼神像。
只見那四個身佩彩帶的黑衣人，繞到神像前面，恭恭敬敬一個長揖，霍然轉過身來，其中一人大步對中州雙賈行去。
商八凝目看去，只見那黑衣人身佩彩帶之上，寫著四個字：「壇前護法」。
那人側目望了中州雙賈一眼，直對岳小釵行了過去。
冷面鐵筆杜九身子一橫，攔住了去路，冷冷喝道：「站住。」
那黑衣人突然一伸右臂，右掌一翻，硬接一擊。
兩掌接實，如擊敗革，砰的一聲，各自震得向後退了一步。
杜九吃了一驚，暗道：此人好雄渾的掌力。
那黑衣人亦是微微一愣，停下了腳步，口齒啓動，冷冷地吐出一句話，道：「什麼人？」
杜九天生一副冷冰冰的神色，說話口氣，冷漠異常，縱然是天下最溫柔的言語，從他口中說將出來，亦有著冷水澆頭之感，但這黑衣人的口氣，冰冷之感，尤過杜九。

金算盤商八哈哈一笑，接口說道：「咱們兄弟中州雙賈，金字招牌，代客買賣，關外皮貨，南疆珠寶，一應俱全，無所不包，一言爲定，向不二價。朋友如想買點什麼，儘管開口就是。」一番嬉笑言談之中，大包大攬，示出身分。

那黑衣人似是已聽過中州雙賈之名，目光轉動，打量了商八、杜九兩眼，冷冷說道：「本幫幫主駕前的開道二將，就是傷在兩位的手中了？」

杜九道：「小買賣，不值一提。」

黑衣人突然把兩道冷森的目光，投注到岳小釵身上，道：「那位姑娘可是姓岳？」

岳小釵道：「本姑娘正是岳小釵，有何見教……」

商八縱聲大笑，打斷了岳小釵未完之言，接道：「岳姑娘是咱們的主顧，什麼事只管找咱們兄弟說話。」

那黑衣人冷笑一聲，突然回身對那神像走去。

商八藉機施展傳音入密之術，道：「老二，今宵之局的凶險，是咱們兄弟生平未遇之事，這周圍環伺的強敵，不去說它，單是那四個護法，就夠咱們兄弟對付了，還有那四個赤臂大漢，個個雄武威猛，亦非好與之輩，酒僧、飯丐和咱們道不相同，難與爲謀，但形勢所迫，咱們勢又不能不借他兩人助力，以度險關，這其間必得大講機巧。」

冷面鐵筆杜九低聲應道：「鬥心眼的事情，小弟向是聽命大哥。」

商八道：「據爲兄的觀察，那老叫化子此來，關心岳小釵似是尤過『禁宮之鑰』，但那醉和尚，心機深沉，智謀百出，必將讓咱們先和神風幫鬥個精疲力盡之後，他們好坐收漁人之利。如若咱們能夠利用岳小釵的安危，用以激那老叫化子出手，飯丐、酒僧情同手足，只要老叫化子出手，不怕那醉和尚不捲入漩渦。」

杜九道：「小弟記下了。」

商八抬眼望去，只見那黑衣人已行到神像之前，屈下一膝，似在等待示下。

凝神看去，只見那高大的神像後高舉的左手，突然緩緩晃動著手中的令牌。

那高舉的令牌，晃動了一陣，自動停了下來，一縷清音傳了出來。

中州雙賈雖然武功高強，耳目靈敏，但那清音細小，相距數丈之遙，也聽不出說得什麼。

只見那單屈一膝跪在神像前的黑衣人，突然站了起來，回身一躍，縱到中州雙賈的身前，身法快速至極。

冷面鐵筆杜九雙肩晃動，陡然間橫行三尺，攔住了那壇前護法黑衣人的去路，冷冷說道：「咱們兄弟走南闖北，見過無數怪異之事，貴幫這點玄虛，也嚇不退咱們兄弟，朋友究欲何為，不妨先開出價錢，小號也好盤算一下，看看是否能接受這筆生意。」

那黑衣人道：「本幫主已傳下神符令諭，不究貴兄弟打傷本幫主駕前開道二將之罪，只要留下那姓岳的姑娘，兩位就可全身而退。」

金算盤商八搖頭大笑，道：「做買賣講求賠賺，貴幫主如想要強買強賣，那是砸咱們中州雙賈的招牌了。」

那黑衣人道：「敬酒不吃吃罰酒。」突然舉手一揮，登時人影閃動，八個手執厚背鬼頭刀的大漢，一擁而來，團團把中州雙賈圍了起來。

商八看那八個勁裝大漢奔行而來的身法，迅快矯健，疾逾飄風，似是人人都有一身上乘的武功，不禁心頭發毛，暗道：神風幫不知在何處，收羅了這麼多高手。

他心頭雖是暗生凜駭，但臉上卻仍然帶著笑容，道：「做買賣，難免要遇上風險，貴幫如若一定要砸咱們兄弟的招牌，那也是沒有辦法的事。」

黑衣人冷冷說道：「你們中州雙賈，自尋煩惱，怪不得人。」說話間，緩步向後退去。

金算盤突然一撩長衫，伸手摸出一把金芒燦爛、珠光耀目的算盤，隨手一揮，一陣嘩嘩亂響，高聲說道：「朋友留步。」

那黑衣人停下了後退身子，冷冷說道：「有何遺言？」

商八笑道：「一回生，兩回熟，咱們打了一次交道，兄弟還未請教貴姓？」

黑衣人道：「神風幫主隨駕壇前護法，招魂手常明。」

冷面鐵筆杜九接道：「這筆欠債，咱們兄弟記下了。」

招魂手常明冷笑道：「只怕兩位今宵已難生離此地了。」

商八手握金算盤，目光一轉，星月下，只見八個環伺四周的勁裝大漢，手中厚背鬼頭刀上，泛起一片藍汪汪的顏色，立時低聲說道：「老二亮兵刃，他們刀上有毒。」

杜九應聲探手入懷，摸出一個銀光閃閃的圓圈，和一支鐵筆。

商八手中算盤一揮，笑道：「諸位是一齊上呢？還是一個一個的來？」

他手中算盤乃純金打成，盤上的珠子卻是用明珠所串，揮展之間，珠光寶氣，耀眼生輝。

杜九右手鐵筆一擊左手銀圈，噹的一聲脆響，高聲說道：「我瞧諸位最好一齊上來。」

八個勁裝大漢，分站了八卦之位，緩緩向前逼進，不徐不疾，臉上一片冷肅，不發一言。

蕭翎望了望杜九左手銀圈，回頭低聲問何坤，道：「何叔叔，那杜九手中的白圈圈，也能做打架之用嗎？」

何坤道：「那是一種奇怪的外門兵刃，名叫護手圈，能用這等兵刃的人，必得身負上乘武功，才能以小制大，發揮妙用。」

蕭翎似懂非懂的啊了一聲，雙目又投向場中。

這時，商八身後兩隻黑毛巨犬，突然伏下身子，作勢欲撲。

那八個手執鬼頭刀的勁裝大漢已然迫近到兩人七、八尺外，但卻一齊停了下來，不再逼近。

商八運用目力，遙向酒僧、飯丐望去，只見兩人並肩盤膝而坐，對眼下的情勢發展，視若無睹，心中暗暗發急，忖道：神風幫聲勢浩大，這兩人今日如當真袖手不管，只怕今日之局，是凶多吉少。

只見那站在兩丈開外的招魂手常明，突然提氣一聲長嘯。

八個執刀的勁裝大漢聞得嘯聲，陡然齊齊攻上，剎那間，寒芒展佈，四面八方攻了上來。

商八一揮手中金算盤，寶光四射中一陣金鐵交鳴，封開了四柄鬼頭刀。

杜九左手護手圈，右手鐵筆，齊齊掄動，封開另外四柄單刀，正待揮筆反擊，八個勁裝大漢，卻突然齊齊躍退。

商八看強敵進退有序，各攻一刀後，自行躍退，分明是一種奇門陣勢，剛才一招，不過存心試敵，陣勢尚未發動，心中更是驚駭，這神風幫的盛名，果不虛傳。

一面默查敵陣變化，一面施展傳音入密之術，對杜九說道：「老二，強敵布的是一種奇門陣勢，看他們站立的方位，暗含八卦，切不可恃強硬闖，待爲兄的查看出破陣的方法，再一鼓而進，擊潰敵陣，保存下真力，準備對付那神風幫主。」

冷面鐵筆杜九，微一點頭，代表了回答。

兩方成了一種僵持的局面，過了一盞熱茶工夫之後，仍無動手跡象。

杜九等得大感不耐，左腳一抬，欺進了一步，右手鐵筆一招「鳳凰點頭」，疾向巽位攻去。他鐵筆出手，陣勢迅快的起了變化，刀隨人轉，分由四方八面攻了上去。

杜九左手護手圈，右手鐵筆，同時展開了迅快的招數，圈守筆攻，凌厲的攻勢中，門戶卻又守得十分謹嚴。

金算盤商八原想在查看出敵人的陣勢變化後，一擊成功，但經杜九這一擾，局勢大變，對方攻勢一經發動，立時如江河堤潰一般，洶湧而來，似是個個都忘去生死之事。

大變的形勢，迫得金算盤不得不揮動兵刃，出手拒擋。

岳小釵冷眼旁觀，看中州雙賈和強敵搏鬥之情，心中暗暗想道：中州雙賈之名，果非虛傳，這八名強敵，攻勢猛惡，非同小可，而且身法之中，還似是暗含著奇奧的變化，中州雙賈竟然能硬憑武功，聽風辨聲，擋住了八名強敵的猛攻。

忖思之間，雙方已惡鬥了十幾個照面，八個手執鬼頭刀的大漢，攻勢更見靈活，八刀結合成一片刀山，分由八方迫壓而上。

中州雙賈登時被這瀰漫的刀光包圍了起來，遠遠看去，但見一片白光翻滾，不見中州雙賈的人影。

只聽一聲慘叫傳來，似是有人受了重傷。

蕭翎忽覺眼前白影一閃，岳小釵長劍突出，同時覺著身子被人抱了起來。

身側的何坤、張乾，齊聲怒吼，鐵筆單刀，一齊出手。

狂風呼嘯，夾雜著汪汪狗叫，劃破了深夜寒山中的沉寂。

沉沉的夜色，急速的變化，蕭翎已無法看清四周的形勢，但他卻已覺出，岳小釵已和人動上了手，而且拚鬥激烈。

狂急的旋轉，使蕭翎覺出岳小釵似是陷入了苦戰的危急之中。

蕭翎長長吸一口氣，使驚亂的心情，激動的情緒，逐漸地平復下來，第一個閃轉腦際的念頭，就是早些離開岳小釵的懷抱。

因為他深覺岳小釵抱著自己定然是個累贅，心中想到，口中立時高聲叫道：「姊姊，快放開我。」

岳小釵只道他受到傷害，不禁吃了一驚，急急問道：「兄弟，你怎麼了？」就這微一分神，肩上已然著人一掌。

這一掌落勢甚重，打得岳小釵悶哼一聲，身不由主地向前衝了兩步，吐氣出聲。

蕭翎雖未看到，但他已隱隱覺出，岳小釵似是已受了傷，心頭大急，叫道：「姊姊，你受了傷嗎？」

岳小釵道：「我不要緊，你好嗎？」

她聲音帶著輕微的顫抖，似是這一句話，用了很大的氣力，才說了出來。

蕭翎心中愈急，情緒更亂，想到岳小釵爲敵所傷，全是抱著自己，不能全心全意地施展武功所致，立時大聲叫道：「姊姊，放開我，我……」

高手相搏，最忌分心，岳小釵獨對兩個高手圍攻，仗著岳家劍法精奇的劍招，雖然吃力，但如能心無掛慮、專心一志的和人家動手，就是有著蕭翎的累贅，也可以支撐一陣時間不敗。

蕭翎的自疚關心，大聲叫喊，弄巧成拙，反而招致了岳小釵的受傷之禍。

岳小釵又聽他大聲叫喊，心下更是驚駭，急急問道：「兄弟，你傷得很重嗎？」

蕭翎道：「我很……」忽的肋間一痳，知覺頓失。

不知道過了多少時光，蕭翎從暈迷中醒了過來。

睜眼看時，紅日滿窗，停身在一個古老的廟宇，自己正躺在一堆厚厚的稻草上。

這個荒涼的廟宇，供案上積塵盈寸，蛛網封繞。

神像上色彩剝落，已看不清楚是供奉的什麼神位。

蕭翎揉了揉眼睛，目光轉動，只見數尺外並肩坐著一個身揹大葫蘆，滿身油污的大和尚，和一個蓬髮破衣的老叫化子，身前橫著一支竹杖，和一個破了一個大口的鐵鍋。

兩個人似是都很疲倦，頭上的汗水，仍然歷歷可見，正在閉目運氣調息。

蕭翎自隨雲姑學得打坐吐納之術，已知兩人正在運功調息，也不去驚擾兩人，緩緩挺身坐起了一半，忽覺肋間一陣劇痛，不自主地躺了下去。

幽寂、荒涼的古廟，聽不到一點聲息，蕭翎定定神，想起那一夜的驚險際遇。

他記得岳小釵和人動手，在生死一瞬的險惡環境中，仍然關心到自己的安危，他記得正回答岳姊姊的問話時，肋間一麻就暈了過去，以後什麼變化，他已無法知道。

這些歷歷際遇，似是就在眼前，也好像已過了幾年一般。

突然間響起一蒼勁的聲音，道：「小娃兒，你醒了嗎？」

蕭翎道：「我醒了，噢！你們可知道我岳姊姊在哪裏嗎？」他邊答邊轉頭望去，只見那說話之人，正是老叫化子。

滿口酒氣的大和尚，忽的睜眼道：「你姊姊已被兩個做生意的救走，你不用多擔心事。」

那老叫化子接道：「爲救你性命，我和半戒師兄已經耗了一日夜的功夫，內力損耗極大，好不容易把你救活，你現下傷勢未癒，體能尚未全復，如若想留得小命，最好是不要講話。」

蕭翎果然閉口不言。

酒僧半戒回顧了飯丐一眼，施展傳音入密之術說道：「叫化兄，你說商八、杜九，能不能保護岳小釵闖出那神風幫的重重埋伏？」

老叫化子道：「據老叫化看，那中州二賈武功不在咱們之下，闖出重圍，倒非難事。」

兩人談話之間，突然一陣步履之聲傳了過來。

閉目想著心事的蕭翎，已被那沉重的步履之聲所驚，轉眼望去，只見一個長髯飄飄的中年道人，大步行了進來，此人面如滿月，一身青綢寬大的道袍，背插寶劍，手執拂塵，足著雲履，一派仙風，飄飄出塵，一個十六、七歲的黑袍道童，緊隨在他的身後。

酒僧、飯丐目光微一軒動，似是已看出了來人是誰，但卻立時緊緊閉上雙目，裝出一副入定未醒之態。

那中年道人，目光一掠酒僧、飯丐，便轉注到蕭翎的身上。

蕭翎看那道人，面目端正，不似惡人，心中膽氣一壯，盯著那道人望了一陣，目光又轉到那道童身上。只見他穿著黑色的道袍，眉目清秀，臉色白中透紅，相貌十分俊雅，心中暗暗忖道：這一大一小兩個道人，不知是何來歷？

那中年道人手中拂塵一揮，一片灰土飛揚，掃了一處兩尺見方的靜地，盤膝坐了下來。

那道童卻站在背後，一語不發。

蕭翎看那道人席地而坐之後，竟也閉上雙目，暗道：這道人身佩長劍，只怕也是個身負武功之人，如若他不認識這酒僧、飯丐，決計不會在破落的大殿之中停留，如若他識得酒僧、飯丐，何以不肯招呼兩人一聲。

只聽殿外一陣哈哈大笑之聲傳來，道：「這座破落的古廟，大殿尚甚完好，且進去歇一會兒再走。」聲音由遠處傳來，話一落音，人已進了大殿。

蕭翎此時心情平靜異常，早已把生死之事忘去，側目大殿中又多了兩人，第一個長衫儒巾，一副秀才衣著，白面無鬚，看年紀不過二十幾歲；後面一人，卻是臉如炭灰，又黑又矮。

這兩人似是未曾料到，這大殿之中，早已有了這樣多人，四道目光，先把殿中之人打量一陣，才緩步而入。

蕭翎想道：這座古廟，此刻卻來了七人之多，不知後面是否還有人來。

那長衫儒士目光落到那道人臉上，忽然微微一笑，道：「道長難得下山一步，此次竟是大駕親臨。」舉步直行過來。

那閉目盤坐的道人睜開雙目，微微一笑，道：「成兄家居納福，厭問江湖是非已久，想不到今日在此相逢。」

青衫儒士笑道：「兄弟早想到那『禁宮之鑰』一旦出現江湖，勢必將引起武林中一場軒然大波，竟然不幸料中，初傳鑰訊，已然有無數的高手，趕來此地。」

那道人道：「貧道奉命而來，情非得已。」

青衫儒士抬頭望了飯丐、酒僧一眼，笑道：「這兩位先道長在此呢？還是後道長而來？」

那道人道：「先貧道而來。」

飯丐本想裝作入定之狀不理幾人，但他終是忍耐不住，伸了一個懶腰，一睜雙目，哈哈大笑，道：「好熱鬧啊！僧、道、儒，再加上老化子，真是一場盛會。」

青衫儒士緩緩撩起長衫，取出一個五寸長短的白玉瓶，笑道：「沈兄久違了。」

啓開瓶蓋，登時酒香撲鼻，接道：「兄弟隨身帶了一瓶美酒……」

只見酒僧半戒忽睜雙目，大聲嚷道：「好酒，好酒。」目光盯注在那青衫儒士手中的玉瓶之上，饞涎欲滴。

那青衫儒士微微一笑，道：「兄弟這瓶梅花露，已有百年以上，大師雖有酒僧之稱，千杯不醉之量，也只能淺嘗即止。」

殿中酒香，愈來愈是強烈，酒僧半戒已是饞涎垂滴而下，灑在沾滿油污的僧袍之上，雙目之中，神光湛湛，凝注在那青衫儒士手中白玉瓶上，臉上也不知是喜是怒。

只見那青衫儒士又從懷中摸出了一個白玉杯子，傾出半杯梅花露來，一仰脖子，喝了下去。

酒僧半戒一生，大都在酒意朦朧，半醉半醒之中，天下沒有未吃過的美酒，但那青衫儒士白玉瓶中的梅花露，酒香強烈，生平未聞，如何能忍得下，當下嚥了一口饞涎，站起身子，大步走了過去，張口說道：「貧僧想向成兄化一次緣。」

青衫儒士笑道：「可是要兄弟手中這半瓶梅花露嗎？」

半戒大師道：「不錯，不知成兄肯否割愛？」

這時，那青衫儒士的臉上，泛起一層紅暈，想是他不勝酒力，回目望了那中年道人一眼，答道：「大師的酒量，天下無人不知，兄弟這梅花露，只此半瓶，如若送給大師，其他之人是別想嘗到了。」

低下頭去，向瓶中瞧了一眼，接道：「兄弟近年很少在江湖之上行走，這次重履江湖，竟然能和諸位高人相遇見面，總算有緣，可惜兄弟離家之時，帶酒不多，想先請殿中諸位，人盡一杯，餘下之酒，一併送於大師如何？」

半戒大師望著那玉瓶，說道：「瓶中存酒有限，如若殿中之人，各盡一杯，只怕瓶中的存酒，還不足用。」

青衫儒士笑道：「不是兄弟誇口，這大殿中人，除了大師之外，只怕難再有超過兄弟之量，但兄弟也難一次盡此半杯，如若是不善飲酒之人，聞上一聞，也就夠了。」

只聽那中年道人說道：「貧道方外之人，素來戒酒，成兄的盛情，貧道心領了。」

那青衫儒士微微一笑，站起身來，倒出一杯酒，緩緩走近那中年道人身前，笑道：「道兄不吃，何妨聞上一聞，非是兄弟誇口，當今之世，只怕難再找出一種酒，來和兄弟這梅花露相提並論。」

那中年道人似是有著盛情難卻之感，伸手接過玉杯，舉杯放在鼻息之間，嗅了一嗅，道：

「果然好酒，貧道雖不善飲，但此酒香透心肺，實乃上上之品。」

半戒大師接道：「如若我和尚能夠品嚐一下，當可有所定論。」

青衫儒士笑道：「大師不要慌，兄弟言已出口，當以餘酒相送。」

只見那中年道士緩緩地把手中玉杯遞了過來，道：「美酒當前，可惜貧道卻無福消受。」

青衫儒士接過酒杯，又向那黑衣道童遞了過去，說：「小道兄，請品嚐一下，如何？」

那黑衣道童側過臉去，說道：「小道聞不得酒氣。」

青衫儒士哈哈一笑，道：「武當門規清嚴，果不虛傳。」轉向飯丐行去。

雲姑生前，曾對蕭翎談過一些江湖中事，在他的記憶中，武當一派，都是好人，再看那道人仙風道骨，不禁油生敬仰之心。

那青衫儒士行近飯丐，遞上酒杯，說道：「兄弟近年甚少在江湖之上走動，但沈兄的大名，卻是常常聞及……」

飯丐望了那玉杯一眼，冷冷說道：「老叫化生來喜飯，素不愛酒，好意心領了，老叫化那一份，一併轉送半戒師兄好了。」言罷，閉上雙目，不再理會那青衫儒士。

酒僧半戒大步行來，哈哈笑道：「貨賣識家，老叫化生來不解酒滋味，那牛鼻子老道，自恃身分，不肯飲用，看來還是給我和尚算了，和尚嗜酒如命，只要果是好酒，縱然酒中下的有斷腸毒藥，和尚也是慷慨赴死，而且死而無怨。」

青衫儒士沉吟了片刻，突然縱聲笑道：「不錯，貨賣識家，兄弟這瓶梅花露，連瓶帶杯，一併奉送了。」

酒僧半戒伸手接過，一仰臉嘴到酒乾，笑道：「好酒啊！好酒！」

青衫儒士不理半戒的呼喝，盤膝坐下，長長噓一口氣，道：「諸位不肯品嚐兄弟的梅花露，那是怕我在酒中下毒了。」

他這番話，似是自言自語，又似對人解說。

那中年道士突然站了起來，精芒閃動，目光凝注在蕭翎的臉上，緩緩說道：「小施主，可是身體不大舒服嗎？」

蕭翎對他印象甚好，當下點頭答道：「一些小病。」

中年道士笑道：「貧道略通醫理，願代效勞，一診小施主的病勢。」

目光卻投注在飯丐的臉上，查看他神情變化。

蕭翎雖是聰明絕頂，但也無法了然這些江湖上的機詐，敵友是非，當下接道：「好啊！我先謝過道長。」

那中年道人卻凝立不動，似在等待著什麼。

只聽飯丐長長歎息一聲，道：「這孩子已費了老叫化一天一夜手腳，但他還未能完全復元，道長如肯施以援手，老叫化一樣感激不盡。」

那中年道人微微一笑，道：「貧道只不過略諳醫道，據外面觀，這位小施主的傷勢，似是先天具來，再加上近日受了外傷，引發內傷……」

飯丐接道：「不錯，他被點中了陽明胃經上的太乙穴，引發先天具來陰脈硬化，重傷則七日之內殞命，輕傷落個半身麻痺的殘廢，老叫化不解醫道，只不過就觀察所得而言。」

那中年道人笑道：「沈兄說得句句中的，一字不錯，慚愧的是貧道無能促他復元，如若沈兄允把他交付貧道帶走，貧道當盡快趕回武當山去，請掌門師兄爲他療傷。貧道師兄醫理精深，功力勝過貧道十倍，料想絕不致誤了他的病勢。」

飯丐驀然一張雙目，湛湛神光直逼那中年道人臉上，一字一句地緩緩說道：「雲陽子，老叫化走了大半輩子江湖，經歷了無數的大江大浪，難道還會在陰溝裏翻船不成。」

雲陽子微微一笑，道：「貧道縱然是另有用心，但可療好他的傷勢，當非虛言相欺。」

飯丐突然一閉雙目，道：「好吧！你帶他走！」

雲陽子右手一揮，那黑衣道童一躍而至，俯身抱起蕭翎，急向殿外奔去。

那青衫儒士冷笑一聲，道：「雲陽道兄。」左手一擺，緊隨他身後那又黑又矮的人，突然一躍而起，橫身攔住了那黑衣道童的去路。

雲陽子肩頭晃動，疾快地繞到那黑衣道童身前，冷冷喝道：「成兄可是想和貧道爲難嗎？」

那青衫儒士淡淡一笑，道：「這個兄弟只怕沒有那樣的膽子，哈哈！武林中有誰不知雲陽道兄之名。」

蕭翎眼看這些人，竟然爭相搶奪自己起來，心中又是奇怪、又是好笑，暗道：怎的我蕭翎竟受到他們如此重視起來。

只見雲陽子拂塵一擺，道：「成兄既然沒有和貧道爲難之心，那是最好不過。」

那青衫儒士冷然一笑，道：「兄弟雖不願和雲陽道兄爲難，但並非懼怕武當派的盛名，和雲陽道兄手中的長劍。」

雲陽子眉頭微微聳動，但他終於忍了下去，說道：「成兄有何見教？貧道洗耳恭聽。」

青衫儒士兩道目光一直在蕭翎的身上打轉，瞧了半天，道：「兄弟不才，亦通醫理，這位小兄弟的病勢，兄弟亦可醫得，那是用不著再千里迢迢，趕回武當山了。」

雲陽子臉色一整，冷冷說道：「貧道自忖醫道，恐不在你成兄之下，但尙自知無能醫好這位小施主的病勢，憑成兄那點醫道，哼！只怕是自詡太高了吧！」

青衫儒士笑道：「兄弟被武林同道稱作百手巧醫，難道是白叫的嗎？」

雲陽子道：「貧道只聽過成兄那百手書生之名，卻從未聞過百手巧醫之稱。」

青衫儒士語聲微微一揚，道：「道兄既不信兄弟的醫道，兄弟當場試驗給道兄見識一下如何？」

雲陽子冷冷地道：「一個人一生之中，只有一次死亡，這等大事，豈可試驗著玩的嗎？」

青衫儒士回顧了酒僧半戒一眼，只見他雙手抱著那盛裝梅花露的玉瓶，鼻息間鼾聲大作，似是已酒醉入夢，心中膽氣一壯，高聲說道：「這位小兄弟可是你們武當門下嗎？」

雲陽子道：「雖非武當門下，但貧道受人之托，忠人之事，自是當盡心力。」

青衫儒士笑道：「這麼說來，如若沈兄答應，在下就留下這個小兄弟了？」

雲陽子冷哼一聲，未置可否。

那青衫儒士提高了聲音，叫道：「沈兄如若信得過兄弟醫道，兄弟立即可動手替這位小兄弟療治傷勢。」

蕭翎仔細看那青衫儒士，雖然生得五官端正，皮膚白淨，但雙目之中，神光閃爍不定，眉宇之間，隱隱泛現出一層黑氣，心中不喜，生恐飯丐答應那青衫儒士之語，當下高聲說道：「沈伯伯，我不要他替我醫病，我要跟這位道長去。」

青衫儒士雙目一眨，兩道森冷的寒芒，暴射而出，冷冷說道：「武當山離此遙遠，只怕你到不了武當山就要病重而死。」

那青衫儒士雙眉聳動，似想發作，忽聞飯丐冷冷說道：「人是老叫化相托雲陽道兄帶回武當山的，如若有人想橫裏攔阻，那是和我們酒僧、飯丐有意爲難。」

百手書生臉色一寒，眉宇間的黑氣忽見強烈，但在一瞬之間，立時消失，哈哈一陣大笑，道：「既是沈兄的主意，兄弟自是不便再橫裏阻擾了，唉！只可惜這位小兄弟的性命，只怕要送在雲陽道兄一番好心好意的手中了。」

雲陽子涵養過人，淡淡一笑，道：「成兄不用替貧道擔憂！成兄請讓讓路吧！」

百手書生冷冷一笑，說道：「祝道兄一路平安。」舉手一招，那又黑又矮之人，應手而退，站在百手書生的身邊。

雲陽子當先開路，護著那背著蕭翎的道童出了大殿，放腿向前奔去。

那道童雖然年齡不大，但卻腳程奇快，蕭翎只覺耳際間風聲呼呼，寒氣撲面，吹得他連氣也喘不過來，只好一縮頭，把面孔隱在那道童頭後。

不知過了多少時間，蕭翎突覺著那道童停了下來，伸頭望去，只見正停身一座高峰之下。

雲陽子手執拂塵，立在四、五尺外，面上帶著微笑，低聲對那道童說道：「放他下來，咱們吃點東西再走。」

那道童緩緩地放下了背上的蕭翎，長長地吁了一口氣，顯然這一陣子奔走，使他很累了。

雲陽子輕撩道袍，取出乾糧，微笑著對蕭翎道：「你不要害怕，貧道絕不會虧待於你。」

蕭翎接過乾糧，三人坐下分食，休息一陣，又開始上路，仍由那黑衣道童揹著他趕路。

蕭翎人既聰明，幼小時又務旁學，這些時日之中，追隨岳小釵，歷經凶險，使他那純潔的心靈之中，對人世的險詐，又深了一層認識，他心中亦明白，這位仙風道骨、飄飄出塵的道長，並非是真的要爲他醫病，才帶著他而行，必然另有所圖，只是用心何在，蕭翎卻是有些想不明白了。

這問題一直苦惱著他，也使他開始動用心機，思慮安危。

又行一日，離開了山區，那道童不便再揹著蕭翎趕路，只好替蕭翎雇了一輛馬車趕路。

蕭翎自覺到身體有了變化，先天的痼疾，被外傷引發了重症，他開始發起高燒，四肢沉重難抬，但神志還能保持清醒。

雲陽子似是十分焦急，極盡心力地療治蕭翎的病勢，不停地替他把脈，並以本身的內力助他暢和血脈。

可是蕭翎的病勢，毫無起色，人也逐漸地暈迷過去，隱隱約約的感覺到服用過很多次藥。

這日，蕭翎昏迷的神智忽然清醒了過來，睜眼看時，只見雲陽子端坐在身側，那黑衣道童滿面焦急之色，端著一碗藥湯，見他醒來，忽現喜色，微微一笑，道：「你可覺著好些嗎？」

蕭翎搖搖頭，道：「我的心裏很燒，只怕是不能活了！」

那道童道：「不要緊，咱們已經快要到武當山了，我大師伯精通醫理，有著妙手回春之能，只要咱們一到武當山，你就很快可以復元。」

蕭翎歎道：「你們爲什麼會這樣關心我的生死呢？」

雲陽子忽然接口說道：「你的病勢很重，先天痼疾，再加穴脈受了極重的內傷，體內又被風寒侵入，一病發作，百病俱來，除了我那大師兄外，只怕當世之間已無人能醫好你的病。」

蕭翎道：「那不要緊，我不怕死。」

蕭翎突然一挺身子，想坐起來，但微一用力，立時雙眼發黑，全身骨骼一陣劇疼難忍，人又暈了過去。

不知過去了多少時間，蕭翎昏迷中覺得兩隻帶著熱力的手，不停地在身上游動，內心之中，也感覺一陣舒暢，睜眼看去，只見一個白髯長垂，高挽道髻，面如古月的道人，正自揮動著雙手，不停地在自己的身上游動，掌指所經之處，帶著一股熱力，攻入體內。

在那白髯道人身後，站著面容肅然的雲陽子，靠窗處放著一只黑色的古鼎，鼎中白煙梟梟，散發出滿室清香。

只聽那道人長長吁了一口氣，緩緩收回了雙手，凝目望著蕭翎，在他的面容上，泛現出一絲慈愛的微笑，道：「孩子，好過些嗎？」

蕭翎道：「好一些了，老道長定然是那雲陽道長的師兄，武當派的掌門人了？」

白髯道人微微一笑，道：「貧道無為，小施主的病勢很重，目下血脈初暢，不宜多費神講話，來日方長，咱們有的是時間好談，此刻最好能好好養息一下。」

蕭翎突然長長歎息一聲，道：「我那岳姊姊，不曉得現在何處？」說罷緩緩閉上雙目。

雲陽子欠身對無為道長一禮，緩步退了出去。

無為道長亦似是極為睏倦，雲陽子退出之後，立時閉上雙目，運氣調息。

房中一片寂靜，寂靜得落針可聞。

蕭翎熟睡了一陣，精神大見好轉，睜開眼來，只見那老道長仍然盤膝閉目坐在自己身側。

這已是深夜時分，室外一片黑暗，那靠窗處的古鼎中，卻冒起一片藍色的火焰，室中景物，讓這片藍色火焰一照，蒙上了一層暗淡的青光。

蕭翎掙動了一下身軀，雙手支榻，緩緩坐了起來，正想溜下床去，無為道長忽然睜開了眼睛，笑道：「孩子，夜深寒重，不可在室外走動，你剛剛服下藥物，在貧道這丹室中隨便走走，對行藥方面，倒是有些幫助。」

武當派掌門人，在武林中身分是何等尊崇，這般對待蕭翎，實爲極大榮耀之事，可是蕭翎卻是懵無所覺，當下舉步向冒著藍色火焰的古鼎行去。

無爲道長輕輕歎息一聲，也不再管他。

蕭翎走到那黑鼎之旁，立覺熱力逼人，心中甚覺奇怪，暗道：鼎中不知燒的何物，威力竟是如此之大。

探頭望去，只見那深藍色的火焰之中，放著一個拳頭大小的方盒，那方盒也不知是何物製成，已被燒成了通紅之色。

隱隱間，似有一片青色的流質，在那燒紅的方盒之中滾動。

藍色的火焰由那方盒下面幾個大指粗細的圓孔之中冒了上來，仍然未曾看出燒的何物。

蕭翎忽想起幼年之時，父親談過煉丹的事，忍不住問道：「老道長，你可是在煉丹嗎？」

無爲道長笑道：「在替你煉製一種藥物。」

蕭翎奇道：「爲我煉製丹藥？」

無爲道長笑道：「大概再過上三天三夜，就可以熄去爐火，取出服用了。」

蕭翎茫然地歎息一聲，緩步行到木榻前，說道：「老道長，咱們素不相識，你爲什麼要待我這樣好呢？」

無爲道長微微一笑，道：「方外人慈悲爲懷，貧道既然發覺到你身罹絕症，豈能不管……」他微微一頓，又道：「何況，你這三絕陰脈爲先天奇疾，那也非一般人能夠醫得。」

蕭翎倚在木榻上，沉思了半晌，道：「我不信老道長只是爲了慈悲胸懷，救我之命。」

無爲道長似是未料到他會突然提到此等問題，而且單刀直入，不禁一愕，沉吟良久，緩緩說道：「貧道留你在武當山，即或另有用心，但替你療治絕症，那也是一大原因……」

語音忽然一頓，沉聲問道：「什麼人？」

只聽室外傳進一個低沉的聲音，道：「弟子有事稟報。」

無爲道長慈眉聳動，但仍原地盤坐未動，說道：「進來吧！」

木門開啓，走進了一個黑髯飄飄，身材修長的中年道人。

看此人年紀，似和雲陽子不相上下，但舉動之間，對待無爲道長，更見恭謹，遙遙抱拳，欠身而入，行近木榻，仍然是垂首肅立著，接道：「有夜行人上山來了……」

無爲道長臉色微微一變，道：「來的什麼人？」

那中年道人道：「來人武功不弱，雲陽師叔已傳下令諭，觀中五大護法，已全都出動，但怕驚擾到師父靜修，特來稟報一聲。」

無爲道長恢復了鎮靜之容，左手一揮，道：「知道了。」

那中年道人合掌當胸，躬身退出室外。

蕭翎凝目沉思了片刻，突然一躍下榻，大步向外行去。

無爲道長一皺眉頭，道：「孩子，你要到哪裏去？」
蕭翎道：「我也出去瞧瞧，看是不是我岳姊姊找我來了。」伸手拉開木門，大步而出。
抬頭看去，星河耿耿，這是無月的深夜。
一陣寒風吹來，蕭翎不自禁的打了一個冷顫。
忽然由身側響起一個低沉的聲音，道：「夜風寒冷，小施主還是請回去吧！」
蕭翎轉臉望去，不知何時，身側已然站著一個背插寶劍的少年道人，當下定了定神，道：
「我不回去！」
那少年道人不過十八、九歲，生得眉清目秀，背插長劍，道袍飄風，打量了蕭翎一眼，冰冷道：「此地何地，豈可亂闖，小施主如若不肯自動退回，貧道只好代爲效勞了。」說話之間，一伸手，橫向蕭翎手腕上抓了過去。
那道裝少年出手如電，蕭翎只覺左臂一麻，左腕脈穴，已入那少年道人的掌握之中。
但聽一聲沉重的歎息傳了出來，緊接著響起了無爲道長蒼勁的聲音，道：「不許迫他回來，讓他自去吧！」
那少年道人急急鬆開了握在蕭翎左腕上的手，口中連連應是，向丈餘外一株巨松下退去。
蕭翎抖動了一下麻木未消的左臂，大步向前行去。
隱隱見滿院花樹，在夜風之中搖動，陣陣香氣，迎面撲來，蒼蒼青松，雜陳於花樹之間，景物十分清幽。

一來夜色朦朧，蕭翎的視線不清，二則他也無心觀賞景物，大步而行，尋門而出。

這座道院，十分廣大，蕭翎地勢不熟，走了甚久，仍然在花樹林中穿來行去。

但他生性堅毅，雖然冷得全身顫抖，認定了一個方面，仍然是勇往直前，毫不畏縮。

但見兩隻高大的白鶴，散行於花樹之間，眼看蕭翎行近身側，也不逃避。

這些新奇的事物，都已無法引起蕭翎的興趣，一心之中，只在想念著岳小釵。

他堅信岳小釵會來找他，於是忍不住高聲喊道：「岳姊姊，岳姊姊……」

他用盡了全身的氣力呼喚，深夜之中，響起一片回音，盡都是呼叫姊姊的聲音。

呼叫中，仍不停向前奔行，穿過一片廣大的花圃，到了一座青石砌成的圍牆下面。

一扇圓門，早已打開。

蕭翎身體虛弱，經過這一陣奔走呼喝，頭上已出了汗水。

他舉起衣袖，擦拭了臉上的汗水，身子一側，穿門而出。

圓門外，交錯著白石鋪成的小徑，夜色中望去，隱隱見樓閣聳立。

蕭翎略一打量四周的形勢，選擇了一處空曠的方向奔去。

此時，他已有如瘋狂一般，一面拚盡全力向前奔走，一面不住地大聲呼叫著岳姊姊。

蕭翎拚命地狂奔著，直到精疲力竭，才停了下來，汗水濕透了他全身的衣褲。

他已無力再奔行一步，眼前金星直冒，內腑中氣血上湧，只覺雙腿一軟，栽倒地上。

六　四面楚歌

蕭翎也不知道過去了多少時光，醒來已是滿眼陽光。

目光轉動，只見數尺外盤膝端坐著雲陽子，自己卻躺在一片柔和的草地上，四周蒼松青翠，景物悅目。

數丈外，是一道百丈深壑，一道瀑布由對面山峰上直垂而下，水落深澗，聲如悶雷。

只見雲陽子臉上掛著一片慈和的笑意，道：「孩子，你醒了嗎？」

蕭翎揉揉眼睛，坐了起來，問道：「這是什麼地方？」

雲陽子笑道：「這是三元觀的後山。」

蕭翎抬頭望去，果然見身後殿閣聳立，已在三、四里外。

雲陽子緩緩站起身子，走了過來，笑道：「還覺著難過嗎？」

蕭翎長長吁一口氣，但覺氣血舒暢，除了筋骨有些痠痛外，毫無不適之感，當下說道：「我很好，唉！道長可見到我的岳姊姊嗎？」

雲陽子笑道：「沒有，令姊如若想念於你，想她不久定會尋來。」

蕭翎垂下頭去，默然不語。

雲陽子道：「你要聽話，絕症未癒前若擅自行動，不但我那掌門師兄一番苦心，將付流水，你那與生俱來的絕症亦將提前發作，那時，你那岳姊姊縱然尋來，亦是無法見到你了！」

這一番言語，果然說得蕭翎大爲心動，說道：「要我聽你相勸之言不難，但必須答允我一件事情。」

雲陽子道：「你說吧！只要貧道力所能及，絕不推辭。」

要知武當派，是江湖間正大門派，素來受武林同道尊仰，無爲道長和雲陽子，都是武當派中，百年來未見的人才，不但武功成就，強過上幾代的師長，道德修養，也都有過人之處，只因心中暗愧利用一個尙未全解人事的孩子，是以對蕭翎百般容忍。

蕭翎凝目尋思了一陣，道：「我留在此地可以，但如我那岳姊姊來尋我時，你定要告訴我，讓我跟她離開這裏。」

雲陽子沉思良久，說道：「好吧！貧道答應你。」

蕭翎緩緩舉步向前，一面自言自語地說道：「我知道，我那岳姊姊，一定會來找我。」

雲陽子聽得，暗暗叫了一聲慚愧，緊行了兩步，抱起了蕭翎，笑道：「孩子，你昨夜狂奔而行，力脫暈倒，耗費了貧道幾個時辰的內力，才把你由死亡的邊緣中拯救回來，此刻你體力未復，不宜勞動，貧道抱著你走吧。」

蕭翎行了幾步，已覺著兩腿痠軟，知他所言非虛，不再堅持，任由雲陽子抱著。

雲陽子放腿而行，片刻之間，已入觀中，蕭翎伏在雲陽子肩上望去，只見很多道人，往來行走於青石鋪成的道上，一見雲陽子，立時合掌垂首，退到路側，讓開大道，神色之間，一片恭謹。

穿過了幾道廣大的殿院，只見一堵青石圍牆，環繞著一座院落。在廣大的三元觀中，這座院落獨成格局。

一座大開的圓門口處，站著一個青衣道童。

雲陽子放下懷抱中的蕭翎，行了過去。

卻不料那青衣道童身軀一橫，竟然攔住雲陽子去路，低聲說道：「三師叔留駕，掌門師尊正在會客。」

雲陽子目光凝注在那道童的臉上，緩緩說道：「什麼客人，連我也要迴避？」

那青衣道童沉吟了一陣，道：「弟子不識，但掌門師尊對他極盡禮遇，特命我守候此地，未得他允准之前，任何人不得擅入，師叔如若有事，請稍候片刻，容弟子先稟報掌門師尊一聲。」

雲陽子道：「不用了，我微候片刻再來就是。」牽著蕭翎緩步而去，心中卻是暗暗納悶。

須知無爲道長生性恬淡，喜愛清靜，三元觀中事務，一向都交由雲陽子代差代行，數十年來不論任何情事，都由雲陽子出面擔當，此刻不知何人來訪，竟然雲陽子也要迴避。

蕭翎隨著雲陽子漫步而行，到了一所幽靜的小跨院中。

這是雲陽子的用功之處，小院中遍植著花樹，三面雅室，窗明几淨，雖不若無為道長養性丹室那等寬大氣派，但卻別有一種玲瓏纖巧之妙。

蕭翎目光轉動，只見壁面掛著一柄長劍，一個錦袋，後壁處一張條桌上，放著三支七、八寸長的金箭，另有白絹覆蓋著兩個白玉瓶，卻不知放的何物。

雲陽子似是極為疲累，盤膝坐於雲床，閉上雙目，不再理會蕭翎。

忽聽道童在室外說道：「掌門師尊有請師父。」

雲陽子道：「客人走了嗎？」

那道童道：「弟子得青鶴師兄傳諭，有請師父，客人是否已去，青鶴師兄倒未提過。」

雲陽子回顧了蕭翎一眼，還未來得及開口，那道童已接著說道：「掌門師尊請師父帶著這位蕭施主。」

雲陽子微一點頭，帶著蕭翎而去。

兩人趕到無為道長的丹室，只見無為道長背著雙手，站在丹爐前面，雙目神凝，望著爐中閃動的青色火焰，眉宇間籠罩著一片深沉的憂鬱。

雲陽子心頭微微一震，欠身合掌，道：「見過掌門師兄。」

無為道長緩緩抬起頭來，望了望雲陽子一眼，道：「師弟不用多禮，請坐。」

雲陽子依言坐下，恭謹地說道：「師兄相召，不知有何訓教？」

他已從無為道長的眼色之中，看出了情勢的嚴重，無為道長人如其名，雖然身具上乘武功，已盡得武當派中的絕技，但他生性恬淡，無意爭名武林，下令約束武當門下弟子，不可和人結怨，非屬必要，不許離山，是以自他接掌門戶之後，武當一派門下弟子，極少在江湖之上走動，也極少和各大門派往來，間有無法推辭的應酬，也大都由雲陽子代他而去，因此，在武林中的聲名，雲陽子反而大過了掌門師兄。

在雲陽子的記憶之中，不論何時何地，掌門師兄總是面上泛露著慈和的微笑，此刻看到了掌門師兄的憂苦之容，心知必是遇上了極端的困難之事，他平時對大師兄敬重無比，心中雖想說幾句慰藉之言，但又不知從何開口。

無爲道長緩緩把目光移注蕭翎的身上，道：「孩子，武林中九大門派，和大江南北的各方雄主，無人不希望能得到那『禁宮之鑰』，一窺禁宮之秘，貧道雖然遏制住內心中一縷慾望，但卻不願因此掀起了武林中一場殺劫風波。那『禁宮之鑰』雖是武林中前所未有的一件重寶，但也是最大的禍害，自古紅顏皆禍水，匹夫懷璧招殺機，不論什麼人，只要收存了那『禁宮之鑰』，整個武林中的高手，都將視他爲眼中之釘，縱然是好朋至友，亦可能鬧得反目成仇。唉！名利二字，害人匪淺……」

蕭翎心中暗自想道：這些事，與我何干？

只見無爲道長臉色突然間變得十分嚴肅，自言自語地說道：「貧道雖然無意取得那禁宮中的寶藏，但先師祖遺體，那是不容棄置不顧。因此，貧道雖不願插手武林是非之中，但此事卻是由不得貧道不管。但貧道向主人心自主，從不強人所難，此事要你自己決定了。」

蕭翎滿臉茫然地說道：「要我決定什麼？」

無爲道長長長歎息一聲，道：「適才貧道接見幾位武林中聲譽甚隆的高手，以及少林寺中來的兩位高僧……」

雲陽子臉色一變，道：「他們來此何爲？」

無爲道長目光一掠蕭翎，道：「爲這位小施主。」

雲陽子冷哼一聲，道：「他們查不出岳雲姑和岳小釵的下落，把主意打到這孩子身上？」

無爲道長淡淡一笑，道：「不能怪他們，想那『禁宮之鑰』，連帶廣泛，禁宮中除了當今四大門派的鎮山之寶以外，還有六位奇絕一代高人的隨身之寶，以及那十位武林前輩的生死下落，任何人，只要能和這十位武林前輩攀上關係，都可以理直氣壯地去尋那『禁宮之鑰』。」

雲陽子道：「可是這孩子和『禁宮之鑰』絲毫攀不上關係，既不懂武功，又身罹絕症，咱們豈能坐視不管，任由他們折磨這孩子不成？此事咱們萬萬不能答應！」

無爲道長歎息一聲，道：「此事應該由蕭翎決定，他如不願留此，咱們豈能強他所難。」

雲陽子素知師兄的爲人，胸懷磊落，不敢再多強辯，目光一轉，望著蕭翎，說道：「孩子，這要你自己決定了，如若你自願隨人而去，我們也不便強你留此，如若你願留此，武當派自當竭盡所能地保護於你，不許別人傷害。」

蕭翎目光轉動，只見無爲道長和雲陽子睜大著四隻眼睛，凝注著他，雲陽子的臉色，更是充滿著期望之色，等待著他的決定。

蕭翎心中念頭百轉，一時間竟是難作決定，既覺無爲道長和雲陽子相待自己甚好，留此勝似落入別人手中，但又怕自己答應留此之後，日後岳小釵尋上武當山來，雲陽子和無爲道長以此做爲口實，不放自己下山……

他追隨岳小釵時日雖短，但眼看那些武林人物的機詐自私，心中生出了極深的警惕之心，不敢輕作允語。

無爲道長慈和地說道：「孩子，不要爲難或勉強，你怎麼想，就怎麼說。」

蕭翎道：「我如答應留在此地，日後我那岳姊姊來此尋我之時，我是否可隨她而去……」

無爲道長、雲陽子似是都未想到他會有此一問，不禁爲之一呆。

只見蕭翎雙眉一揚，說道：「兩位道長都是有道之人，和那些壞人有很多不同之處，數日來多承關懷，我心中十分感激，如若要我答應此事，兩位道長得先答應我一件事情！」

無爲道長微微一笑，道：「好孩子，你說吧！」

蕭翎圓睜雙目，滿臉嚴肅地說道：「如若你們答應，日後我那岳姊姊尋來之時，讓我隨她而去，我就留在此地，如是不肯答應，我就任由別人帶走。」

無爲道長微微一笑，道：「這孩子至情至性，確非平庸之才，貧道答應你就是。」

蕭翎心情激動，雙目中隱隱現出淚光，長揖拜倒地上，道：「道長仙風道骨，我一見就知道是很好很好的人，和中州二賈那些壞人，果是不同。」他年紀幼小，毫無心機，這幾句話，說得誠誠摯摯，發自內心。

無爲道長微微一笑，回顧了雲陽子一眼，道：「既然蕭施主答應留在此地，本觀之中，就不得不做戒備了，傳諭下去，著令觀中弟子，嚴密戒備，如有人按照武林規矩，登門拜訪，立時報我知道。」

雲陽子記憶之中，從未見過師兄這等緊張神色，不論什麼大事，無爲道長總是淡淡一笑，漠然視之，毫不放在心上，此刻，忽然這等重視，想來適才幾個來訪之人，定然是極爲難惹的人物，哪裏還敢怠慢，當下站起身來，急步而出。

無爲道長緩緩把目光凝注到蕭翎的臉上，莊嚴地說道：「孩子，你可明白，目前你已成江湖上很多高手尋求的目標嗎？」

蕭翎若有所思地道：「我有些知道。」

無爲道長臉色更見莊嚴，緩緩說道：「貧道數十年來，一直嚴令約束我武當門下弟子，不許和江湖中人物造成紛爭，但爲了小施主，不但我們武當一派，完全捲入了江湖的紛爭之中，就是貧道也將親身置入這場是非之中了。」

蕭翎正待接口，突然一陣鐘聲傳了進來。

無爲道長臉色微微一變，道：「不知來的又是哪路人物！」

鐘聲餘音未絕，突然見一個青衣道童，急急奔來，站在門口，合掌欠身一禮，道：「江南四公子求見掌門師尊。」

無爲道長臉色一變，但不過剎那之間，立時又恢復了鎮靜之容，揮手一笑，道：「待茶聽蟬閣，我立刻親往迎見。」

那道童應了一聲，轉身疾奔而去。

無爲道長面色嚴肅地回望著蕭翎，說道：「孩子，貧道生平不做屈理之事，當著天下英雄之面，你必得坦誠說出，自願留居三元觀中，其他之事，都有貧道爲你作主。」

蕭翎點頭應道：「記下了。」

無爲道長緩緩站起身來，望著蕭翎微微一笑，道：「走！你跟我一起去見識一下，武林中盛威名著的四公子！」

蕭翎這些時日，和岳小釵歷險犯難，膽子大了甚多，一挺胸大步而行。

無爲道長看他豪壯的氣概，不禁暗暗點頭，說道：「聽聞傳言，江南四公子的武功，已到了飛花傷人之境，你毫無武功，自無防身之能，會見四人之時，不可離開貧道三尺之外，以免我救援不及。」

蕭翎道：「我不怕死，但我會聽從道長的話。」

無爲道長笑道：「孩子，你的膽氣很大。」牽著蕭翎，離開了丹室。

蕭翎緊隨無爲道長的身後，步行在白石鋪成的小徑上，流目四望，見觀中景象已變。

那些川流不息，穿行小徑的成群道人，已然不見，但每一要道上，殿房的門口，都肅立著一個手拿拂塵、背插長劍的道人。

這些道人對無爲道長都有著無比的崇敬，丈餘外就合掌當胸，垂下頭去，不敢仰視一眼。

穿過了兩重殿院，景物忽然一變。

只見一座廣大的花園中，聳立著一座紅色的閣樓，一方橫匾上寫著「聽蟬閣」三個大字。

四周蒼松環繞，水聲潺潺，行得切近，才看清那「聽蟬閣」是建築在河池之中，一座朱欄浮橋，接通閣中。

兩個身著青衣的道童，分站在朱橋兩側，二人一見無爲道長，立時欠身合掌，垂首恭迎。

左面一個道童，未待無爲道長相詢，已先行說道：「客人已到，現正由雲陽師叔相陪，在聽蟬閣中待茶。」

無爲道長舉步登上朱橋，低聲對蕭翎說道：「孩子，記著，不要離開我身旁三尺以外。」

蕭翎道：「記下了！」舉步上橋。

行完了三丈朱橋，進入閣中。

但見閣中窗明几淨，打掃得纖塵不染，雲陽子正陪著四個身著彩衣的少年，圍坐在一張松木桌子四周談話。

雲陽子當先站起身子，欠身對無爲道長一禮，道：「見過掌門師兄。」

四個身著衣的少年，也徐徐地站了起來，拱手作禮，但八道目光，卻都不期然地投注到蕭翎身上。

無爲道長合掌欠身，還了四人一禮，笑道：「不知四位大駕蒞臨，貧道未能親迎觀外，深以爲歉，還望見諒。」

四個彩衣少年微微一笑，齊聲說道：「我等久慕道長的大名，思欲一見，只因不便打擾清修，以致拖延至今，始能一償心願。」

無爲道長笑道：「貧道疏懶成性，少在江湖之上走動，近年來很多武林奇人，均未一晤，今日一睹諸位風采，實乃一大快事。」說話之中，就雲陽子身旁一張松木椅子上，坐了下來。

只聽左首一個彩衣少年笑道：「道長世外高人，自是不像我們這些凡夫俗子，整日裏在江湖上混闖。」

無爲道長微微一笑，道：「言重了……」輕輕咳了一聲，接道：「貧道雖然極少涉足江湖，但江南四公子的大名，卻是敬聞已久，只因是尚未得人引見……」

目光一掠雲陽子，接道：「師弟還不替我引見一下……」

左首之人，接口說道：「不用了，還是我等自己來吧！兄弟一陣風張萍。」

第二個彩衣少年笑接道：「兄弟五毒花王劍。」

第三個彩衣少年輕笑一聲，道：「兄弟六月雪李波。」

第四個彩衣少年冷冷接道：「兄弟寒江月趙光。」

無爲道長向四人一拱手，微微一笑道：「幸會了。」

寒江月趙光仰起臉來，望著屋頂，冷冰冰地說道：「我們四兄弟今日聯袂來訪，是想向道長請問一事。」

無爲道長道：「貧道洗耳恭聽！」

一陣風張萍朗朗一笑，道：「道長德高望重，天下敬仰，想必對咱們四兄弟的名聲，已是早有所聞了？」

六月雪李波不容無爲道長開口，搶先接道：「江湖傳言我門四兄弟，行事偏激，心狠手辣，但在兄弟看來，那是見仁見智之說，是非善惡，無非是心念作祟罷了。」

無爲道長仍是一副和善的神態，微微一笑，道：「賢昆仲聲威遠播，天下有誰不知……」

一陣風張萍朗朗長笑，打斷了無爲道長之言，接道：「江湖上的傳聞，豈可盡信，我們兄弟今日冒昧來訪，一則是久慕道長的大名，特來拜見，二來是聽得人言，雲陽道兄南下歸來時，帶回來一個人質，不知此事是真是假？」

此人言語尖厲、刻薄，只聽得雲陽子雙眉聳動，滿臉慍意，正待反唇相激，卻被無爲以眼色阻止。

無爲道長淡淡一笑，道：「諸位言重了，貧道師弟確曾帶回一個身羅絕症的童子，但絕談不上什麼人質！」

寒江月趙光冷冷說道：「道長可知那人是誰嗎？」

無爲道長道：「願聆高見。」

六月雪笑道：「咱們兄弟四人，一向是直來直去，不轉彎子。道長可知道岳雲姑嗎？」

無爲道長道：「岳家劍法譽滿天下，貧道雖未見過那岳雲姑，卻是早聞其名。」

寒江月趙光道：「那人就是岳雲姑之子……」

蕭翎一挺胸，道：「誰說的，我叫蕭翎。」

江南四公子八道目光齊都投注在蕭翎的身上，笑道：「你叫蕭翎？那岳小釵是你的什麼人？」

蕭翎道：「是我姊姊。」

一陣風張萍微微一笑，道：「不管你叫蕭翎還是岳翎，和那岳雲姑有著深厚的關係，那是不會錯了。」

風花雪月四公子，常年相處，彼此的心意早已相通，不論武功、言語，均能相互配合，一冷一熱，一進一退，絲絲入扣。

只聽五毒花王劍打了個哈哈，接道：「九大門派中人，早已把我們四兄弟，列名黑道，但真正黑道上的朋友，卻又把我們兄弟視作白道上的人物，也許我們四兄弟，平日裏爲人做事，不夠圓滑，以致落得兩頭爲敵，都不討好。」

這幾句話，聽起來隱隱有傾訴苦衷之意，其實骨子裏，卻是暗示無爲道長，我們兄弟，可正可邪，可敵可友，行事獨來獨往，不論黑白兩道，我們都不買帳。

無爲道長修爲有素，雖聞弦外之音，只不過付之一笑，雲陽子卻忍不住心頭怒火，冷笑一聲，道：「王施主的話，聽來含含糊糊的，使人經緯難分，最好是說得清楚一點。」

寒江月趙光冷冷說道：「我們兄弟無事不登三寶殿，貴派在武林中，一向聲譽清高，如若留著一條禍根，不但要招來無窮後患，且將落人話柄，兩位如肯答允，把那蕭翎交給我們兄弟帶走，既可免去無窮後患，也可和咱們四兄弟交個朋友。」

雲陽子正待發作，卻被無爲道長搖手阻止，微微笑道：「對四位的一番盛情，貧道先行領謝了，不過……」

一陣急促的步履之聲傳來，由聽蟬閣敞開的大門之外，奔進來一個青衣道童，合掌對著無爲道長一禮，急急遞上了一個大紅柬帖。

無爲道長一皺眉，打開封簡一看，只見上面寫道：「曹州楚崑山拜」六個大字。

無爲道長一擺手，道：「接待一位佳賓，和接待十位有何不同，請他進來，就說爲師在聽蟬閣候駕。」

那道童應了一聲，急急奔了出去。

風花雪月四公子不知來人是誰，但既能當得武當掌門人一個請字，此人在武林中的身分地位，自是不會很低，忍不住探頭向那大紅柬帖之上望去。

哪知無爲道長早料知風花雪月四公子定有此舉，隨手放置拜柬時，故意把拜柬掩了起來。

一陣風張萍心知今日之局，來人一多，對自己等並非有利之事，當下問道：「無爲道兄，來的是哪一道上的高人？」

無爲道長笑道：「四位稍候片刻，就可以見到他了，急也不在一時。」

寒光月趙光，突舉手一招，那放在無爲道長身側竹几上的紅柬突然飄飄飛起，直向趙光手中落去，口中說道：「我們兄弟，向來是急脾氣，先看看柬子，再見來人，也好有個稱呼。」

無為道長肅然靜坐，任他賣弄，視而不見。

雲陽子卻是看得暗暗吃驚，道：久聞風花雪月四公子，個個身負絕技，看來果非虛傳，單是這一手揮掌招柬的功夫，非有深厚過人的內功，絕難辦到。眼看師兄不肯阻止，也強自按下心頭激憤。

五毒花王劍右手一揮，中途搶過紅柬，看了一眼，笑道：「我道是哪路高人，原來是楚崑山。」

趙光冷冷地說道：「螢火之光，也敢來和日月爭明？」

一陣風張萍笑道：「楚老兒那三十六招龍虎輪法，使得還不算太壞。」

王劍接道：「我瞧還是那一對鐵膽唬人，如論江湖上的暗器之重，恐怕是無出其右了。」

無為道長任他等自相言笑，始終不插嘴。

片刻工夫，一個青衣道童，帶著一個虎背熊腰，白鬚垂胸，肩揹青銅日月輪的老者，大步走了進來，正是那迂腐頑固的楚崑山。

此人右手之中，托著兩枚鐵膽，放步入閣，神威凜凜。

無為道長離座欠身，道：「楚大俠駕臨寒山，荒觀生輝不少。」

楚崑山道：「好說，好說，在下擅闖仙觀，不請而來，得蒙道兄接見，當真是榮幸得很……」目光一轉，投注到蕭翎的身上，接道：「你果然在這裏了。」

蕭翎笑道：「楚伯伯，你好啊！」

楚崑山道：「我很好，很好……」

一陣風張萍高聲說道：「楚老兒，好大的架子，還識得我們兄弟嗎？」

楚崑山右手五指輕撥，兩枚鐵膽陡然在右手掌急轉起來，雙膽相擊，一陣叮叮噹噹的響聲，目光緩緩由江南四公子臉上掃過，道：「風、花、雪、月四公子……」

五毒花王劍接道：「不錯，你還能認得出我們四兄弟。」

楚崑山冷冷說道：「老夫聽人說過四位……」

趙光道：「哼！老匹夫講話最好能留心一些。」

楚崑山氣得全身顫抖，白髯無風自動，指著趙光怒聲喝道：「你敢辱罵老夫，這非得教訓你們一場不可。」

一陣風目光轉了兩轉，毒念忽生，暗道：這楚崑山也是江湖上有名的人物，如若我兄弟能在舉手之間殺了這楚崑山，一則相示此事決心，二則也好給武當派一個見識。

當下冷笑一聲，站了起來，道：「楚崑山，在我四位兄弟面前，口不擇言的人，從未留過一條活命，你已經連連自稱了幾個老夫，那是死有餘辜了。」

楚崑山更是氣得一張臉變成了鐵青顏色，一雙虎目圓睜，大步直對江南四公子行了過去，準備出手教訓四人一番。

哪知對方早有準備，希望在兩、三招之內，擊斃於他，藉以示威給武當派中人瞧瞧。

幽雅精緻的聽蟬閣中，立時泛升起一片殺機。

楚崑山鐵膽交在左手之上，右手早已運集了功力，準備出手，但見這聽蟬閣四周壁間，排滿了字畫，竹几之上，亦放置不少細瓷茶杯，心中想道：如若和江南四公子對上一掌，那強猛的掌風，勢必要把這聽蟬閣中存放的字畫茶杯，損壞甚多不可……

他爲人迂腐、頑固，想到此事，就立時停下了手，大步退了回去。

一陣風張萍，早已把內勁運足到十二成，準備楚崑山一有舉動，立時全力反擊，他自信這暗施陰風指的合力一擊，縱然不能把楚崑山立斃當場，至少可以使他身受重傷。

楚崑山收掌而退的舉動，卻是大大地出了一陣風張萍的意外，不禁一怔，道：「楚崑山，你怎麼不出手了？」

楚崑山拂髯說道：「這聽蟬閣乃人家武當派的迎賓之地，豈可毀在我們的掌力之下，如若想打，我們到外面空地之上去打。」

無爲道長看他言語行事，不失磊落氣度，心中對他生出了不少好感，暗道：江南四公子面色詭異，眉宇間殺機泛現，此人如一出手，只怕要吃大虧，當下說道：「幾位都是遠來佳賓，不論你們來此的用心如何，一見面動手就打，總是有些不太雅觀。」

楚崑山道：「道兄說得不錯。」他雖迂腐、頑固，但不失俠義氣度，這一句話，倒是由衷之言，說得理直氣壯。

一陣風張萍的陰謀未逞，氣得連聲冷笑，道：「楚老兒，你可是想到閣外空場之上動手嗎？」

楚崑山道：「如若是閣外動手，老夫自是奉陪。」

張萍道：「好吧！就依你之見。」舉步向閣外行去。

這當兒，人影一閃，又一個青衣道童，急急奔了進來，手中高舉著兩張大紅拜柬。

一陣風張萍心中一動，不知又來的何許人物，倒是不宜先和這楚老兒動手，當下止步，說道：「楚崑山，又有佳賓趕來，我們不能掃了主人迎客之興，我瞧我們等會兒再打不遲。」

楚崑山想了一想，道：「言之有理。」當先退回原位。

無為道長接過拜柬，打開一瞧，不禁一聳雙眉，笑道：「好啊！今日當真是佳賓雲集，群賢畢至，請他們進來吧！」

那道童應了一聲，大步向外奔去。

五毒花王劍望了望那大紅拜柬一眼，道：「敢問道長，這次來的，又是何路高人？」

無為道長笑道：「這兩位嘛，盛名只怕不在你風、花、雪、月四公子之下。」

寒江月趙光故技重施，舉手一招，道：「可否先把那拜柬給我們兄弟瞧瞧？」一股強大的吸力，應手而出。

無為道長臉色一變，冷笑道：「可一不可再，施主一定要看，也不用這等霸道。」袍袖微拂，藉機發出內勁，兩張拜柬一前一後，突然加快速度，閃電一般，直對趙光飛了過去。

趙光膽大，冷哼一聲，右手食、中二指微張，向那第一張拜柬夾去。

就在他手指將要夾住第一張拜柬之際，兩個大紅拜柬的速度突然一緩。趙光此時才看清那兩張拜柬，乃是旋轉而來，不禁心中一驚，但手既伸出，勢難縮回，硬著頭皮夾去。

哪知手指剛剛一和拜柬接觸，那拜柬旋速突加，呼的一聲，滑過雙指，斜向一側飛去。

五毒花王劍一皺眉頭，左手微揚，暗發一股內勁，卸去那拜柬旋轉的力道，口中卻哈哈一笑，道：「好手法。」

一陣風張萍右手斜裏一抓，搶過拜柬，那拜柬上旋轉的力道，先經趙光一擋，再吃五毒花王劍暗發內力一震，旋轉拜柬的內勁，雖未完全消失，但已成強弩之末，張萍探手一抓，自是手到擒來。

寒江月趙光吃了一次苦頭，手指還隱隱作疼，眼看第二張飛了過來，哪裏還敢大意，右手疾快伸出，先發一股內勁，一擋那拜柬來勢，左手五指箕張，隨著抓去。

不料那拜柬被他掌勁一擋之後，突然向上旋高三尺，疾快地向回飛去。

六月雪李波冷哼一聲，右掌一揮，拍出一股奇強的內勁，推動拜柬上旋轉之力，硬把拜柬震得一偏，飛向窗外。

雲陽子袍袖疾拂，袖底內勁湧出，拜柬呼的一聲，又被擋了回來。

楚崑山哈哈大笑，揚開掌勢，劈了出去，一股呼呼的掌風，直向那拜柬撞去。

別人發出內力之時，或借拂袖相掩，或是微微作勢，內勁湧出，只見拜柬變向旋飛，此人劈出的內力，卻是揚掌作勢，嘯風盈耳。

被張萍幾人內勁來回撞擊的拜柬，來回盤旋橫飛一陣，幾人內力相抵，力盡將落之際，卻被楚崑山呼呼的掌風，捲飛起來，有如狂風捲走一片落葉，直旋而上。

無爲道長伸手一招，笑道：「幾位玩夠了吧！」那拜柬有如乳燕投懷般，直向無爲道長的手中飛了過去。

這一陣暗較內功，群豪口中不言，但心中都很明白，是無爲道長佔了上風，搶盡優勢。

無爲道長抓住拜柬，隨手放在身側竹几之上，正襟而坐。

一陣風張萍雖然搶得一張拜柬，因恐那第二張拜柬飛旋之間，傷到了三個兄弟，準備隨時出手搶救，一直無暇瞧看，直待無爲道長收回第二張拜柬，他才抽出工夫來，展開一看，只見上面寫道：浙北向陽坪璇璣書廬主人宇文寒濤拜。

字字如雷轟頂，只見一陣風張萍呆了半晌說不出話來。

五毒花王劍一皺眉頭，道：「大哥，來的是哪方高人？」探首望去。

六月雪李波、寒江月趙光，齊齊伸過頭來，一望之下，江南四公子不覺同時爲之一呆。

愕然之間，一個道裝童子已帶兩個身著儒衫之人，緩步走了進來。

無爲道長微微一笑，合掌對當先而行的一個中年儒士說道：「來的想是宇文兄了，貧道心慕已久。」

那中年儒士點頭笑道：「道兄想必是無爲道長了，兄弟這次驚擾清修，還望多多恕罪。」

此人身著天藍長衫，胸前黑髯及腹，臉色紅潤，有如童子，神態瀟灑，飄逸出塵，手中提一個三尺長、兩尺寬的描金箱子。

緊隨他身後的一個儒生，白面無髯，正是百手書生成英。

雲陽子冷笑一聲，道：「成兄來得好快呀！」

百手書生目光一掃江南四公子和楚崑山，笑道：「好說，在下仍是來得落後了一步。」

宇文寒濤緩緩放下手中的描金箱子，笑道：「兄弟隱居璇璣書廬，很少在江湖之上走動，今日造訪貴觀，乃十年來第一次走下向陽坪。」

無為道長道：「宇文兄重下向陽坪，就駕臨敝觀，實叫貧道有著無限光榮之感。」

宇文寒濤笑道：「道長言重了，想我宇文寒濤，只不過是一個息隱山林的寒儒，聲威名望，都難和當世高人相提並論，何況道長乃武當掌門之尊……」

語聲一頓，伸手打開描金箱子，取出一個玉盒，接道：「承蒙延見，兄弟感激不盡，區區一點薄禮，尚望觀主笑納。」

無為道長一皺眉頭，合掌說道：「這個貧道如何敢當，俠駕光臨，已使寒觀生輝，假如再受重禮，豈不……」

宇文寒濤笑接道：「不成敬意，道長如不肯收，那是看不起兄弟。」

此人十年前，出現江南武林道上，不過半年時光，便攪混了江湖半邊天，一時聲威大噪，黑、白兩道中人，聞他之名，無不頭疼，雖已事隔十年，但餘威仍在江湖，是以，江南四公子看到那拜柬上的姓名之後，心神大爲震動。

無爲道長看宇文寒濤雙手捧著玉盒遞了過來，如再縮手不接，不但禮數不合，且有示弱之意，但想到此人胸羅之能，這玉盒定非平常之物，只好一提真氣，暗作戒備，緩緩伸出手去，接過玉盒。

玉盒入手，立時覺出盒中一陣跳動，敢情那玉盒之中，竟然是盛裝著一個活動之物，當下更加重三分警惕之心，暗運功力，揑在手中。

宇文寒濤眼看無爲道長接過玉盒，臉色突然一整，回顧了百手書生一眼，道：「英兒，你把咱們的來意說出來吧！」

百手書生成英，恭恭敬敬地應道：「領師叔面諭。」

抬起頭來，目光掠了大廳一眼，笑道：「兄弟這次跟隨宇文師叔同拜貴山，在下師叔之意，是想和貴派聯手，一同追索那『禁宮之鑰』的下落。」

楚崑山哈哈一笑，道：「只怕此事不大容易。」

成英道：「怎麼?楚兄可是也想插進一腳嗎?」

一陣風張萍道：「還有咱們四兄弟。」

成英冷笑一聲，目注雲陽子，道：「你可聽清楚了嗎?江湖之上，貪圖此物者，多至難以數計，如若貴派不肯和在下師叔聯手合作，只怕……」

無爲道長驀然一瞪雙目，兩道湛湛眼神，有如冷電寒芒直逼成英臉上，淡淡一笑道：「可惜我們武當派，並未握有那『禁宮之鑰』的線索，兩位一番好意，貧道等是只有心領了。」

成英目光一掠蕭翎，道：「道長身後，現有人質，據兄弟所知，只要留下此人，不怕那岳小釵不肯自動送上門來。」

無為道長冷冷說道：「一個全然不會武功的無辜孩子，諸位就不肯放過他嗎？」

成英道：「但要引誘那岳小釵自投羅網，逼她交出『禁宮之鑰』，非得……」

只聽一陣哈哈大笑之聲，起自聽蟬閣外，道：「哪一位想取得『禁宮之鑰』？可惜已被咱們兄弟定下了。」

話落人現，閣門外，大步走進來一個圓團團臉，又矮又胖，足登逍遙福字履，身穿青綢長衫，外罩黑緞團花大馬褂，大腹便便的人來，正是中州二賈中的老大金算盤商八。

商八身後緊隨著個子枯瘦，氈帽壓眉的冷面鐵筆杜九。

商八不容別人接口，抱拳一個羅圈揖，笑道：「兄弟走得快了一步，擅自闖了進來，莽撞之處，還望諸位多多包涵。」

蕭翎一見中州二賈，忍不下激動之情，大聲叫道：「你們把我岳姊姊帶到哪裏去了？」

商八哈哈一笑，道：「小兄弟不要急，你姊姊現在一處豪華隱秘之地，養息傷勢，她心中掛念於你，特命我們來此接你。」

蕭翎吃了一驚，道：「怎麼？我岳姊姊受了傷？」

百手書生冷笑一聲，道：「兩位大老闆生意好啊！」

商八目光一轉，望了成英一眼，正待說幾句譏諷之言，忽見他身側，端坐著一個中年儒士，黑髯垂胸，臉如童子，白中透紅；商八見多識廣，一眼之下，已然看出這人內功，已練到返老還童之境，看那身側的描金箱子，若有記憶，只是一時想不起，他走南闖北，終日裏逐取厚利，一雙眼睛，不但有鑒別珠寶之能，識人之明，也算得舉國第一。

當下輕咳一聲，道：「成兄謬獎，小號生意，賠賺互見，勉強過得。」

冷面鐵筆杜九左眼盯在蕭翎身上，冷冰冰地說道：「快過來，咱們就要走了！」

無為道長雖然很少在江湖之上走動，但他既掌一派門戶，自有過人成就，武當派威名遠播，那杜九雖然冷傲，但心中卻是未敢稍存輕視之心，看蕭翎緊傍無為道長而立，亦不便擅自出手去牽他過來。

蕭翎想念岳小釵，不禁怦然心動，望了無為道長一眼，問道：「我可以跟著他們去嗎？」

無為道長雖覺不能答應，但以他掌門身分卻又不便出言阻攔，只好微閉雙目，置若罔聞。

雲陽子卻淡淡一笑，接道：「令師姊如若當真想念於你，何不親身來此，接你而去？」

這幾句話，聽來平淡，但事實上，卻無疑否定了中州雙賈之言。

蕭翎心中一動，暗道：我那岳姊姊，素來厭惡中州雙賈，豈肯放心讓他們來此接我。

心念一轉，搖頭說道：「除了我岳姊姊親來之外，誰的話我也不信。」

商八急急接道：「小兄弟，我們確實應令姊之請而來。」

蕭翎道：「那我岳姊姊為何不來？」

商八道：「一則她傷勢未癒，二則目下的武林人物，個個以她爲追逐的目標，仇蹤遍地，一旦出現在江湖之上，立時將引來無數的追蹤鐵騎……」

蕭翎轉轉眼珠兒，道：「我岳姊姊要你們來接我，可有她的親筆函件？」

杜九道：「中州二賈的金字招牌，還要的什麼函件。」

那久久不發一言的宇文寒濤突然冷笑一聲道：「兩位的金字招牌，今日恐怕是要砸了。」

杜九慢慢地轉過身子，道：「閣下的口氣不小。」

宇文寒濤淡淡一笑，道：「兩位不信嗎？」

輕描淡寫中，氣勢逼人。

杜九左眼眨動了一陣，道：「兄弟向不信邪，閣下貴姓？」

宇文寒濤仰臉望著屋頂，道：「向陽坪，璇璣書廬宇文寒濤。」

金算盤商八心頭一震，哈哈大笑道：「原來是宇文兄，咱們兄弟失敬了。」

宇文寒濤道：「不用客氣，兩位既知兄弟薄名，還望能把岳小釵的下落見告……」

金算盤商八微微一笑，道：「人爲財死，鳥爲食亡，咱們中州雙賈……」

宇文寒濤接道：「貴兄弟集寶之癖，兄弟早已聞名，璇璣書廬中，倒也藏有幾件彌足珍貴之物，兄弟願意奉送……」

江南四公子眼看在宇文寒濤威迫利誘之下，中州雙賈即將與其聯合一氣，單是中州雙賈已極爲難纏，如若再和宇文寒濤聯手，那可是太難對付，不禁心頭大急，正待出口挑撥，突然無為道長縱聲大笑起來。

笑聲嘹亮，有如龍吟虎嘯，群豪只覺心波微蕩，個個不由自主運功抗拒。

無為道長收住了長笑之聲，說道：「諸位今日賞光駕臨，貧道自當以禮相待，武當三元觀清靜之地，貧道極不願演出相爭之局……」目光一轉，投注到宇文寒濤身上，接道：「宇文兄更以重禮相贈，實叫貧道內心難安。」

宇文寒濤笑道：「區區薄禮，觀主笑納。」

無為道長臉色一片莊嚴，道：「璇璣書廬中藏寶無數，貧道是早已久仰，這玉盒中的禮物，只怕是異常貴重，貧道想當面打開，也好讓今日駕臨的貴客同時一開眼界……」

語音微頓，突又肅然喝道：「諸位留心了。」

左掌托著玉盒，右手緩緩打開盒蓋。

群豪凝神望去，只見無為道長掌指上，泛起一片鮮紅之色，雙目圓睜，注定手中玉盒。

眼看無為道長的凝重，群豪都不覺暗中提聚功力戒備。

玉盒大開，先閃動兩點綠豆大小的綠芒，緩緩抬起一個金黃色的蜈蚣頭來。

金算盤商八吃了一驚，叫道：「金蜈蚣？」

但見金蜈蚣緩緩揚起雙翅，微一搧動，呼的一聲，飛了出來。

無為道長慢慢放下手中玉盒，冷冷說道：「宇文兄好貴重的禮物。」

宇文寒濤微微一笑，道：「言重了，這金蜈蚣，雖然產於苗疆，但也極是少見，兄弟和苗疆一位善馭毒物的奇人，相交甚厚，承她專程東來，送了兄弟這一條金蜈蚣，據她告訴兄弟，這條金蜈蚣已有近百年的道行，百毒雌伏，乃極爲難得之物。」

金算盤商八道：「宇文兄說的那位苗疆奇人，可是那金花夫人嗎？」

宇文寒濤臉色一整，道：「不錯，正是此人，貴兄弟可也和她相識嗎？」

商八道：「夫人金枝玉葉，咱們做生意的高攀不上，僅只是聞名而已。」

宇文寒濤冷哼一聲，突然舉手互擊兩掌，口中發出一種低沉的嘯聲。

嘯聲隱合節拍，若有所宗。

嘯聲一起，那金蜈蚣突然加快了飛翔之勢，愈飛愈快，盤舞在聽蟬閣中，片刻間，只可見一點金光，上下飛舞，滿閣流動。

無爲道長目注那滿閣飛舞的金光，高聲說道：「金蜈蚣身蓄奇毒，諸位請各自當心了！」

宇文寒濤突然一聲長嘯，舉起左臂，那金蜈蚣隨著嘯聲，一斂雙翼，落在宇文寒濤的左臂肘間，翼收蟄伏，閉目而臥。

無爲道長舉手向外一招，立時有一個青袍道童，跑了進來，躬身說道：「恭候法諭。」

無爲道長目注在宇文寒濤肘間的金蜈蚣，口中緩緩說道：「擺上酒宴。」

那道童應了一聲，急步奔了出去。

宇文寒濤淡淡一笑，道：「這豈不叨擾道兄？」

無爲道長道：「貧道理應一盡地主之誼。」

宇文寒濤笑道：「道兄傲嘯松雲，逍遙山水，視虛名如雲煙，嚴令弟子不得和人衝突，這一點倒和兄弟有些相同。」

無爲道長淡淡一笑，道：「貧道如何能及得宇文兄。」

宇文寒濤又道：「世人無識，不知道長是虛懷若谷，不屑爲虛名拔劍而爭，還認道長怯弱怕事，哈哈，實叫兄弟爲道長叫屈。」

無爲道長道：「世人之論，見仁見智，貧道但求無愧於心，世人如何評論，貧道也不放在心上。」

宇文寒濤微微一笑，道：「道兄高論，使兄弟茅塞一開……」目光轉動，緩緩掃掠了江南四公子和中州雙賈等一眼，語氣突轉冰冷，接道：「道兄雖然寬宏大量，但江湖上卻盡多不識時務的奸詐之徒，會幾招花拳繡腿，浪得一點虛名，就目空四海，眼中無人，不知天有多高，地有多厚，膽大妄爲，自稱自高，看今日之事，道兄當知兄弟之言非虛……」

冷面鐵筆杜九冷哼一聲，道：「嘿嘿！好大的口氣！」

宇文寒濤望也不望杜九一眼，接著說道：「道兄雖然沒有和世人爭名之心，但也當了然那『禁宮之鑰』非同小可，兄弟修養雖然不及道兄的清靜無爲，但十年來從未離開過璇璣書廬一步，此次爲那『禁宮之鑰』出現江湖的傳言，不得不重入江湖，以查真相。卻不料三山五嶽的魑魅魍魎，大都貪念早生，插手其間，因爲兄弟一向敬慕道兄，不遠千里而來，想和道兄聯手保護那『禁宮之鑰』，不使它落入江湖宵小之手……」

五毒花王劍縱聲大笑道：「咱們兄弟都算是江湖宵小，會幾招花拳繡腿，浪得一點虛名，哈哈，當真是被罵得狗血噴頭。」

六月雪李波冷冷地說道：「司馬昭之心，路人皆知，卻偏又妄想一手遮掩天下英雄耳目，未免是太可笑了。」

宇文寒濤雖然為人陰沉，也不禁被激生怒，冷冷地望了江南四公子一眼，道：「四位聲名狼藉，積惡無數，論罪定罰，那是早該死了。」

一陣風張萍笑道：「客氣，客氣，咱們玩樂未夠，還想活上個三、五十年。」

宇文寒濤縱聲而笑，道：「但四位鬼錄有名，只怕是難以活得下去了。」右手在左肘之上一拍，金蜈蚣突然振翼而起，呼的一聲，直向一陣風張萍衝了過去。

江南四公子常年在江湖之上走動，見聞閱歷，十分廣博，早已留心到宇文寒濤肘間那隻金蜈蚣，見他一拍肘時，立時刷的一聲拔出背上長劍。

那金蜈蚣飛速奇快，振翼之間，有如一道閃電，疾快地射向一陣風張萍，張萍也不過是剛剛拔出長劍，那金蜈蚣已然撲到了面前。

一陣風張萍吃了一驚，暗道：好快的來勢！長劍一振，幻起朵朵銀花，護住了身子。

但聽砰的一聲，那疾射而來的金光陡然向後退出，似是被張萍舞起的劍花擊中。

一陣風張萍冷笑一聲，道：「我不信一條金蜈蚣，也能要了張某人的命……」話未說完，突然一頓。

原來，在他想像之中，這條金蜈蚣，雖然是絕毒之物，但終是血肉之軀，既被長劍擊中，縱然不死，亦將身負重創，落在實地，卻不料那金光一退之後，突然又振翼而起，滿閣盤旋起來，不禁心頭大震，暗暗忖道：我這一劍，至少有百斤之力，怎的連這一條蜈蚣，也打牠不死，難道這蜈蚣是鐵打銅鑄的不成？

但見那金蜈蚣愈飛愈快，片刻之後，只見一道金光，帶著一陣輕微的呼嘯之聲，滿閣飛繞，金光過處，散發出一股輕淡的黑氣，同時有一股腥味，撲入鼻中。

廳中群豪，個個都是久經大敵之人，看到那輕淡的黑氣，心中已然有了懷疑，再聞那股腥味，立時暗運功力，閉住了呼吸，以防中毒。

但是那金蜈蚣散發出來的黑氣，逐漸增多，由淡而濃，腥味也隨著加重。

宇文寒濤滿臉肅穆，望著那金蜈蚣，神情間十分凝重。

忽聽蕭翎大聲叫道：「我的頭好暈啊……」砰的一聲，仰臉倒在地上。

原來閣中群豪，全神貫注在那電閃輪轉的金蜈蚣上，竟然忽略了不會武功的蕭翎。

直待聽得他喝叫之聲，才引起群豪注意，但聞衣袂飄風之聲，數條人影，齊齊向摔倒在地上的蕭翎撲去。

無爲道長冷笑一聲，霍然而起，寬大的道袍一拂，立時一股絕大的勁力自袖底湧了出來。

只見撲向蕭翎的群豪陡然收住身子，各自揚手劈出拳掌，一擋那湧來的潛力，回歸原位。

七　劍氣縱橫

撲向蕭翎之人，正是聖手鐵膽楚崑山、冷面鐵筆杜九和百手書生成英，那杜九、成英見蕭翎暈倒地上，忽然心中一動，想藉機去搶蕭翎，縱然陰謀不逞，別人質問起來，亦可理直氣壯地說是救人，這兩人一般心意，不約而同的一齊出手。

至於那楚崑山爲人雖然迂腐固執，但卻不失俠風，自那日在絕峰頂上和蕭翎一番論對，覺得十分投緣，看他暈倒，心中大急，倒是真的存了救人之心。

但三人接得無爲道長拂袖一擊，立時覺出對方武功高強，非己能敵，不約而同，倒躍而退，落歸原處。

無爲道長一招驚退三人，立時探手抱起蕭翎，右手摸出一顆丹丸塞入蕭翎口中。

只聽金算盤商八高聲說道：「宇文兄，好毒辣的手段，明裏對付江南四公子，暗中卻是存心算計這閣中所有之人，想叫咱們盡皆中毒，任你宰割，嘿嘿，好一個瞞天過海之計。」

宇文寒濤微微一笑，道：「好說，好說，商兄未免是太多心了。」

突然發出一聲古怪的低嘯，那金蜈蚣突然又飛落宇文寒濤的左肘之上，但見他揚起右掌一拍左臂，金蜈蚣挺首疾起，直向江南四公子飛撲過去。

要知那金蜈蚣雖然是世間僅有的通靈毒物，但牠究竟非人，襲人放毒，都有固定的方式，如要牠由放毒突然易轉襲人，非得召牠回來，重新放出不可。

五毒花王劍眼看金蜈蚣飛撲過來，冷笑一聲，說道：「我就不信這東西是百煉精鋼鑄的，寶劍劈牠不死。」當先出手，長劍一揮，迎擊過去。

哪知這金蜈蚣突然一斂雙翼，疾沉而下，貼地疾飛，直撲王劍。

這一下大大出了江南四公子意料之外，想不到此物居然如此靈巧，吃了一次苦頭之後，竟然知道閃避長劍，眼看金蜈蚣電奔而至，就要撲中王劍，但王劍擊出的劍勢，卻是無法收回。

江南四公子的劍勢都注意到中、上二路，未料到牠從下面攻來，竟都有著措手不及之感。

六月雪李波疾發一掌拍出一股掌風，震得那金蜈蚣身子一側，王劍借勢一躍，閃開三尺。

寒江月趙光排在王劍身側，金蜈蚣去勢一偏，王劍又藉機閃開，寒江月趙光首當其衝。

但見那金蜈蚣雙翼震動，飛快地飛向趙光握劍的右腕。

奇變橫生，趙光雖有一身武功，卻也來不及收劍封擋，匆忙之間，揮掌拍出。

但聞啪的一聲，正擊在那金蜈蚣的身上。

倉促間，發出一掌，用力甚猛，那金蜈蚣吃他一掌，擊得斜翻出七、八尺遠，只見牠雙翼振了一振，重又飛起，又撲過去。

一陣風張萍、六月雪李波，雙劍齊出，展佈成一片劍幕，擋住了金蜈蚣。

五毒花王劍低聲說道：「兄弟這一掌出得好快……」瞥見趙光左手小指和無名指上，一片紫黑，腫了起來，不禁為之一呆。

寒江月趙光激動地道：「我中毒了……」

宇文寒濤微微一笑，接道：「不錯，是中了毒，這金蜈蚣毒絕天下，而且全身生滿了堅硬的刺鬚，你用手擊牠一掌，那是自討苦吃。」

王劍仔細看去，只見趙光雙指上的黑氣，漫展迅快，片刻間，已到指根，心頭大為震動，尖聲叫道：「好厲害的奇毒。」

長劍一揮，鮮血噴灑，竟然把寒江月趙光兩個中毒的手指，齊根削去。

寒江月疼得冷哼一聲，道：「多謝王兄，替小弟斷去中毒手指。」

王劍正待答話，那金蜈蚣卻繞過張萍和李波連手展佈的劍幕，直撲過來，王劍來不及再開口說話，長劍運動，幻起一片寒芒，擋住了金蜈蚣一撲之勢。

一陣風張萍目光一掠兩個落在地上的手指，已完全變成紫黑之色，心頭大是駭然，右手中長劍一緊，劍光擴展，人卻移到趙光身側，低聲說道：「快些把傷處包紮起來。」

李波身軀橫移，和張萍、王劍，布成了一個三角形，三支劍交錯飛舞，結成了一個嚴密的劍網，護住了趙光。

寒江月摸出金瘡藥，包起傷口，右手長劍一振，道：「三位兄長，請讓出兄弟的位置。」

王劍身子側移，空出了趙光的位置，四人聯手，劍光大盛，只見寒芒電旋，滿佈了一丈方圓。

但那金蜈蚣卻也是愈飛愈快，只見一點金光，盤旋在四人劍光之外。

閣中群豪，眼看此等情勢，無不暗暗吃驚，既震駭於那金蜈蚣的奇毒，又畏懼此物的飛速和靈巧，堂堂江南四公子，竟然被一條金蜈蚣迫得結陣以拒。

這時，閣中瀰漫的黑氣，卻是逐漸消失，腥味也逐漸淡去。

無爲道長低頭望了懷抱中的蕭翎一眼，只見他眉宇之間，隱隱泛升一股黑氣，心頭暗自焦急，忖道：看來這孩子中毒不淺，必得早行設法解救。

目光一轉，投注到宇文寒濤身上，只見他背手而立，目注江南四公子和那搏鬥中的金蜈蚣，臉上既無笑意，亦無得意之色，心中暗忖道：此人手段之毒，心地之狠，實非江南四公子能夠及得，如若放任這場搏鬥再繼續下去，江南四公子，勢非死在此人手下不可，我豈可放任他在武當山上傷人……

心念一轉，突然大聲喝道：「宇文兄快請住手，貧道有話要說。」

宇文寒濤微微一笑，道：「道兄有何教言，兄弟洗耳恭聽。」

無爲道長道：「宇文兄那金蜈蚣的奇毒，貧道等已見識過了。」

宇文寒濤笑接道：「道兄之意，可是讓兄弟饒過這四個狂妄之徒嗎？」

無爲道長道：「一則貧道有事請教，二則到我們武當山上，都算客人，貧道不願在三元觀中，鬧出流血慘劇。」

宇文寒濤笑道：「道兄之命，兄弟豈敢有違。」

當下一聲低嘯，那繞飛在江南四公子劍光之外的金蜈蚣，陡然又飛了回來，落在他左肘之上，說道：「若非無爲道兄代爲關說，四位難逃今日之劫。」

江南四公子在武林中名氣不小，竟然對付不了一隻小小的金蜈蚣，而且還鬧得寒江月趙光斷去了兩個手指，使四人此來雄心，頓然受挫，但四人縱橫江南道上，十數年未遭挫折，這番身受奇辱，實難忍得下去。

一陣風張萍仰臉打個哈哈，道：「咱們四兄弟出道以來，從未受過今日之辱，這筆賬咱們兄弟是沒齒不忘。」

宇文寒濤冷笑一聲，道：「四位如若不服，兄弟自當奉陪，總要你們輸得心服口服，死得心安理得。」

這時，四個青衣道童，已然捧著酒菜，走了進來。

無爲道長回顧了懷抱中的蕭翎一眼，見他緊閉著雙目，中毒似是極深，但他修養過人，遇事沉著，心中雖然焦急，形貌之間，仍然保持鎮靜之色，微微一笑，道：「諸位不是一方豪雄，就是江湖遊俠，難得聚會寒觀，貧道理應一盡地主之誼，從此刻起，諸位最好能把此來的用心，和彼此間的恩怨，暫時拋下，如若再有搏鬥之事，那是誠心看不起貧道了。」

但見幾個青衣道童彼來此往，川流不息，無爲道長說完了幾句話，聽蟬閣中的酒菜，已經擺好。

宇文寒濤緩步走了過來，微微一點頭道：「道兄適才有言相詢，不知有何見教？」口中對無爲道長說話，兩道眼神卻一直盯注在蕭翎的臉上。

無爲道長怕他暗下毒手，再傷蕭翎，暗運內功，逼出一股暗勁，擋在身前，護住蕭翎，說道：「貧道想請教一事。」

宇文寒濤行走之間，突覺身前橫立一股極強的暗勁，有如一堵氣牆，不禁心頭一駭道：這牛鼻子老道果是有驚人之能，竟然已練成聚氣阻敵的上乘內功。

當下一提真氣，拱手笑道：「道長有何教言，只管請說，只要兄弟力所能及，那是無不遵從。」借那拱手之勢，暗發內力，勁由五指湧出，有如五道無形利箭，直衝過去。

無爲道長只覺五縷凌厲的指風，直逼過來，心中亦是暗暗吃驚道：這璇璣書廬的主人，確是不可輕視，當下袍袖微拂，又加二成內勁，笑道：「貧道請教宇文兄，這金蜈蚣之毒，可有解救之法？」

兩人借拱手拂袖、作禮客套之間，暗中卻各憑神功，相較內力。

這兩人內功修爲，都已入爐火純青之境，凶險有過出拳揮掌相搏，但卻不著皮相，只見無爲道長全身道袍，起了一陣微微的波動，仍然面含微笑而立，宇文寒濤卻臉色大變，胸前長髯無風自動，身不由主地向後退了兩步。

雙方一觸即收，但彼此之間，心中都已有數，宇文寒濤長長吁一口氣，笑道：「可是要解這位小兄弟的毒嗎？兄弟自當效勞。」

說話之間，順手撿起無爲道長身側的玉盒，啓唇兩聲低嘯，肘間的金蜈蚣，自動飛回那玉盒之中。

宇文寒濤隨手合上盒蓋，道：「據兄弟那位苗疆摯友相告，這金蜈蚣，乃天下毒物之絕，極是罕見，兄弟雖然略知一些解毒之法，但對此天生的奇毒之物，卻非兄弟力所能及，幸得那位苗疆摯友送給兄弟這金蜈蚣時，順便給了我三粒丹丸，兄弟初馴金蜈蚣時，不慎被咬了一口，自行服了一粒，目下還有兩粒，連同這金蜈蚣，一併相贈道兄，以示兄弟此來之誠。」

說完話，探手從懷中摸出一個小巧的玉瓶，連那盛放金蜈蚣的玉盒，一併遞了過去。

無爲道長接過玉瓶，倒出一粒丹丸，笑道：「承蒙厚賜，貧道取一粒解毒丹丸已足，餘一粒，和金蜈蚣，貧道不敢拜領，還是宇文兄自己收著吧！」

廳中群豪眼看那金蜈蚣的厲害，個個心中羨慕，但無爲道長卻是拒不肯受，不禁暗叫可惜，就連那雲陽子，也有些感到奇怪，茫然地望了師兄一眼，暗道：你縱然不喜愛此等毒物，也該把牠收來毀去，免得宇文寒濤借牠害人。

只聽宇文寒濤笑道：「道長一派掌門之尊，德望並重，想必是不喜此等毒物，既然這般堅拒，兄弟也不便強人所難了。」

緩步退回，打開描金箱子，把那盛放金蜈蚣的玉盒，放入箱中。

無爲道長緩緩起身，單掌立胸，肅容入座。

江南四公子雖然吃了一次大虧，但四人貪心未斂，竟然也厚顏入座。

筵席之間，中州二賈一直注視著蕭翎，看他緊閉雙目，一直在暈迷狀態之中，不禁大為擔心，無為道長雖然一直把蕭翎抱在懷中，但卻不見替他療治傷勢。

酒過三巡，冷面鐵筆杜九再也忍耐不住，冷冷道：「道長既不肯替這孩子療治傷勢，那就交給我們兄弟帶走如何？」

無為道長緩緩站了起來，臉色肅穆地說道：「諸位遠道來此，貧道以禮接見，設筵為各位洗塵，武當派禮數已盡……」

他頓了一頓，繼又淡淡說道：「貧道還有事待辦，諸位酒足飯飽，也該下山去了。」

冷面鐵筆杜九冷笑一聲，道：「咱們兄弟千里迢迢的趕來此地，豈只是為了吃一頓酒飯嗎？」

金算盤商八望了無為道長一眼，道：「但望道兄能看在我兄弟的薄面之上，把這蕭翎交給咱們帶走……」

無為道長長眉軒動，但卻隱忍未發。

冷面鐵筆杜九忽然推案而起，道：「老大，看來咱們只有憑武功強搶。」

無為道長冷冷說道：「如若兩位自信能夠搶得，那就不妨試試。」

商八搖手說道：「咱們兄弟投柬拜山，承道長以禮相待，縱然要搶，那也不該現在動手。」

無為道長道：「很好，貧道隨時候教，而且不只兩位，凡是今日上山之人，如若自信能夠恃強搶得人走，都可出手一試。」

金算盤商八一拉杜九，道：「咱們兄弟先行告辭。」轉身出了聽蟬閣，大步而去。

江南四公子齊齊一抱拳，道：「多謝款待。」四人聯袂而行，奔出了聽蟬閣。

宇文寒濤回顧了聖手鐵膽楚崑山一眼，道：「你這老兒酒足飯飽了，還等在這裏做什麼？」

楚崑山怒道：「你管得著老夫嗎？」

宇文寒濤笑道：「你可是有些不信。」突然一挺身子，疾飛而起，直逼楚崑山身前，閃電一指點了過去。

楚崑山料不到說來就來，而且出手奇快，一時間應變不及，被迫得一連向後退出五步。

宇文寒濤攻出一指，迫退楚崑山，不容他還手，立時返身一躍，重又坐回原位。

楚崑山氣得哇哇大叫，揚起右手，呼的一掌，劈了過去。

百手書生成英斜裏迎了上來，右手一揮，接下一掌，冷冷說道：「憑你這點武功豈是我師叔之敵，兄弟陪你幾招吧！」右腿一抬踢了過去。

楚崑山立掌如刀，疾削而下。

成英冷笑一聲，身隨腳起，連環踢出三腿，快似奔雷，竟然又把楚崑山迫退兩步。

無爲道長袍袖一揮，推出一股潛力，逼退成英，道：「兩位如定要動手，最好是能離開我們這三元觀！」

宇文寒濤微微一笑，道：「兄弟有幾句重要之言，想和道兄談談，這老兒在此礙事得很，倒不如讓英兒超度了他吧！」

楚崑山厲喝一聲，道：「好啊！竟敢這等藐視老夫。」縱身向宇文寒濤撲了過去。

無爲道長袍袖一拂，又一股強猛的暗勁漫了出去，擋住了楚崑山，施展傳音入密之術，說道：「楚大俠，不是貧道長他人的志氣，你絕然不是那宇文寒濤之敵，他所以不願施下毒手，無非是心中有所顧忌，此時此情之中，還望忍耐一、二。」

要知那楚崑山在江湖之上的聲譽甚好，無爲道長雖然很少下山，但江湖中事，常有弟子們稟報於他，故而對那些稍有名望之人，行事爲人的正邪，亦大概有個瞭解。

楚崑山心中雖然不服，但卻知道無爲道長是一片好心，當下一抱拳，道：「老朽就此別過。」大步行出了聽蟬閣。

聽蟬閣中，只剩下了無爲道長、雲陽子、宇文寒濤和成英四個人。

無爲道長回顧了懷抱中的蕭翎一眼，道：「此子傷勢甚重，不能再多耽誤，宇文兄有何見教，快快請說。」

宇文寒濤道：「兄弟這次離開向陽坪璇璣書廬，另有重大之事，想和道長商議，至於那『禁宮之鑰』，兄弟只不過是借作拜山的借口，以免天下武林同道生疑。」

無爲道長臉色也逐漸變得莊嚴起來，緩緩說道：「貧道不慣轉彎子，宇文兄還是明說了吧！」

宇文寒濤神秘地一笑，答非所問地接道：「當世武林之中，大都尊奉那少林一門，爲領袖九大門派之首，但兄弟卻是最佩服貴派的武功，剛柔互濟，內外兼修，才稱得上是玄門正宗。」

宇文寒濤突然一整臉色，欠身對無爲道長一禮，笑道：「兄弟乃受人之托，想請道兄出面主盟一次盛會。」

無爲道長略一沉吟，道：「什麼盛會？宇文兄還是先說出來，讓貧道斟酌一下如何？」

宇文寒濤道：「此事關係甚大，道兄如若不能先行賜允，兄弟也不敢隨便啓齒……」語音微微一頓，接道：「不過在下可以先略示一、二，道兄如若允予主盟，不出一年，目前的江湖形勢，當可有一番重大的改變。」

無爲道長雙眉軒動，默不作答，雙目投注在聽蟬閣外，似是在考慮一件十分重大的事。

宇文寒濤突然拱手一禮，道：「事情重大，道兄請多想幾日。過幾天兄弟再來拜晤。」微微一笑，轉身而去。

百手書生成英，緊隨宇文寒濤身後，急急而去。

雲陽子望著兩人的背影，匆匆消失在聽蟬閣外，才低聲問無爲道長道：「師兄，可知他說的是些什麼嗎？」

無爲道長如大夢初醒般，深深一笑，道：「似乎是一樁很重大的陰謀，真像如何，目下我也難作斷言……」

他回顧了懷中的孩子一眼，臉色忽然一整，說道：「你傳諭下去，觀中二、三兩代弟子中，全部動員，嚴密戒備，今夜之中，或將有強敵犯山。」

雲陽子很少看到師兄這等凝重嚴肅之情，心中雖有著重重疑問，也不敢再提出來，應了一聲，急步行出聽蟬閣。

無爲道長緊隨著離開了聽蟬閣，直奔丹室，取出宇文寒濤相贈的一粒解毒丹丸，托在掌心之上，檢視了一陣，仍是不敢使用。

他把蕭翎放在雲床之上，揚手點了幾處穴道，自言自語地說道：「可憐的孩子，你先休息一會兒吧！貧道既不敢擅用藥物，療你之毒，那只有憑仗內功，慢慢地逼出你身上之毒了。」

只聽一個沉重的聲音來自室外，道：「師兄對一個孩子這般仁厚，那是未免太過分了。」

隨著說話之聲，緩步走進一個氣宇軒昂，身著藍綢長衫的俊美少年。

無爲道長淡淡一笑，道：「你的武功愈發精進了，幾時到了丹室之外，我竟未聽出來。」

那藍衣少年笑道：「小弟適才遇上了二師兄，看他帶著觀中弟子，到處佈置安排，忙碌異常，難道咱們三元觀中，出了什麼事故不成？」

無爲道長點頭說道：「你這次閉關練的功夫，可有些成就了嗎？」

那藍衣少年笑道：「只有七成火候，有負師兄的厚望了。」

無爲道長對這位英俊的師弟，不但十分和藹，而且異常的敬重，以他掌門人尊崇的身分來說，這實是有些反常。

那藍衣少年望了那臥在雲床上的蕭翎一眼，道：「這孩子可是中了什麼毒？」

無為道長道：「不錯，但幸而中毒不深，縱然不用藥物，亦可救得。」

那藍衣少年道：「那內力逼毒之法，乃大耗真元之舉，師兄縱然功力深厚，也不宜隨便施為……」

無為道長接道：「本來我帶有幾分猶豫，但此刻倒是要決定一試了。」

那藍衣少年奇道：「為什麼？」

無為道長笑道：「近幾日中，隨時都可能有強敵犯山，我正擔心你那雲陽師兄一人之力，難以兼顧全局，你卻提前滿了關期。」

那藍衣少年不失天真之態，凝目想了片刻，道：「我今年幾歲了？」

無為道長被他問得一怔，沉吟了一陣，才緩緩答道：「二十三歲了。」

那藍衣少年道：「我練了幾年武功？」

無為道長道：「你三歲……」忽然改口說道：「不多不少的二十寒暑了。」

那藍衣少年道：「二十年不算很短啊！但不知小弟的藝業如何？」

無為道長道：「從小習武，心無雜念，二十年刻苦自勵，其間三度閉關修為，除了對敵經驗稍嫌不足之外，成就當可凌駕在你那二師兄之上。」

那藍衣少年似是突然間想起了一件什麼重要之事，一皺眉頭，道：「大師兄，小弟有幾句蘊藏在心中之言，一直未曾問過掌門師兄，不知今日可否一問？」

無為道長笑道：「只怕我也無法答覆你詢問之事。」

那藍衣少年道：「我總共學藝這二十年，師父死去了十八年，我雖是五、六歲的孩子，但師父傳技之事，總該多少有著一點記憶，怎的我一點也記不起呢？好像我的武功都是由大師兄傳授的。」

無為道長笑道：「為兄不過是代師授藝，那時師父臥病甚久，已無法親授你的武功了。」

藍衣少年道：「奇怪，既是大師兄傳授我的武功，為什麼我會拜在師父門下呢？」

要知以他的年齡，縱然做無為道長的門下弟子也是不能算大，無為道長首座弟子，已是三十餘歲之人，算起年齡，比他要大上十幾歲。

無為道長淡淡一笑，道：「武林中規矩，最重輩份，你是師父親口答應收入武當門下的弟子，我雖代師授藝，也不能輕視了輩份的大小。」

那藍衣少年似是言未盡意，欲待出口時，卻又突然隱忍了下去，仰面長長吁一口氣，言道：「大師兄，我既是毫無搏鬥經驗，那是得歷練了，今日出關，正好趕上了咱們三元觀中有事，這是最好的歷練機會，不知掌門師兄可否給小弟一個力搏強敵的機會？」

無為道長笑道：「你就負責守護我這丹室……」

藍衣少年似是有些不願地說道：「師兄這丹室重地，別人豈敢侵犯……」

無為道長道：「如若我料斷不錯，這丹室之外，才是最重要之地，決戰之場，登山高手的目的，大都在爲兄這丹室之中。」

那藍衣少年笑道：「那是最好不過，我到後山閉關石洞中，去取兵刃，即刻就趕回來……」也不容無爲道長答話，轉身一躍，人到兩、三丈外，隱失於花叢之中不見，奔行奇快，疾如閃電一般。

無爲道長長吁一口氣，扶起蕭翎的身子，靠在壁間，自己站了起來，緩步在丹室之中走動起來。片刻之間，只見他頭頂之上，冒出一片雲霧般的白氣，顯然，他借那走動之勢，默默運起內功。

只見他突然停下了身子，揚手一指，疾向雲床上的蕭翎點去，一縷淡淡的白氣，隨指而出，擊中了蕭翎任脈源起處的中極穴。

蕭翎靠在壁間的身軀，突然顫動了兩下，似是一股強勁的潛力，攻入了他體內經脈之中，在身內流竄，使身體起了陣劇烈的波動，但身體卻仍是靠在壁間，原地未動。

無爲道長點出一指後，那頭頂之上的白氣，突然散去，神色之間，流現出十分睏倦的模樣，緩步向雲床走去，放下蕭翎，盤膝而坐，閉上雙目運氣調息。

大約有一個時辰之久，無爲道長的睏倦神色，才逐漸消去。

這時，天色已然黑了下來，當無爲道長睜開雙目之時，丹室門口，已並肩站著兩人，正是雲陽子和藍衣少年。

雲陽子微一欠身，道：「觀中二、三兩代弟子，已然全體出動，凡是重要的關隘，都有五行劍陣阻敵，師兄可要察看一下？」

無為道長淡淡一笑，道：「不用啦，你代我傳諭下去，未得金鐘令諭之前，各處弟子，都不許擅離守護之地，追殺敵人，只可護守住禁要之地，不讓敵人侵犯，也就是了。」

雲陽子微皺眉，道：「掌門師兄之意，可是說來人只要闖過攔截，就放任他們進來嗎？」

無為道長點點頭，道：「今宵來犯之人，大都是三山五嶽的魑魅魍魎，雖然我接掌門戶之後，曾嚴令約束弟子，不可隨意和人為敵，但以咱們武當派數百年來的威名而言，如若不是有些自恃之人，絕不敢自找麻煩。這些人大都是江湖上極負盛名的人物，而且此來品流複雜，各門各色的人物，無所不包，三元觀中弟子，大都是未經過陣仗之人，要他們全力阻敵，必然個個奮勇，爭先恐後，一人貪功，章法自亂，倒不如先讓他們不求有功，先求無過，另由全觀弟子中，選出十五個武功高強之人，組合成三組五行劍陣，專以阻殺強敵。」

雲陽子道：「師兄顧慮周詳，小弟望塵莫及，我這就立刻去辦。」單掌立胸，欠身一禮，轉身而去。

那藍衣少年仍然是一身藍衫，只是右手中多了一柄長劍，左手提著一條皮帶，帶上那七個皮囊中，插著七支八寸二分長短的短劍。

無為道長望了那皮帶上短劍一眼，臉色肅穆地說道：「師弟，你可知那囊中的短劍，是什麼製成的嗎？」

藍衣少年答道：「我知道，是千年寒鐵煉製而成。」

無爲道長道：「你知道那就好了，此劍銳利無比，本身已具有穿石洞金之能，再加以每支劍鋒之尖，有著兩個銳利的針尖，專破內家氣功，不論何等武功高強之人，也是難禁受得住，此物最是歹毒不過，千萬不可亂用！」

藍衣少年點點頭，應道：「小弟記下了！」

無爲道長慈和的一笑，道：「這七柄短劍的名字，你可知道嗎？」

藍衣少年應道：「小弟記憶似是叫七休劍。」

無爲道長嚴肅他說道：「你可知道，爲什麼叫七休？」

這藍衣少年，不但苦習武功，而且兼習文事，微一沉吟，道：「顧名思義，七休二字，似是隱合七絕之意，但卻又較七絕稍微緩和，七情六慾，一遇此劍，事事皆休，不知小弟這番解釋，是否通達？」

無爲道長道：「你只能算說對了一半，此劍取名七休之意，除了說明此劍歹毒之外，而且嚴戒不可妄用，恩師仙去之日，遺囑爲兄把此七休劍交給師弟應用，想他老人家必有作用，師父遺命，爲兄的自是不敢違背，此物歹毒，師弟千萬不可濫用。」

藍衣少年恭敬地應道：「小弟當謹記師兄之言，非遇十惡不赦之人，絕不妄用此劍。」

無爲道長道：「你能不負先師遺愛，爲兄的就很放心了……」

舉手一揮，接道：「你替爲兄護法。」立時又滿室繞行起來。

片刻之後，無爲道長的頂門之上，又冒起了一片雲霧般的白氣。

只見他陡然停下腳步，揚手一指，一縷白氣，應手而出，點向蕭翎。

這次卻是點向那督脈源起之處的下極穴。

要知那任督二脈，乃人身陰陽二脈之總司，任脈總陰，起於會陰曲骨的中極，經關元、石門、氣海、陰交、神闕、水分、下腕、紫宮、華蓋等，經歷二十四穴；督脈乃督陽脈之海，起於下極，經命門、陽關、玄柱、脊中、中樞、腦戶等二十八穴，乃人身穴脈的樞紐。

但見蕭翎的身體又起了一陣輕微的波動，無爲道長凝聚在頭頂上的白氣突然又消散不見。

這一次，他顯得更爲疲倦，頂門上，隱隱現出汗水。

無爲道長緩緩地走近雲床，盤膝坐了下去，閉上雙目。

那藍衣少年初次遇上對敵之事，心情免不了有些緊張，舉手向丹室外面一招，立時有兩個道裝童子跑了進來，垂手說道：「師叔有何吩咐？」

藍衣少年望了盤坐雲床上的無爲道長一眼，低聲說道：「如有警兆，快告訴我。」

那道童應了一聲，悄然退去。

丹室中爐火熊熊，一片爛然青光。

那藍衣少年雖然極力想借這大風暴前的一刻時光，得以稍做調息，但他初次臨敵，腦際之中，幻想出各種對敵相搏的舉動，竟然無法靜得下來。

紛亂思潮，此起彼落，不知不覺間，已到了二更時分。

驀地，傳過來一聲鐘響，劃破了深夜的沉寂。

那藍衣少年心知這是傳警的鐘聲，顯然是三元觀中，已經發現了敵蹤。

他霍然站起身來，繫好七休劍，提起長劍，緩步行出丹室。

夜風陣陣，花樹搖舞，星光閃爍，隱隱可見劍光在花樹叢中閃動。

但聞鐘聲急促，連鳴九響，這是緊急的傳警訊號，來人已闖入了三元觀中，短兵相接。

躺在雲床上的蕭翎，連得無爲道長以本身真元之氣，攻入任、督二脈，全身氣血行速大增，衝開了被點穴道，突然睜開了雙目，掙扎坐起。

無爲道長忽然一伸左手，按在蕭翎的「玄機」要穴之上，說道：「孩子，不可妄動，貧道助你逼毒，你覺著有什麼不適之處，快些告訴貧道。」

蕭翎聽得無爲道長相詢，立時答道：「我覺著心胸之間有一股腥臭的悶氣，很想嘔吐。」

無爲道長道：「那很好，你如若想吐時，儘管嘔吐就是，千萬不可強自忍耐。」

暗中一提氣，掌心之內，立時湧出了一股熱力，循著玄機穴直攻體內，分向百脈行去，一面低聲說道：「但願貧道能借這逼毒之力，衝開你與生俱來的三陰絕脈。」

蕭翎也不知何謂三陰絕脈，但他卻感覺到自己體內有兩處所在，常有痠疼之感，似是行血淤積，不能通過，這毛病自他記事之後，就一直如此，因那痠疼輕微，也未放在心上，自從岳雲姑傳他坐息運氣之法後，似乎更爲嚴重，每經一次坐息運氣，那痠疼之處，就隨著發作，足足有一盞熱茶工夫，才緩緩消失。

但覺無爲道長掌心中湧出來的熱流，由弱漸強，透體入穴，直向四肢百骸間流行開去，一種本能的反應，使他不自覺地運氣引導那攻入穴脈之中的熱流。

無爲道長微微一愣，道：「孩子，你練過武功嗎？」

蕭翎道：「沒有啊！唉，本來雲姨要傳我武功的，卻不料她竟傷發死去……」話至此處，似是自知說溜了嘴，趕忙停下。

無爲道長緩緩地收回按在蕭翎玄機穴上的右掌，問道：「孩子，你現在還想吐嗎？」

蕭翎道：「不想了，好像那悶在胸中的那股腥臭之氣，自動消散了去。」

無爲道長道：「你體內三條絕脈，已快硬化，如若一旦全部凝固，縱然有千年參王、萬年靈芝，也沒法能夠救你了……」

蕭翎右手一撐雲床，坐了起來，接道：「我從小就得爹爹訓告，講我難以活得長久，人活百年，也是難免一死，早死幾年算得了什麼？」

無爲道長怔了一怔，想不到這年紀幼小的孩子，竟有著視死如歸的豪氣，當下點頭一笑，道：「不過你那三陰絕脈，尙未全部凝固，自非無救，但如只憑貧道的真氣內力，攻通你的穴道，需時甚長，過了今宵這場風暴，貧道試用一下銀針過穴之術，看看能否找出捷徑，我剛才已用本身真氣，把你體內之毒，逼集在一起，一十二個時辰之內，不致再有變化。」

語聲甫落，突聞一陣尖厲刺耳的長笑之聲，傳了過來。

笑聲似是由遙遠的地方傳來，但聲音刺耳異常，聽得蕭翎不由自主地打了兩個寒顫。

無爲道長低聲說道：「孩子，記著，靜靜的守在此地，未得貧道之允，不可擅離此室。」

蕭翎親身經歷過和岳小釵突圍之戰，自知不解武功，幫不上忙，只有拖累別人，當下點頭道：「晚輩記下了。」

抬頭看去，只見一個身著藍色長袍的少年，大步行了進來，懷抱帶鞘長劍，神情十分莊肅，欠身對無爲道長道：「大師兄可聽到了那聲長笑嗎？」

無爲道長道：「那人武功很高……」突聽兩聲喝叱，傳了進來。

藍衣少年身子一轉，疾如輕煙流矢般，躍出了丹室。

蕭翎已聽出那喝叱之聲，就在數丈之外，來人似是已到了丹室外面。

他天賦膽氣過人，雖然手無縛雞之力，卻是勇不畏死，回頭望著無爲道長，說道：「我想瞧瞧你們打架，可以嗎？」

無爲道長一皺眉頭，道：「兵戰凶危，有什麼好瞧的！」

蕭翎道：「我躲在丹室門後，絕不出丹室一步。」

只聽一聲大喝，道：「什麼人？既然敢夜闖三元觀，何以不敢以真面目示人，鬼鬼祟祟的算什麼英雄人物？」

但聞一個冷漠的聲音答道：「憑你這點年紀，也配問老夫的姓名嗎？」

蕭翎看了無爲道長一眼，見他並無阻止之意，下了雲床，掉頭向外望去。

八　險阻重重

朦朧夜色中，只見兩個手執長劍的道童，並肩而立，攔住了一個身軀修長的黑衣人，那人用黑布包起了頭臉，只露出一對眼睛，閃爍生光，但和那黑衣人說話的，卻是那藍衣少年。

藍衣少年似被那黑衣人托大之言激怒，冷笑一聲，道：「閣下能闖過重重攔截，武功定然不弱，在下領教幾招。」右手一振，手中寶劍劍鞘，突然飛落。

那黑衣人語氣仍甚冰冷地說道：「你不配和老夫說話，叫無爲道長出來。」

藍衣少年怒聲喝道：「你們閃開。」

長劍一揮，幻起了兩朵劍花，道：「閣下勝得我手中之劍，再見我師兄不遲。」

無爲道長一直盤膝靜坐雲床之上，對室外劍拔弩張的局勢，恍如未聞。

那黑衣人道：「你是無爲道長的師弟嗎?老夫還未曾聽到過淨塵老道有你這個傳人。」

那淨塵道長乃無爲道長師父，武當上一代的掌門人，此人言語間毫無尊敬之意，聽得藍衣少年大爲惱火，冷冷說道：「你敢輕薄先師。」唰的一劍，刺了過去。

星光夜色中，只見一片銀芒閃動，幻起朵朵劍花。

那黑衣人道：「好一招『天女散花』。」

袍袖一拂，湧出一股潛力，逼住劍勢，接道：「小娃兒，你叫什麼名字？」

藍衣少年道：「展葉青，再接我幾劍試試。」口中說話，手中長劍卻是絕招連出，但見寒芒飛旋，倏忽間，連攻八招。

那黑衣人袖拂指點，暗勁源源湧出，八劍盡被封開。

展葉青初次對敵，遇上這等高手，心中又驚又恐，正待盡出絕學，那黑衣人卻突然躍退五尺，說道：「內力、靈快，都不在你那二師兄之下，只是對敵的經驗不足。」言詞老氣橫秋，但卻是毫無敵意。

丹室中傳出來無爲道長的聲音，道：「師弟不可再對鄧大俠無禮，快些收起長劍。」說話之間，人已迎出丹室。

展葉青呆了一呆，收劍退到一側。

無爲道長右手立胸，微微一笑，道：「什麼風吹來了大駕，鄧兄，咱們十幾年未見面了吧？」

那黑衣人揚手指著無爲道長，說道：「好啊！你倒是輕鬆得很，強敵壓境，大戰序幕已啓，你竟坐在丹室獨享清靜。」

無爲道長笑道：「貧道早知鄧兄俠駕光臨，故而能臨危不亂。」

一面說話，一面大步向丹室之中行去。

這黑衣人放浪形骸，竟似未把無爲道長放在心上，但見大師兄對來人禮若上賓，展葉青心中雖然不滿，但卻不便出口質責，緊隨無爲道長身後，進入丹室。

那黑衣人也不等無爲道長相讓，自行坐了下來，說道：「鄧老二路過鄂西，眼看很多武林中人奔向武當山來，不知爲了何事，急急趕來此地，想不到我是看戲掉眼淚，白操了心啦！」

無爲道長微微一笑，道：「十年不見，鄧兄這暴急的脾氣，仍然一絲未改。」

那黑衣人急得直搖頭，道：「哼！你這牛鼻子和我們老大一樣，天塌了也是急不起來。」

無爲道長舉手一招，登時有兩個道童，跑了進來，手中捧著茶盤，獻上香茗。

黑衣人伸手拉下包臉黑巾來，取過盤上茶杯，一飲而盡。

蕭翎凝目望去，只見這黑衣人滿頰短鬚環繞，環目方臉，濃眉高鼻，像貌極是威猛，和他那修長的身材，卻有些不甚相配。

無爲道長回頭對展葉青笑道：「師弟快來見過，這位就是名滿天下的終南雙俠的鄧二俠……」

展葉青欠身說道：「鄧兄武功高強，果是名不虛傳。」抱拳一揖。

鄧一雷上下打量了展葉青一眼，接道：「喂！我說老道士，你幾時有了這個師弟，我怎麼一點也不知道？」

無爲道長笑道：「先師遺命，指令他練習幾種武功，因此，他一直獨居後山，很少露面，不但兩位不知，就是武當門下弟子，也很少知道他們有這位三師叔。」

鄧一雷目光一轉，投注到蕭翎身上，問道：「這孩子又是什麼人？」

無爲道長道：「這孩子麼？哈哈！很多武林高人今宵上我們武當山來都是爲了這孩子。」

鄧一雷雙目一瞪，打量了蕭翎幾眼，道：「爲他？難道這孩子牽纏到什麼武林恩怨……」

無爲道長臉色突然轉變得十分肅穆，把蕭翎牽扯上「禁宮之鑰」的事，說了一遍。

鄧一雷沉吟了一陣，道：「這『禁宮之鑰』，牽連太大，我們老大曾經說過，如想要江湖上能保得一片祥和之氣，第一件要事是毀去那『禁宮之鑰』，想不到竟然被他言中了……」

只聽一陣喝叱之聲傳了過來，展葉青身子一晃，閃電一般穿了出去。

鄧一雷霍然起立，道：「你那位小師弟武功不錯，我瞧他將來的成就，絕不在你之下，只是鋒芒太露。今宵來犯之敵，據我鄧老二所見，有兩個極爲難惹的魔頭，我去給他觀戰。」也不容無爲道長說話，腳步一抬，人已到了室外。

蕭翎忽然長歎，道：「我非得學會武功不可，哼！那時候，我要好好的教訓教訓他們。」

突聽一個陰沉的聲音，遙遙傳來，道：「老夫北天尊者，法駕行經此地，風聞『禁宮之鑰』，出現江湖之中，室中那小娃兒，就是這追尋『禁宮之鑰』的唯一線索……」

話至此處，聲音突然斷去。

蕭翎抬頭望去，不見人蹤何處。

再回顧無爲道長時，只見他臉色大變，頭上隱隱現出汗水。

忽然間，室中爐火搖顫，微風拂面，丹室中已然多出了三個人來。

正中一個身著盤龍錦袍，胸垂雪白長髯的老者，兩側分站著兩個身著白衣的中年儒士。

無爲道長挺身站了起來，合掌說道：「不知尊者駕到，貧道有失遠迎。」

那居中老者微微一笑，道：「老夫路過此地，風聞傳言『禁宮之鑰』重現江湖，老夫昔因閉關錯過了那場盛會，數十年來，耿耿於懷，一直引爲大憾……」

兩道森冷的目光投注在蕭翎身上，接道：「老夫雖無取得這禁宮中遺寶之心，但卻希望能得一入禁宮，查看一下進入禁宮的昔年故友，是否還有活著的人。」

無爲道長雖然凝立著不動，暗中卻已把苦修數十年的玄門罡氣，提聚到十成，留神戒備。

北天尊者眼看無爲道長一言不發，臉色微變地接道：「但那開啓禁宮的金鑰，卻有如投注在海中的沙石，數十年僅有傳聞，始終未得出世的傳說，老夫亦曾三入中原，暗訪禁宮之鑰的下落，可是始終未能如願，此次聞得傳言，故而登山造訪，老夫曾目睹無數高手，齊向這武當山中集聚而來，想那傳言，絕非妄語。」

經過這一陣時間，無爲道長反而靜下了心神，淡淡一笑，回目望了蕭翎一眼，道：「傳言中那唯一可尋『禁宮之鑰』的線索，就是這孩子了，老前輩神目過人，請看這孩子，可是習過武功之人？江湖上以訛傳訛，鬧出這一場風波。」

北天尊者一拂胸前白髯，仔細打量了蕭翎一眼，雙目中迸射出冷電一般寒芒，莊肅地說道：「你可知道欺瞞老夫，是何等下場？」

無爲道長心頭一震，道：「這個貧道不知。」

北天尊者語氣冷漠地說道：「一門誅絕，雞犬不留！日後如若被老夫查出其事有詐，武當一派，將永遠絕跡於江湖之上，老夫告退了。」

蕭翎圓睜著一雙又大又圓的眼睛，竟是沒有看清楚三個人怎麼走的，只覺眼睛一花，三人的蹤跡頓杳，看得心中大為羨慕。

只聽無為道長輕輕歎息一聲，緩步向室外行去。

蕭翎突覺胸中熱血上衝，緊隨無為道長說道：「道長不用歎氣，貴派這次紛爭，全由我蕭翎身上而起，只要我離開此地，他們就不會再來生事了。」

無為道長回顧了蕭翎一眼，道：「好倔強的孩子。」

突然縱身一躍，飛出室外，口中厲聲喝道：「什麼人？」呼的一掌，遙遙劈出。

花樹影中，陡然躍出一條人影，右手一揮，接下了無為道長一記劈空掌力，人卻借勢飛躍出兩丈多遠，口中冷然答道：「武當掌門，名不虛傳，好雄渾的劈空掌力。」話聲劃空而去，一閃而沒。

無為道長也不追趕，兩手左右探出，分別一撈，反身一躍，飛回丹室。

蕭翎凝目望去，只見無為道長一手抓著一個青袍道童，兩人背上長劍，尚未離鞘，顯然還未和人動過手，已被人點了穴道。

無為道長在兩人身上查看了一陣，突然雙手齊分，拍在兩個道童的右肩靈門穴上。

只聽兩個道童長長吁了一口氣，同時轉動眼珠，望了無為道長一眼，面泛愧色，拜伏地上，道：「弟子等無能，替本門丟人現眼，願領責罰。」

無爲道長搖頭說道：「起來，不怪你們，今宵來敵之強，大出了爲師意外。」

他心知這兩個道童定然是被北天尊者點中穴道，以那北天尊者武功，無爲道長自知尚非敵手，何況兩個隨侍弟子。

兩個道童伏身一拜，道：「謝師父破格施恩。」

無爲道長一揮手，道：「丹室花樹之中，可能已潛伏著不少武林高人，你們在丹室一丈之內警戒，只要那隱身在花樹中人，不犯丹室，那就不用管他。」

兩個道童應了一聲，霍然拔出背上長劍，並肩而出，這兩人吃了一次苦頭，哪裏還敢大意，仗劍貼背而立，四外搜望敵蹤。

無爲道長臉上泛現出一片深深憂鬱之色，目光卻投注在丹室中的青色火焰之上。

蕭翎望著無爲道長憂苦的神色，小臉莊肅地說道：「我要請問道長幾件事情，希望道長不要騙我。」

無爲道長一皺眉頭，道：「孩子，你問吧。」

蕭翎道：「你說過，我如要離開此地，你決不攔阻於我，是嗎？」

無爲道長道：「不錯。」

蕭翎突然伏身拜了一拜，道：「道長待我一番恩情，蕭翎終身不忘，我如能活在人世，學會武功，定當補報今日之情。」

無爲道長茫然地說道：「孩子，你要幹什麼？」

蕭翎道：「我要離開這裏。」

無爲道長輕輕歎息一聲，道：「目下強敵四處，三元觀中，到處殺氣瀰漫，你手無縛雞之力，身上餘毒未淨，你要到哪裏去？」

蕭翎道：「不用你管。」大步向丹室外面行去。

無爲道長身子一閃，攔在蕭翎前面，道：「孩子，你如真要修學武功，貧道當盡我之力，造就於你。」

蕭翎搖搖頭道：「道長盛情，我感激不盡，但我不要拜在你的門下，我要走了。」

忽聽微風颯然，一個藍衣仗劍的少年，攔在丹室門口，擋住了蕭翎去路，長劍上血跡未乾，頂門間汗水隱隱，顯是剛經過一場劇烈的惡戰。

蕭翎望了少年一眼，昂然挺胸，大步行去。

那藍衣少年左手一抄，抓住了蕭翎，道：「不知進退的孩子，武當掌門人是何等身分，收你爲徒，那是你的造化了。」

蕭翎接道：「事由我起，如若我離開了武當山，他們自然不會再找上三元觀了。」

無爲道長道：「話雖不錯，不過，三元觀激戰正烈，你不會武功，如何能走得了？」

蕭翎莊嚴地說道：「來人雖多，但他們志在擒我做餌，絕然不會傷我。」

無爲道長道：「你如肯投在武當門下，貧道當不惜閉關三月，療好你三陰絕脈，你稟賦骨賂，都是上上之材，不難盡傳貧道衣缽。」

蕭翎大眼睛眨了一陣，說道：「你比那北天尊者如何？」

無為道長聞言，臉色一變，沉吟不語，良久後，才突然一揮手，道：「師弟，放開他。」

那藍衣少年心中雖然不願，但又不敢抗拒師兄之命，左手一鬆，放開了蕭翎。

蕭翎右手腕被那藍衣少年握了一陣，他雖然未敢用力，但蕭翎已覺著血脈不暢，右腕隱隱作痛，正待舉步而行，突聞衣袂飄風之聲傳來，幾條人影疾奔而至，一字排開。

左邊兩人，正是向陽坪璇璣書廬主人宇文寒濤，他身側，緊隨倒提長劍的百手書生成英。靠右兩人，卻是中州二賈，商八左手拿著寶光閃閃的金算盤，杜九的左、右手，分握著護手銀圈和鐵筆。

那藍衣少年突然一挫腰，直撲過去，快如電火，長劍揮轉，劍花飄飄。

無為道長低喝一聲：「回來……」

兩道眼神，卻掃掠了宇文寒濤和中州二賈一眼，道：「諸位能在本派森嚴的戒備之下，闖過重重攔截，直逼丹室，足見高明了。」

商八哈哈一笑，道：「貴派弟子，泱泱大度，未出全力，咱們兄弟才得闖過攔截……」

無為道長淡然一笑，道：「諸位武功高強，貧道自知門下弟子之能，絕難攔擋得住，以諸位的功力，想必傷了本門中不少弟子。」說話之時，目中精芒閃動，不停向幾人臉上打轉。

金算盤商八笑道：「咱們兄弟，雖然僥倖的闖過了貴派三道攔截，但卻是兵不血刃，互無傷亡。」

宇文寒濤道：「兄弟點傷了貴派中三名弟子，但事出非常，情非得已，兄弟不能讓五劍合璧，組成貴派那揚名天下的五行劍陣。」

但聞厲叱怒喝之聲傳了過來，顯然尚有多處，惡戰正酣。

無為道長臉上的慍色漸漸平和，微微一歎，道：「今宵中來了不少武林高手，乃百年以來，我們武當從未有過之事……」

語聲甫落，耳際間已響起衣袂飄風之聲，三條人影，有如閃電般，疾躍而入。

中州雙賈和宇文寒濤，都不自禁地轉頭望去，只見來人一色的銀灰勁裝，黑布包頭，只露出兩隻寒光閃動的眼睛，手中各提著一柄長劍。

從三人飛躍身法上，和那冷電一般的眼神中，不難瞭然，都是內外兼修的一流高手。

無為道長心頭暗生凜駭，忖道：這三人不知是何等來路，竟然能闖過攔阻的弟子……

心中念頭未完，又是兩條人影，並肩躍入。

這兩人裝束十分怪異，左面一人，身著大紅長袍，前胸之處，用金線繡了一個火炬，背上斜著一柄三尺八寸長短，兒臂粗細的青銅管子，手中倒提了一把亮銀打穴钁，年紀四旬上下，短鬚如戟，一副馬臉，一雙三角怪眼，精芒外射，身高在八尺以上，頭戴著一頂金冠。

右面一人，長髮披肩，穿著一件寬大的白色長袍，腰間卻繫了一條白麻繩子，手中提一支蛇頭枴杖，足登著高腰白靴。

這兩人一入仙觀，放緩了腳步，大剌剌地旁若無人一般，直向丹室行去。

中州二賈和宇文寒濤回目打量了來人兩眼，緩緩向後退了兩步，默然不言。

無爲道長修養過人，暗中凝聚功力戒備，但表面上對兩人的滔滔來勢，卻是視若無睹。

那藍衣少年卻是沉不住氣，長劍一領，欺進三步，右腕揮搖之間，撒出一片劍花，擋住了兩人，冷冷喝道：「站住。」

那長髮披肩的白衣人，手中蛇頭柺杖一伸，噹的一聲，封開了長劍，說道：「老夫三陰手刁全。」

藍衣少年從未在江湖上走動過，除了二位師兄，別無相識之人，就算比刁全名氣再大十倍，也是唬他不住，當下長劍一振，暴閃起一片寒芒，道：「管你陰手、陽手，到了我們三元觀，都不得有撒野舉動。」

無爲道長望了師弟一眼，也不出言喝止，顯然，這位修養過人的全真道長，也瞧出今宵局勢，已難免一場凶惡的搏鬥，勢成水火，縱然阻止住了師弟，也是難以消弭今宵兵戰之災。

三陰手刁全怪眼一翻，道：「娃兒膽子不小，你是什麼人的門下，報個名字上來。」

藍衣少年冷冷說道：「武當門下展葉青。」

刁全冷笑一聲，道：「你不是老夫之敵，你想動手，請你那掌門師尊出來。」

他見展葉青不過二十一、二，誤認他是無爲道長的門下弟子。

展葉青冷冷說道：「在下那掌門師兄身分何等尊高，豈肯隨便出手，你先勝了我手中長劍，再找我師兄不遲。」

刁全心中一動，道：「你是無爲道長的師弟？這麼說來，倒是老夫小覷你了？」

右手一抬，蛇杖陡然點出。

展葉青右手長劍一抖，內力貫注在劍身之上，那百煉精鋼的劍身，柔若軟枝地閃了幾閃，貼在蛇頭枴杖之上，向外一滑，把刁全點來一杖，封開一側。

兩人兵刃相觸，不聞一點聲息，其實這一攻一拒之間，卻已暗交了一次內勁，展葉青雖然把對方蛇頭枴杖封開，右臂卻隱隱發麻，心中暗暗吃驚道：這怪老兒功力深厚，不可輕敵。

三陰手刁全心中亦是暗生驚駭，忖道：此人這點年紀，內力竟如是之強，武當派能卓立武林盛名不衰，果非虛傳。

彼此交接一招，兩人的心中，都有了警惕之意，誰也不敢再稍存輕敵之心。

刁全冷哼一聲，道：「武當派名非倖致，老夫今宵要領教貴派中幾招鎮山之學。」蛇杖伸縮，疾點而出，倏忽間，攻出三招，分襲展葉青三處大穴。

展葉青和他暗拚一招內力後，已知他功力深厚非同小可，自己寶劍乃輕兵刃，硬封他沉重的杖勢，先已吃了大虧，當下一提真氣，避開杖勢，長劍側進，橫裏削去，這一劍變出意外，刁全身不由己地退了一步，手中蛇頭杖，突然展開，剎那間杖影滾滾，勁風呼嘯，攻了過來。

他在眾目睽睽之下，被迫得退了一步，心中羞怒交加，揮杖搶攻。

展葉青長嘯一聲，領動劍訣，一道銀虹，疾射入那滾滾杖影之中。

這是一場武林中罕見的惡鬥，但見杖影如山，裹著一道白芒，旋封撲擊，敵我難分。

無為道長雙目中神光如電，凝注場中，暗中蓄集了十成功力，只要一見師弟不支，立時全力出手搶救。

那身著紅袍，頭戴金冠的怪人，圓睜著一對三角眼，看著場中搏鬥，臉上是一片愕然神色，似是未料到武當一派中，除了無為和雲陽子外，還有這等年輕的高手。

一側觀戰的宇文寒濤和中州二賈，亦都看得暗暗心驚，想不到一個名不見經傳的年輕人，竟能和名滿江湖的大魔頭三陰手刁全，打一個平分秋色。

杖影縱橫，劍光旋轉，片刻之間，兩人已惡鬥了三十餘回合，仍是個不勝不敗之局。

那紅衣人一揚手中亮銀打穴钁，冷冷對著無為道長說道：「哪一位有興致，和兄弟玩上幾招？」

無為道長道袍飄飄，緩步行來，道：「貧道來領教幾招。」

忽聽一聲大喝道：「師兄且慢，待小弟先會會他。」

群豪轉目望去，只見雲陽子仗劍飛奔而來，身後緊隨著十二個中年道人，每人手中捧著一柄長劍，神色肅穆，大步行來。

雲陽子來勢奇快，一掠而至，距那紅衣人還有四、五尺遠近時，陡然停下了身子，長劍斜垂，肅然說道：「貧道武當門下雲陽子，領教高招。」

那紅衣怪人冷森他說道：「兄弟毒火井伽。」

雲陽子道：「聞名已久，今宵幸會，主不欺賓，請出手吧！」

毒火井伽冷笑一聲，道：「武當正大門派一向講究江湖禮數，兄弟草莽之人不懂這個。」亮銀打穴鑷一揚「天外來雲」，呼的一聲，點向雲陽子的玄機重穴。出手一擊，就是致命所在。

雲陽子長劍斜出，「金絲纏腕」，削向井伽的握鑷右腕，以攻迎攻，迫使井伽撤招。

毒火井伽冷哼一聲，道：「好劍法。」右腕一沉，避開劍勢，左掌疾拍而出，同時旋身欺進，亮銀打穴鑷「腕底翻雲」，呼的一聲，由下面捲襲而上。

雲陽子長劍，幻起一朵劍花，人卻疾退三步，但一退即進，側襲而上，劍勢綿綿而出，但見寒光電旋，劍花飄飄，上手就是連環八劍。

這一輪急攻，搶盡了先機，迫得毒火井伽連連後退。

但雲陽子八劍攻過，井伽立該振腕反擊，亮銀打穴鑷，有如靈蛇吐信，伸縮變化，極盡詭奇，招招指襲向大穴要害。

雲陽子凝神運劍，劍轉如輪，精芒閃閃，門戶封守得嚴謹無比。

宇文寒濤目光一轉，拱手對無為道長笑道：「道兄，可需要兄弟出手相助嗎？」

無為道長淡淡一笑，道：「不敢有勞。」

這時，那相隨雲陽子而來的十二個中年道人，已分別布成了兩座五行劍陣，舉劍待敵。

武當的五行劍陣和少林羅漢陣馳名天下，極少有人能在劍陣合圍中全身而退，這十二個道人，都是雲陽子由門下弟子中，十中選一而來，可算得武當門中下一代的精英，每人浸淫劍術，都有二十年以上的工夫，對五行劍陣，更是熟練異常，兩座劍陣，隱隱布成了合圍之勢。

冷面鐵筆杜九眼看大戰形勢已成，武當似是盡出全力，保護蕭翎，心中暗急，低聲對金算盤商八道：「老大，今宵來人雖然不少，但未必能是武當之敵，咱們難道等他們打出勝敗，才出手不成？」

商八道：「那三個銀灰勁裝、黑布包頭的人，不知是何許人物，等他們一動手，大戰必起，咱們就在混亂之局初成之際，動手搶人。記著，你搶人，我開道，一得手立刻突圍，千萬別讓五行劍陣纏上。」

這兩人暗用傳音入密之術，低語相商，算計雖然不錯，可惜那三個銀灰勁裝人，竟也似存心耗上，自從現身之後，始終一語不發，三人站成一個三角形，動也不動一下。

這時，展葉青和刁全的惡鬥，已漸入緊要關頭，蛇杖、長劍，愈打愈見辛辣，展葉青勝在劍招變化靈巧，刁全卻功力較爲深厚，扯成平手，成了一個全力死拚的局面。

雲陽子和毒火井伽，也是棋逢敵手，難分上下，雲陽子早聞毒火之名，如讓他施展出毒火之技，今宵勢非要吃大虧，是以長劍一路緊迫急攻，不讓他騰出手來，施展毒火暗器。

宇文寒濤仰臉望望天色已近四更時分，他別有用心而來，並未重視蕭翎，眼看雲陽子和展葉青都還有耐戰之力打下去，也非百招內可分勝敗，如不挑起一點熾烈的惡戰，今宵算是白跑一趟，約定之人，還沒見到，心中漸感不耐起來，目光一掃那三個銀灰勁裝的大漢，冷冷說道：「三位可也是為那『禁宮之鑰』來的嗎？」

他心知中州雙賈難纏，賈八又老奸巨猾，機智過人，說不定會弄巧成拙，不惹中州雙賈，卻找上了三個黑布掩面的勁裝大漢。

這三個銀灰勁裝之人，六道目光，一齊轉注到宇文寒濤的身上，那當先一人，冷冷說道：「是又怎樣？」

宇文寒濤道：「既然敢來武當山，又闖過重重攔截，絕非無名之輩，這般藏頭露尾，不覺著丟人嗎？」

那當先大漢道：「我們兄弟的事，不勞多費閒心。」

宇文寒濤笑道：「那不行，在下非得看看三位的真面不可。」右手一揚，快如電光石火，向當先一個大漢撲去，五指箕張，要扯他包頭黑布。

那大漢長劍一撩，刷的一招「簾捲西風」，向上削去，出劍之快，大大地出了宇文寒濤的意料之外。

宇文寒濤凜然躍退，避過一劍。

那大漢仍然站在原地，不肯追襲。

無為道長暗暗一皺眉頭，忖道：這三人不知是何來路，單看這出手一劍，只怕武功不在那毒火井伽和三陰手刁全之下。

只聽宇文寒濤縱聲大笑，道：「好快的劍招，就衝你出手這一劍，兄弟也得領教領教了。」揚手一掌，劈了過去。

那大漢長劍疾舉，迎著掌風劈出。

掌風過處，飄起那大漢衣袂，但他人卻依然站在原地未動。

宇文寒濤只覺那大漢揮來一劍中，暴射出一縷銳風直逼過來，心中暗暗吃驚道：這小子竟然能把內力貫注在劍身之上。

心中在想，雙掌卻連環劈出，內勁山湧，直撞過去。

那大漢接下宇文寒濤一掌，表面雖然裝作若無其事，其實心神大為震盪，只覺此人掌力雄渾，乃生平僅遇的強敵，見他雙掌交互劈出，心知難以硬擋，左掌一揚，迎著宇文寒濤的掌勢劈出，人卻急向旁側退去。

另外兩個銀灰勁裝人，一見同伴身子移動，似是已知他用心，但見兩人疾快地一轉，由三角形，排成一線，同時伸出左掌，抵在前面一人的背心之上。

原來，這三人施展上乘內功中傳力之法，合力硬接下宇文寒濤的掌勢。

兩股潛勁一接，霍然旋起一陣狂風。

宇文寒濤只覺一陣強大的反震之力，彈了回來，身不由己地退後了兩步。

就在四人硬拚掌力的同時，中州二賈也同時發動，商八一揮手中的金算盤，寶光閃閃的直向蕭翎撲去。

無爲道長大袖一揮，怒聲喝道：「兩位當真未把我武當派放在眼中嗎？」

商八金算盤向前一推，但見寶光流動，響起一陣劈劈啪啪之聲，口中卻哈哈笑道：「道長好雄厚的劈空掌力。」身子搖了一搖，硬把一掌接下。

冷面鐵筆杜九緊隨在商八身後，商八接下無爲道長一擊，杜九卻借勢躍出，右手執筆護身，左手一抄，抱起蕭翎，翻身一躍，騰空而起，直向外面衝去。

無爲道長怒喝一聲，大袖一揮，人如巨鶴，凌空而起。

忽見寶光耀目，商八一式「潛龍升天」，躍入空中，金算盤呼的一聲，直推過來。

無爲道長盛怒之下，右手一擺「手揮五弦」，直拍而出。

商八金算盤「逆水行舟」，硬向無爲掌上迎去。

但聞呼的一聲，商八連人帶算盤，橫飛出六、七尺外，落著實地。

無爲道長也在一招硬拚之下，真氣一懈，落在地上。

商八長歎一聲，道：「武當掌門，功力果然非凡，兄弟不是敵手……」

無爲道長冷冷接道：「如若當真讓你們把人搶走，武當派還有何顏在江湖上立足。」喝叱聲中，人已撲近商八，右手五指箕張，抓了過去。

商八挺著大腹，身軀肥胖，但動起手來，卻是靈活異常，身子一轉，避開無爲道長一擊，說道：「咱們兄弟血本有關，因此不得不動點心眼了，道長右手之上，已然中了劇毒，如著勉強運氣動手，不出十招，毒性即將發作。」

無為道長一掌迫得商八退了兩步，抬起右手一看，果見掌心五指之上，有著無數黑點。

金算盤商八接道：「兄弟早知道道長的武功高強，內力深厚，那尋常的暗器毒物，絕難傷得道長，因此，不惜工本，在算盤之內暗藏了化血銀針，此物出自西域天山一門，用千年寒鐵製成，細如牛毛，浸有奇毒，銳利可穿鐵石，縱然是金剛之軀，也難抵受得住，道長想必是早已聽說得了。」

無為道長低頭看去，果見手掌之上，一片紫黑，逐漸向手腕之上蔓延，連忙止住右臂行血，左手連揮，自點了幾處穴道，冷冷說道：「貧道可以斷去這隻右臂，決不受你們中州二賈的威脅。」

商八回目一顧，只見杜九左手抱著蕭翎，右手鐵筆飛舞，左衝右突，身外劍光重重，密如光幕，已陷入武當名震天下的五行劍陣之中，不禁暗暗叫苦。

突聞一聲慘叫，傳了過來，三陰手刁全突然倒拖蛇頭枴杖，疾躍而去。

毒火井伽聽得刁全慘叫之聲，心中一寒，疾攻兩招，一擋雲陽子的劍勢，騰身而起，一躍三丈，伸手去拉背後青銅管子。

雲陽子知那銅管之中，藏著井伽賴以揚名的毒火，此火惡毒無比，如若被他施放出來，勢必有人遭殃，心中大急之下，厲聲喝道：「鼠輩敢施毒火！」一提真氣，連人帶劍直飛過去。

他舉動雖快，但仍是晚了一步，那毒火井伽，已取下了背上的青銅管子。

就在千鈞一髮之間，一股暗勁悄然湧至，井伽悶哼一聲，打兩個踉蹌，手中那青銅管子，跌在地上，他想伸手去撿，但雲陽子已連人帶劍飛奔而至，劍光幻出朵朵銀花，當頭罩落。

毒火井伽來不及再撿地上青銅管子，條然飄退七尺。

耳際間響起三陰手刁全的陰沉之聲，道：「留得青山在，不怕沒柴燒，咱們走。」

抬頭看時，毒火井伽和刁全已藉機遁走，隱入夜色之中不見。

金算盤商八目光一掠場中變化，探手入懷，摸出一粒丹丸，道：「此藥可解那化血之毒，道長快請服下，再用氣迫住毒針，施用磁鐵吸出，以道長的功力，休養上一、兩天，大概就可以復元了。」

話至此處，聲音突然轉低，道：「謹防那宇文寒濤，道長雖然不在江湖上走動，但卻弄巧成拙，因他這份神秘，更增加了你的重任，道長任重道遠，切不可輕賤生命，在下言盡於此，我要走了。」一揮手中金算盤，直向五行劍陣之中衝去。

雲陽子長劍一振，挾一陣道袍飄風之聲，衝了過來，寒芒一閃，直點商八背心。

商八回手一掄，寶光閃動，響起了一聲金鐵交鳴，擋開雲陽子手中長劍。

雲陽子只覺右臂微微一麻，心頭暗暗吃驚，忖道：中州二賈之名，果不虛傳，功力尤在那毒火井伽之上。心中在想，手中的劍勢未停，刹那之間，連續刺出三劍。

商八掄動手中金算盤，劈劈啪啪聲中，硬接下雲陽子的劍勢。

無爲道長手中托著商八交來的藥丸，沉思片刻，突然仰臉吞下，沉聲說道：「師弟，散開五行劍陣，放他們走。」

雲陽子怔了一怔，長劍領動，化解開五行劍陣。

商八低聲說道：「有勞道兄。」

揮動金算盤，當先開道，衝出圍困，轉眼間，消失於夜色之中。

三元觀中，雖仍有重重攔截，但兩人武功高強，武當弟子又早奉令諭，不可死拚，不到頓飯工夫，兩人已闖出了三元觀。

冷面鐵筆杜九回首望著三元觀，長長吁一口氣，道：「牛鼻子老道那五行劍陣，果然是厲害得很。」

商八無限感慨地長歎一聲，道：「老二，做完了這筆買賣，咱們也該洗手歸隱了。」撩起長衫，放好金算盤，當先大步而行。

兩人放腿一陣疾奔，天色黎明時分，已到武當山下。

商八霍然停下腳，回頭問道：「老二，那娃兒怎麼了？聽不到一點聲息？」

杜九道：「我點了他的穴道。」

原來蕭翎被杜九抱起，不停揮動手腳掙扎，在強敵環攻之下，杜九只好點了他的穴道。

商八舉手連揮，推活了蕭翎的穴道。只聽蕭翎長吁一口氣，睜開了雙目。

這時，天色已亮，晨曦中，景物清晰可見。

蕭翎轉動一下大眼，望了兩人一眼，冷冷地說道：「可是你們兩人帶我出來的？」言詞之間，不大客氣。

杜九道：「難道那幾個牛鼻子老道，還能真的攔住我們兄弟不成？」

蕭翎道：「你們的武功很好，竟然能在三元觀中，把我搶了出來……」

杜九道：「中州雙賈，數十年來的金字招牌，豈是容易闖得的嗎？」

蕭翎道：「你們兩人武功雖然高強，但作事霸道，爲人險惡，我不喜歡……」

啇八哈哈一笑，道：「小娃兒，咱們毫無加害之心，我揹著你趕路吧！」

蕭翎雙目圓睜，道：「我有兩隻腳，自己會走。」大步向前行去。

蕭翎憑著銳氣，竟然一口氣走出了七、八里路，但他身體虛弱，豈能久支，行來大是不易，只累得滿臉汗滾如雨，衣褲盡濕，兩腿一軟，栽倒地上。

啇八伸手一把抓起蕭翎，笑道：「孩子，累了吧？」

蕭翎舉袖一抹臉上汗水，掙扎著叫道：「放開我！」

杜九一皺眉頭，道：「老大，這娃兒個性倔強，我瞧還是點了他穴道帶他走吧！」也不容啇八答話，伸手點了蕭翎的睡穴。

九　撲朔迷離

蕭翎在暈迷之中，不知過去了多少時間。

待他醒來之時，見自己正臥在一木榻之上，耳際間水聲奔騰，不知置身何處。

轉目望去，只見商八面含微笑，停身在木榻旁側，說道：「娃兒，睡醒了嗎？可要吃點東西？」

蕭翎一挺身，坐了起來，道：「這是什麼地方？」

商八道：「長江之中，咱們現在一艘大船之上。」

蕭翎只覺頭重腳輕，眼前金星亂閃，但他仍然下了木榻，手扶船板，向艙外行去。

行出艙外，一陣江風吹來，神智陡然一清。

艷陽高照，水天一色，江流滾滾，浪花翻白，遠處帆影點點，心胸爲之一闊，自己正停身在一艘雙桅巨帆的大船之上，行駛在江心之中。

身後傳來商八柔和的聲音，道：「孩子，江風甚大，你要站穩了腳跟。」

蕭翎回頭望了商八一眼，凝目沉思不言。

商八只覺他目光變化不定，似在想著什麼心事，不禁微微一笑，道：「孩子，你在想什麼心事？」

蕭翎道：「我在想我雖然不喜你們爲人，但你們也不算很壞的人，日後我如練成武功，不殺你們就是。」

艙門口人影一閃，冷面鐵筆杜九已到甲板之上，冷冷一笑，道：「娃兒，這當今之世，只怕還找不出能夠教得你，能殺了我們的師父。」

蕭翎忽然想起無爲道長，聽到那北天尊者之名後的緊張神色，當下衝口而出，道：「那北天尊者如何？」

商八呆了一呆，道：「北天尊者，你在哪裏聽到了他的稱號？」

杜九冷哼一聲，道：「小娃兒，滿口胡言，那北天尊者，早已死去多時，難道又還魂重生不成？」

蕭翎道：「好吧！你不信，那就算了。」

商八卻是神色凝重地沉思片刻，道：「孩子，你當真見過那北天尊者嗎？」

蕭翎道：「自然是真的了，我爲什麼要騙你……」

忽聽櫓聲咿呀，一隻小船破浪而來，將近大船時，突然飛起一條人影，撲向蕭翎。

商八怒喝一聲，一掌劈去。

蕭翎身子虛弱，吃那掌力蕩起的風勢一逼，雙腳站立不穩，一個觔斗，栽入了那滾滾江流之中。

那躍飛向大船的人影，突然一個大轉身，直向那波濤洶湧的江流之中落去。

中州雙賈武功雖然高強，但兩人不解水性，眼看那人投入水中不見，只有乾瞪眼的份兒。

轉眼望去，只見那小船後梢之上，端坐著一個身披簑衣，頭戴竹笠的大漢，背對大船而坐，看不清他的面容。

只見他一手掌舵，一手支頤，小舟在滾滾江流之中起伏不定，但始終保持著穩定的航向，保持著和大船的距離。

冷面鐵筆杜九低聲說道：「那身著簑衣的人，絕非正當來路，我先去把他生擒回來……」

商八道：「老二不可……」

杜九動作奇快，商八話剛出口，他人已飛起了一丈多高，懸空一收雙腿，變成頭下腳上的撲向那小舟之上，人未落地，右手五指，已向那身披簑衣的大漢抓去。

眼看五指就要搭上那大漢的肩頭，那大漢突然一伏身子，險險讓過一擊，人卻借勢躍入江流之中。

杜九這一招「飛鷹搏兔」的身法，可算得到了爐火純青之境，飛躍撲擊之間，不帶一點聲息，那大漢竟能夠在指力近身之際，險險避過，杜九立時警覺到，遇上了勁敵，當下一提真氣，雙臂一振，雙腳先踏在船頭。

他生平不知水性，此刻生怕那簑衣大漢突然自水中冒起，趁機將他翻落水中，是以身形不敢在小船之上停留，竟在這滔滔江水之上，施展「大力千斤墜」的內家絕頂身法。

但見他身形落處，那小船竟隨之向下猛然一沉，兩旁江水，湧泉般飛濺而起，杜九的身形，也藉著這一踏之勢，沖天而上。

放眼望去，宛如一尾藍色鯉魚，突然自如山江浪中躍出，凌空一個轉身，藉著雙臂一掄之勢，掠上了大船，雙足一沾船板，身形立刻穩住，雙掌護胸，目光四掃，不敢有絲毫大意，顯然，直到此刻，他還是生怕那大漢自水中突施襲擊。這冷面鐵筆多年來未在江湖栽過觔斗，端的不是僥倖，膽大心細，處處謹慎。

哪知過了約莫一盞茶時分，非但蕭翎蹤影不見，那兩個投入江中的大漢竟也未再露面。放眼眺望，只見大江濁浪滔滔，奔流東去，那小舟已然翻覆，在江流中緩緩打轉。

此刻雖是午後，但殘冬未盡，江面甚是淒清，除了這一大一小兩艘船外，附近一里之內，卻瞧不見別的船隻。

商八、杜九兩人對望了一眼，面上都現出驚奇之容，杜九沉聲道：「老大，你瞧他三人若是自水中鑽出，咱們會瞧不見嗎？」

商八微微一笑，道：「咱們兄弟又不是瞎子，怎會瞧它不見。」

杜九沉聲道：「既是如此，他們顯然是還未出來。」

微一沉吟，接道：「這兩人既是有備而來，水性必是十分精通，想必不會在水中淹死。但那蕭翎如何能在水中悶得許久，怎地直到此刻，還未出來？」

只見商八俯首沉吟半晌，方自緩緩道：「老二，你快去下游巡視一下，那兩人可是帶著蕭翎自水底潛至下游上岸，你我卻在此呆等，豈非冤枉。」

杜九心頭一震，道：「小弟遵命。」微一挫腰，身形突又躍起。只見他去勢有如海燕凌波，身形一閃，又自躍上了那隻小船。

小船舟底朝天，難以操槳，但船身覆在水面上，船艙與江水間有一段中空，卻是穩妥已極，再也難以沉覆，杜九既不識水性，亦不識操舟，這覆舟對他來說，實比不覆還要好許多。

商八見他身形落下，方才微微一笑，道：「去吧！」揚手揮出一股掌風。

這掌風看來並不凌厲，但力道之大，卻令人難以置信，那小船竟隨著他揮手之勢，箭一般順流竄下，杜九回首一笑，氣貫丹田，反手又是一掌擊向船後的江水，江浪山湧而起，小船自然向前竄去，他接連揮掌，小船順流而下，端的快如離弦之箭，船後江水此起彼落，波濤如龍，景象更是壯觀。

商八卓立船頭，眼見小船順流飛奔，目光四掃，不敢絲毫鬆弛，他早已令那艄公掌穩了船，讓大船在水中打轉，那兩條大漢只要稍一現身，商八的暗器與掌風便要令他們浮屍江上。

商八面色越來越沉重，雙眉也皺得更緊，直到黃昏時分，杜九方自雇了條小型快舟回來，兩人面面相覷，良久良久，都說不出話來。

杜九神色疲倦，似已累得精疲力竭，顯然，他在下游搜尋得必定十分辛苦，但他素性不喜多言，只沉聲說了句：「找不著。」

商八知道他必已盡力，也不問他。

他兩人行走江湖多年，雖非事事稱心，但似今日這樣的棘手，卻是生平從未遇到。

江船順流而下，那艄公探首數次，方才壯起膽子問道：「兩位要在哪裏泊岸？」

金算盤商八冷哼一聲，揚手一掌，劈在那江面之上，登時波翻浪湧，滾滾濁流中，湧起了一個巨大的水柱。

那艄公暗叫一聲：我的媽呀！縮回頭去，哪裏還敢多問。

只聽商八縱聲長笑，聲如龍吟，直沖雲漢，良久之後，才收住大笑之聲，臉色嚴肅地說道：「老二，咱們數十年的金字招牌，想不到竟然砸在了兩個名不見經傳的人物之手，如今不論蕭翎生死，如果咱們不能帶他回去，還有何顏去見那岳小釵呢？」

他平常之時總是面帶微笑，不論遇上何等大事，始終不動怒火，但此刻卻似完全變了一個人般，一張圓團團的臉上，暴起了一片紫紅，雙目圓睜，激動、憤怒，完全流露於神色之間。

這中州雙賈在江湖之上走動，雖然處處謀利自飽，但卻從未失信於人。一言既出，絕不更改，武林道上對兩人這堅守信諾舉動，早已有了極深的認識，只要中州雙賈一句話，那是無不堅信，兩人也以此沾沾自喜，奉作金字招牌。此刻蕭翎沉江失蹤，生死不明，也是商八對岳小釵許下的諾言，無法兌現，他一生以此自重武林，這時，頓覺豪氣盡消，無顏面再在江湖之上走動。

杜九長長歎息一聲，道：「事已至此，大哥也不用太過自責。」

商八突然抬起頭來，一雙炯炯的眼神，凝注在杜九的臉上，接道：「老二，咱們兄弟合夥數十年，歷生死共患難，可算是情重骨肉，想不到數十年的英名、信用，竟然毀於一旦，為兄已有了自處之道，但卻不願強迫兄弟，和我同走此路……」

杜九激動地說道：「大哥說的什麼話，中州雙賈，有如秤不離錘，錘不離秤，大哥請說明咱們應走之路，做兄弟的皺上一下眉頭，那就算不得堂堂七尺男兒。」

商八一拍大腿，道：「好！咱們砸了招牌，那就是無顏再在江湖之上走動了，從此刻起，江湖上算是沒有咱們兄弟兩人，更別提去見那岳小釵了，我要易容改裝，追查那蕭翎下落，一日不得蕭翎，咱們就一日不復中州雙賈之名……」

杜九道：「如若蕭翎淹死在江中呢？」

商八哈哈一笑，道：「那咱們中州雙賈之名，也算隨著那蕭翎，永沉於滔滔的江流之中。」

杜九道：「好吧！反正咱們和那岳小釵相約之言，也未確定日期，十年、八年，也不算失信於她。」

商八心念既經決定，激憤之情，大為消減，回顧了駛船的艄公一眼，道：「船靠江岸。」那艄公適才見到兩人身手，哪裏敢分辯半句，明知不是碼頭，強行靠岸，要冒著觸礁之險，但也只有硬著頭皮向江岸靠去。

商八似是急欲下船而去，距江岸還有兩丈多遠，突然縱身而起，有如巨鳥凌空，飛落到江岸之上。

杜九掏出一錠黃金，放在甲板上，緊隨裔八身後，飛落江岸。

這是一段十分荒涼的江岸，放眼一片碎石、淤泥，數里內不見村落。

三株古老的垂柳，並生在一處，矗立在江岸上。

裔八望了那古老的三株垂柳一眼，緩步走了過去，暗運內力，揮指在正中那株老柳之上寫道：

成化十一年二月二日，蕭翎在此落江，中州雙賈留書。

金算盤裔八寫完之後，仰天大笑一陣，道：「這行留書，算咱們兄弟給那岳小釵的交代，也給那些有心奪取那『禁宮之鑰』的武林同道一個無法揭開之謎。」

杜九道：「不錯，多邀一些武林人物，陪陪咱們兄弟，找找那娃兒的死活。」

裔八仰臉望著西沉落日，突然縱聲長嘯，轉身疾奔而去。

且說那蕭翎被裔八劈出一掌帶起的掌風，震落江中，只覺全身一涼，直向下面沉去，暗叫一聲：完了！

他雖生來身體虛弱，但性格倔強，堅毅過人，在這生死之間，心神不亂，閉住呼吸，隨著那滾滾的江流，忽沉忽浮，正感氣悶難支，忽覺身體被人一把抱住，向上升去，同時有一根竹管，伸入了口中。

蕭翎正覺得難過，立時借那管子，吐出一口悶氣，但感身子被人抱著，在水中游行，江水混濁，雙目難睜，無法看清那人，但口中借那竹管呼吸，並無氣悶難過之感。

蕭翎身子被人抱住，也不知在水中泡了多久，但感全身愈來愈冷，手腳都已凍僵，浮出水面時，全身已難掙動。

但他神志尚還清醒，覺著被人放在榻上，脫去衣服，蓋上棉被，身子逐漸回暖。睜眼看去，自己正臥在一座小艙之中，天色早已入夜，艙中點著一支燭火，一個身披簑衣的老者，年紀五十上下，留著山羊鬍子，正和一個三旬左右，身著黑油布水靠的大漢，對坐喝酒。兩人的菜餚十分簡單，一盤魚乾，一盤炒花生，便盛酒的杯子，也是吃飯的大碗。

蕭翎伸動一下手腳，暗暗忖道：看來這兩人，也不是好東西，八成也是追問那「禁宮之鑰」的人。

當下轉過臉去，不望兩人。

這兩人也不和蕭翎多言，吃完酒，立時起碇行去。

蕭翎睡在艙中，但聞怒潮澎湃，水聲隆隆，小船似是逆水而行。

他的身體本已虛弱，在水中泡了幾個時辰，早已疲累不支，暈暈糊糊地睡了過去，醒來已是紅日滿窗。

那身披簑衣的老者，送來飯菜，打量了蕭翎一眼，放下菜飯，離艙而去。

蕭翎腹中飢餓，只好坐起身來自用，那兩人很少進艙，一日過去，也未與蕭翎說一句話。

天色漸漸入夜，滿天繁星，捧出來一輪明月。

那大漢走進艙來，道：「下船了。」

也不容蕭翎說話，一把抱起，揹在背上，跳下船向前行去。

藉著月光看去，只見那人手足並用，向一座峭壁之上爬去，回頭探視，峭壁千尋，江河奔騰，景象嚇人。

那人動作甚快，爬了一頓飯工夫，已然將近峰頂，卻不料他突然向右一折，轉入了一個黑暗山洞之中。

蕭翎早已把生死置之度外，心中倒很坦然，只覺那人左彎右轉，走的速度甚快，行了很久，才陡然停下來，用手向前面一推，呀然聲中，眼前忽然一亮。

那大漢放下背上的蕭翎，整了整衣衫，肅容而立。

蕭翎打量四周一眼，但見這座石室，不過兩間房子大小，頂上高吊著一盞琉璃燈，四壁瑩瑩如玉，室中除了一張松木椅子之外，別無陳設，心中暗暗奇怪，忖道：這人把我帶入這山洞之中，不知是何用心？

正忖思間，突聽一陣輕咳，石室的一角，緩緩開啓出一扇門來，走出一個青衣少年。

那身著黑衣的大漢，欠身對那少年一禮，說道：「幸不辱公子之命。」

青衣少年一揮手，那大漢退了出去，回手帶上了石門。

石室中，只餘下蕭翎和那青衣少年二人，只見那青衣少年一招手，低聲說道：「小兄弟，你不要害怕……」

蕭翎一挺胸，道：「我不怕。」

青衣少年先是一怔，道：「你的膽子很大，家父特令人請你到此，只不過想向你打聽一件事情，只要你據實而言，絕不會傷害於你。」

蕭翎道：「你們儘管問吧！」

那青衣少年舉手一招，道：「小兄弟請隨我來。」

蕭翎隨在那青衣少年身後，進了那啓開的石門。

這間內室，比外間大了很多，靠後壁處，有一張椅子及鋪著虎皮的木榻，榻上面側臥著一個老人，身上蓋著棉被，看樣子，似是正在臥病。

青衣少年輕步行近木榻，低聲說道：「爹爹。」

只聽榻上老人長長吁了一口氣，緩緩轉過身子，道：「扶我起來。」

青衣少年雙手齊出，扶那老人坐起來，拉一下棉被，圍在他身上。

蕭翎凝目望去，只見那老人骨瘦如柴，全身只餘下皮包骨頭，但骨骼粗大，想他當年未病之前，身軀定然十分魁梧。

那老人兩道目光，凝注在蕭翎的身上，望了一陣，說道：「孩子，你識得岳雲姑嗎？」

蕭翎心中暗道：這人忽然提起我雲姨，不知是何用心？

口中卻朗朗應道：「自然識得了，那是我姨母。」

瘦老人一皺眉頭，道：「你叫什麼名字？」

蕭翎道：「我叫蕭翎。」

瘦老人道：「江湖之上盛傳那岳雲姑得到了『禁宮之鑰』，此事是真是假？」

蕭翎道：「自然是真的了。」

他答話坦然、乾脆，倒是大大地出了那瘦老人的意外，呆了一呆，又道：「她得到『禁宮之鑰』，可是天下武林之敵，不知她此刻身在何處？」

蕭翎黯然一歎，道：「死了……」

那枯瘦老人臉色忽然大變，道：「這江湖傳說她逝世之訊，是當真了？」

蕭翎道：「是啊！雲姨雖死去，但面目如生，除了不會說話、行動之外，和活著一般無二。」

那枯瘦老人心情似是受到了巨大震撼，熱淚盈眶，神色淒傷，低聲對蕭翎道：「孩子，那岳雲姑可有子女嗎？」

蕭翎道：「有一位姑娘。」

枯瘦老人一揮手，說：「你去休息吧！江湖之上，到處張滿羅網，追查你的行蹤，但在此地，你可放心地玩耍，不要擔心了。」

蕭翎心中甚多疑竇，正待出言相詢，那青衣少年卻忽然伸出手來，抓住蕭翎右腕，道：

「小兄弟，我帶你去休息吧！」

也不容蕭翎答應，硬把他牽出石室。

這山腹密洞，半出天然，半由人工修整，到處是開闊的石室，那青衣少年，帶著蕭翎繞行一陣，揚手指著一間石室，說道：「這間石室，就是你養息之處，進去瞧瞧吧！有什麼事，你招呼一聲，自會有人過來效勞。」

這青衣少年，對蕭翎似甚厭惡，也不待蕭翎答話，立時轉身而去。

行出室門，突然停了下來，回顧蕭翎說道：「你最好學安分一些，不要亂跑，免得招惹了殺身之禍。」

蕭翎道：「什麼事？」

那青衣少年道：「告訴你，你也不懂，你只要記住，除你室中之物以外，不論見到什麼稀奇古怪的事物，都不要妄生亂動之念，那就夠了。」轉身急行而去。

蕭翎望著那消失的背影，心中不自禁地生出強烈的反抗意識，暗道：你不讓我看，我偏要到處瞧瞧不可。

他生性倔強，想到就做，緩步離開石室，沿著石壁向裏行去。

這山腹石洞，岔道雖多，但要屬主洞最爲廣大，蕭翎信步而行，不知走了多少時光，穿行過多少岔道，忽聽轟轟隆隆，水聲奔騰，不禁心中大奇，暗道：這石洞之中，哪來的水勢奔騰之聲？

忖思之間，那石道已到了盡處，奔騰的水聲，也更加清晰，似是就在石壁外面。

蕭翎伸手摸去，石壁上生滿了青苔，這地方不但人跡罕至，而且異常陰濕。

忽然間，手指觸到了一塊突出的石頭，微一用力，那石頭竟然有些活動。

蕭翎心頭大急，不自禁用力一旋。

只聽一陣軋軋之聲，傳入耳際，整個石壁，開始動搖起來。

蕭翎大驚，駭然而退。

忽然間亮光透入，水氣拂面，那當前的石壁，竟然裂開一扇門來，敢情那突出的石塊，是這暗門機關的樞紐。

開裂石門之外，有一條倒垂的寬大瀑布，整個的石門，都在那瀑布籠罩之下，聲勢奪人，蔚爲奇觀。

蕭翎瞧了一陣，忍不下好奇之心，緩步向前行去。

這座石門，寬約三尺，蕭翎雙手扶石壁，探首向外望去，只見峭壁千尋，下面是一道深不見底的絕壑，瀑布由山峰上直垂下來，因水勢太過猛烈，衝力奇大，一瀉而下，看上去，有如一道水簾，垂在洞口，其實相距石洞還有一丈多遠，除了可見日光隔水透入之外，景物盡被那水簾擋住。

蕭翎正自看得入神，突聽一聲輕微的冷笑傳來，道：「哼！自尋死路……」

蕭翎還未來得及回頭瞧瞧那發話之聲，忽感全身被一股輕微的潛力一推，身不由主地衝出洞口，直向那萬丈絕壑之中沉落下去。

那勁道用得恰當無比，只把蕭翎推出洞口，讓他貼著石壁向下落去。

激瀑澎湃，濺飛出濛濛水霧，石壁間一片潮濕，青苔盈寸，滑溜無比，別說蕭翎是個絲毫不懂武功之人，就是身負絕世武功，也難在這等峭壁青苔間，停留剎那。

下望絕壑，瀰漫著一片濛濛水霧，正不知多深多遠。

蕭翎暗暗歎息一聲，道：完了，絕壑千丈，摔下去，勢非粉身碎骨不可。

他生具絕症，幼小之時，就一直面對著死亡的威脅，這些時日，連經凶險，生死的事，在他已看得十分輕淡，心中雖知摔下去，屍骨無存，但卻毫無死亡的恐懼。

生命中潛在的求生本能，使他明知在無望中，仍不甘束手待斃，不停地伸手亂抓。

忽然，他似覺出抓住了一件事物，只是那物件十分柔脆，無法擋住他疾衝而下的身體，一衝之間，立時折斷。

頓覺無數柔脆之物，擋住了身子、手臂，紛紛折斷，但經此一擋，他衝落之勢大見緩慢。

忽然間，覺出向下衝落的身子一頓，雙腳之上似是受了重重一擊，不自主兩腿一分，似是騎在了一塊冰冷的石筍之上。

蕭翎定定神，仔細看去，只見自己正騎在一條突出的石筍之上，這石筍橫生在千尋峭壁之間，粗如巨碗，長不過三尺，在石筍的周圍，生滿了白色菌形植物，每一株不過三寸，莖桿淡紅，細如線香，頂端形如張傘，大的有如人掌，小的直徑盈寸。

下面是絕壑千丈，上面是水瀑簾天，除了那銀白的菌狀物外，觸目一片青苔。

這真是上不見天，下不著地，前無古人，後無來者的一處險惡之地。

那激射而下的瀑布，到此散佈得更見遼闊，橫面足有一丈六、七尺寬，水霧更濃，片刻間衣履盡濕。

蕭翎驚魂甫定，剛剛脫離了死亡的邊緣，好奇之心又動，暗道：奇怪，這峭壁遼闊數百丈，爲什麼其他之處不見生物，只有這根石筍附近才生出這些菌狀物來？

原來那紅莖白蓋的菌狀物，只生在這突出石筍周圍三、四丈內。

蕭翎伸手向壁間摸去，竟然覺出停身壁間，甚是鬆軟，心中暗道：是啦，這一片山壁，含的土質最多，才會生出這些菌狀物來。

衝動的好奇逐漸消失，天色也忽然暗了下來，原來太陽爬過了山峰，光線忽的暗淡許多。

蕭翎只覺腹中飢腸轆轆，甚是難耐，忍不住隨手採了一株白菌，放入口中。

入口之後，但覺一陣清香直透肺腑，口中微微覺著一股甜味，竟是香甜可口，十分好吃。

蕭翎一口氣吃下了七、八株，腹中的飢餓，才覺消去，心中暗道：如今是食物暫無可慮，這石筍四周生的白菌最密，雙手所及之處，也可以吃上個三、兩天，眼下憂慮的是如何能抵禦夜間寒冷，和怎生設法離開這個地方。

天色漸漸地黑暗下來，風勢轉強，那激射而下的垂瀑，吃那強勁的夜風吹襲，不時飛濺過來一片濃重的水珠，打在蕭翎的身上。但也全憑寬闊的垂簾，擋住了那吹來的寒風。

寒夜漫漫，絕壑幽深，除了那聲如雷鳴的激瀑聲之外，只有那呼嘯的夜風伴著孤獨淒涼的蕭翎。

他靠在山壁間，閉上雙目，按照岳雲姑授與他的內功口訣，運氣調息起來，希望借運氣調息之力，擋受寒夜的淒冷。

出於他意外的，並未覺得如何的寒冷，漫漫一夜，就在他調息中過去。

天色大亮了，金黃色的陽光，照在峭壁上，蕭翎又覺著腹中有些飢餓。

隨手採來幾株白菌，吃了下去，又要等待另一個黑夜降臨。

淒涼的日子，痛苦的熬煎，就這般度過三天三夜。

蕭翎又覺到腹中飢餓，但這石筍左右的白菌早已被他食用乾淨，附近白菌雖然還有很多，但已非蕭翎能夠取得。

潛在的求生本能，使他開始尋思延續生命的方法，他脫下衣服，撕成布條，連接在一起，一端綁在石筍之上，一端綁在自己的腰間，緩緩向下滑去，採得一些白菌，重又攀索而上，騎在石筍之上，心中暗暗想道：這白菌雖多，但總有食完之日，我縱然不被凍死，亦必被活活餓死，何況這峭壁石筍之上，只要一個失神，摔將下去，亦自是非死不可。想來想去，也是想不出一條活路來，只有過得一日算一日了。

匆匆數日，那石筍下面的白菌，又已食完，上面和左右兩側，餘量雖豐，但蕭翎卻已無法取得，屈指算來，在這上不見天，下不見地的峭壁之間，竟然是度過了十日十夜。

這日黎明，天氣忽的大變，風雨交加，雷鳴電閃，驟雨和那激射的瀑布連結，天地間一片渾沌。

蕭翎已數日未食，腹中早有飢餓之感，但精神卻是極為健旺，他上衣早已撕去，結做索繩，用做取食之需，但並未感受到寒冷。

這場暴風雨來勢猛惡，一連下了三、四個時辰之久，才停了下來，雖然僅幾個時辰，但在蕭翎的感受之上，卻如過了幾年一般。

狂風驟雨，來勢迅急，但去勢亦快，片刻之後，風住雨歛，日光重現。

蕭翎在這怒瀑懸崖之間停了十餘晝夜，長了不少經驗，一看日光，已知是午時過後不久。

原來這絕壑四面高山拱圍，一日之中，只有兩個時辰可見到日光。

蕭翎仰臉望望上面的白菌，腹中更覺飢餓，忖道：怎麼想法子採它幾支下來，以療飢餓。

心念轉動，人也不自覺地站了起來，左手向壁間抓去。

只覺石壁一軟，一片沙石應手而下，五指竟是深入石壁之中。

蕭翎心中大喜，暗道：原來這石壁如此柔軟，右手一抓，又深入石壁之中，微一用力，身子升高了甚多，抽出左手，採了幾支白菌，又落在石筍之上。

身子剛剛轉過，尚未坐下，一片水珠急射而來，緊接著一團黑影，急衝而至，蕭翎還未看得清楚，那黑影已落在了石筍之上。

那黑影雖然落在石筍之上，但卻似站立不穩，搖搖欲墜，蕭翎伸手一把抓去，只覺入手一片柔軟，原來是一隻大鳥。

那大鳥得蕭翎一扶之力，才收斂好雙翼，穩穩地站立在那石筍之上。

蕭翎看那巨鳥，站在石筍上，仍是高達胸前，如若是揚起頭來，還要高過自己，蕭翎幼習雜學，看那巨鳥雄偉，頗似書中記述的大鵬一般，心中不禁一喜，暗道：如若我蕭翎不是被困在這峭壁之間，如何能見得此鳥。

忽然發覺那巨鳥垂首閉目，似是染上重病，奄奄一息。

這時，蕭翎的右手仍然抓著那大鵬羽毛，用力一拉，竟把那大鵬拉近身前，卻不料那巨鳥突然張開口，搶吃了一支白菌。

蕭翎心中忽生憐惜，原來這隻大鵬是餓壞了，把採得的幾支白菌，盡行給牠服下。

那大鵬連食了六、七支白菌之後，忽然精神大振，仰首長鳴，聲音嘹亮，震得蕭翎耳間嗡嗡直響。

蕭翎吃了一驚，暗道：這白菌怎得如此神效，這巨鳥大病奄奄，眼見將死，食得幾支，精神盡復。他本是聰慧異常之人，這一聯想，覺著這些時日，十幾個白晝夜晚，只不過倚在石壁間，稍作養息，既不畏山間陰寒，又不覺疲累，扯衣結索，垂首採菌，指入石壁，借力而升，這片石壁雖是土砂凝結不夠堅牢，但亦非自己往日所能，想來都是食用這白菌之力……

那大鵬精力恢復，振動雙翼，似欲飛去。

蕭翎心中一動，暗道：這大鵬鳥染得重病，飛來此地，取食白菌，這一去不知幾時再來，這是千載難逢的脫身之機，何不借這大鵬離此絕境。

念轉心動，低聲說道：鵬兄，鵬兄，有勞你帶我一下，離此絕境了。

右手解去結在石筍上的布索，抬腿跨上鵬背。

那大鵬張開雙翼，微一振動，呼的一聲飛了起來，穿過瀑布，雙翅疾飛，破空而去。

蕭翎坐在大鵬背上，但覺耳際風聲呼呼，心中大是驚駭，雙手緊緊地抱住鵬頸。

大鵬雙翅生風，壯觀奇麗，雖然駭人，但飛行得卻是極爲平穩，過了一陣，蕭翎膽子漸大，探首望去，但見群峰羅列，壯觀奇麗，生平未見。

忽覺身子有如隕星飛墜，直瀉而下，幾乎摔下鳥背，趕忙伸出雙手，抱著鵬頸。

原來，那大鵬束斂雙翼，直向一座深谷中瀉下去，待要落著實地之際，忽然雙翼一展，穩住了下墜之勢，輕靈地落在了實地之上。

蕭翎轉眼四顧，只見這深谷中青松蒼翠，綠草如茵，夾雜著無數山花，景物秀麗，暗暗喜道：原來這深山絕谷之中，也有這等好所在。

翻身下了鵬背，向一株巨松之下行去。

這巨松不知歷經了千百萬年，粗如磨盤，密枝茂葉，蔭地畝許，蕭翎行近松下，忽見一座木屋，倚松而搭，心中大喜，暗道：好啊！原來這裏早已有人住了。

那木屋半借巨松做壁，雙門緊閉，蕭翎大喜之下，直向木屋衝去，雙手用力一推，木門應手而開。

推開木門，似是才覺到自己太過莽撞，頓然停下，高聲道：「室中主人請恕晚輩無禮。」但聞室中傳出回音，竟是無人相應。蕭翎略一猶豫，舉步而入。

室中四壁蕭條，除了一張木榻，別無陳設，木榻上盤膝坐著一個面蒙白紗的人，蕭翎一步步行近木榻，那人動也不動一下。蕭翎心中納悶，暗暗忖道：這人不知是死是活，這般靜坐不動，口中卻高聲說道：「晚輩蕭翎，打擾老前輩的清修，這裏先謝罪了。」

那人仍是端坐不動，有如一座木雕的神像一般。

蕭翎心中有氣，想道：好啦！你裝聾作啞的不理，我也不理，看咱們哪一個先說話吧！退到木屋一角，盤膝坐了下去，竟閉上雙目，也自運氣調息起來。

待他運息完畢，已是黃昏時分，回頭望去，那人仍是端坐如故，蕭翎心想和他嘔氣，也不再出口喝問，只覺腹中又餓又渴，大步行出木屋。

這道山谷，氣候溫暖，生了甚多果樹，纍纍果實，滿谷皆是，大都是未聞未見之物，蕭翎爬上樹去，摘了幾個果實吃下，忽然想起那隻大鵬鳥來，滿谷不見蹤跡，不知已飛往何處。

這谷中別無存身之處，蕭翎只好又回到木屋之中，想起借宿別人之室，先得打個招呼，當下深深一揖，道：「晚輩流落在此，此谷別無宿處，不得已只有借住老前輩的木屋了。」

他自覺說過就算，也不奢望那人答應，退在屋角，倚壁睡去。

十　深谷授藝

蕭翎醒來天已大亮，看那蒙面人時，仍是原姿端坐，暗道：哼！你不理我，我也不再和你說話。

走出木屋，摘了一些水果吃過，又找了一處山泉洗洗臉，看陽光滿谷，景物更見秀麗，想到回那木屋中去，也是一人孤坐，不如在這谷中走走，遂信步行去。

這山谷不過百丈餘長，蕭翎雖是走得很慢，但也不過是片刻之間，已到盡處。

只見兩座山峰在此連接一處，一塊高逾兩丈的大岩石，擋在雙峰交接之點，蕭翎童心大起，繞過大巖，忽見一座石門，半啓半閉，心中喜道：好啊！這裏有座石室，如是可以宿住，那就不用借他的木屋了。

那石門開啓不過三寸，容不得一人通過。

蕭翎雙手用力一推，沉重的石門竟也應手而開。

他在無意之中，服食了許多極爲難得的千年石菌，氣力大增，只是他自己並不知道罷了。

這是座天然的巖洞，用人工加了一扇石門，巖洞甚淺，深不過兩丈，寬不足九尺，室外天光透射全室，景物清晰可見。

蕭翎仔細一瞧，不禁心中一跳，原來這巖中，也有一個身著黃袍的人，面對石壁而坐，不禁暗暗一歎，想不到這石洞也有人住了。

目光轉處，只見光滑的石壁上，畫了八幅人像，或坐或立，或臥或伏，姿勢各自不同，痕跡宛然，似是用刀刻在壁間。

除了八幅畫像和那面壁而坐的黃袍人外，這室內竟連一座木榻也沒有。

蕭翎繞過身去，想看看那人的面貌，但那人面頰極近石壁，鼻尖和石壁幾相接觸，除了搬動那黃衣人的身體之外，別無可想之法。

想到私自闖入了別人的安居之室，乃是太不禮貌的事，急急抱拳一禮，道：「晚輩蕭翎，無意之間，闖入了老前輩清修之室，還望恕罪。」

那面壁端坐的黃袍人，竟也是理也不理，端坐不動。

蕭翎心中有氣，忖道：怎麼這谷中之人，盡都是些不肯講話的怪人。

一陣山風吹了進來，飄起那黃袍人的衣袂，獵獵作響。

但那黃袍人仍是動也不動一下。

一個念頭，閃電般掠過了蕭翎的腦際，暗暗想道：這些人端坐在此地，既不見食用之物，也不聞呼吸之聲，我推門而入，滿室繞走，如是活人，那是萬萬忍受不住的，難道他們都是死了的人不成……

念頭一轉，又暗自思忖道：這山谷之中，定有蟲蟻之物，如是死人，豈有不招來蟲蟻之理？

這兩人是死是活，各有其理，在蕭翎心中盤旋不決，竟是無法料定。

忽然間，他想起了雲姑的死狀，也是這般盤膝而坐，面目如生，風華猶在，想這兩人，能到這重山隔阻，絕壁攔道，四面峭壁千尋，人跡難至的深谷之中，那自是身負絕世武功之人，縱然死去，也能和雲姑一般，保持著屍體不壞。

他雖然聰慧絕倫，但究是孩子之心，想到這些人孤苦伶仃的死在這大山深谷之中，連一個憑弔祭奠之人，也是沒有，不禁悲從中來，黯然泣道：「老伯伯，你們死在這等深山之中，終年山洞獨處孤寂，可憐連一個祭奠之人也是沒有，這深谷之中，沒有紙錢，我去採些生果，當做祭品，拜祭你們一番，聊表一番尊敬之心……」

說完，跑出石洞，採了一些生果，供在那老人身後，拜倒地上，說道：「老伯伯，我蕭翎給你叩頭了。」跪在地上大拜三拜。

他本是一時動了敬老之心，採來生果，做奠相拜，但想到此地四面絕壁，人跡罕至，今生只怕也將老死這深谷之中，再也難和岳姊姊見上一面，竟引動了心中的愁苦悲傷，忍不住放聲大哭起來。

他生性倔強，縱是遇上生死交關的大事，也是絕不落淚，但此刻情由心生，悲從中來，這一哭，直哭得哀哀欲絕，淚盡腸折，大有一瀉千里，不可收拾之局。

那面壁而坐，形如泥塑木刻，心似古井鐵石的黃袍人，似是也被蕭翎淒絕的哭聲所動，突然輕輕歎息一聲，黃袍顫動，回過身來，出指點在蕭翎的「下極」穴上。

蕭翎已哭得人如酒醉，感覺早失，那黃衣人歎息轉身，均無所覺，糊糊塗塗的被點了穴道，沉沉睡去。

那黃袍人點了蕭翎穴道之後，凝目沉思良久，才長長歎息一聲，伸出雙手，在蕭翎全身上下摸了一遍，說道：「倒是一副百世難得的習武之材，可惜生具三陰絕脈的缺陷……」

聲音微微一頓，哈哈笑道：「是啦，他如不生具三陰絕脈之症，似此等良好的習武之材，自是早被人收羅門下，哪裏還能遇得到老夫。」

這石室中只有他和蕭翎兩人，那蕭翎暈迷不醒，「可算只他一人了」，但他這般自言自語放聲而笑，生似和別人說話般，忽然一皺眉頭暗道：我們相約各自參悟絕學，我如相救此子，定然消耗不少時間，那一定比不過他們了。

一念至此，對蕭翎生出了極深恨意，想道：莫要是他們故意找這孩子，用來耗我參悟神功的時間，這計策果然毒辣，哼！此事誤我神功，留他不得！殺機上湧，揚起掌來，一掌劈下！

掌勢將要觸及蕭翎的天靈要穴，心中又是一動，暗道：他適才哭得腸折氣竭，淚盡血流，那絕非裝得出來，他誤認我已死去，採摘甚多生果，奠祭於我，是何等仁慈之心，我如一掌把他打死，那是終生一世，難以心安了。

再想到自己已是年登百歲之人，縱然悟通神功，也是難以再活多久時間，此子和我素不相識，這般待我，其情是何等深厚，倒不如把我這身武功，傳授於他，由他承繼我的武功，雖死猶生……

他心中念頭百轉，忽善忽惡，面上神色也隨著心念變化不定，忽而面湧殺機，忽而滿臉仁慈，可憐那暈迷在地上的蕭翎，已然數歷生死之劫，而不自知。

只見那黃袍老人面上的煞氣逐漸退去，代之而起的，是一臉慈祥笑容，望著那暈臥在身側的蕭翎，低聲說道：「孩子，你在我神功將通之際，來到此地，誤了我大乘之學，這究竟是緣是孽，連老夫也是無法分辨它了。」

兩手揮動，在蕭翎全身推拿起來。

他掌指所到之處，蕭翎全身的骨骼，一陣格格作響，陣陣白氣，由那掌心、指尖之間冒了出來。

那白氣越來越濃，片刻之間，籠罩了蕭翎全身，有如濃霧輕雲。這黃衣老人竟用出了數十年苦修而得的真元之氣，替蕭翎化解那與生俱來的三陰絕脈。

蕭翎穴道雖然被點，但他內藏功力未息，仍然有著強烈的反應，全身的肌膚，隨著那黃袍老人移動的掌指，微微地顫動。

足足有一頓飯工夫之久，那老人的臉上，開始泛出汗水，再過片刻，已然汗落如雨，但他仍然不肯停手。

汗水濕透了他的黃袍，滴在蕭翎身上。

直待他開始喘息起來，才停下兩手，長吁了一口氣，探手由懷中摸出了一個白玉瓶來，啓開瓶塞，倒出了一粒白色的丹丸，托在掌心，舉手拂拭一下頭上的汗水，望著那白色的丹丸，臉上泛現出無限惜愛之情，良久之後，才長歎一聲，托開蕭翎的牙關，把那粒白色的丹丸放入了蕭翎的口中，自言自語地說道：「孩子，你好好休息一會兒。」一掌拍活了蕭翎的穴道。

蕭翎突然睜開了雙目，望了那老人一眼，似想要開口說話，但他睏倦難支，話還未說出口，人已睡熟了過去。

醒來時，室中景物大變。只見石室一角處，火光熊熊，兩隻又大又肥的山雞，正架在火上燒烤，陣陣香味，傳了過來，身旁邊，坐著那銀髯垂胸的黃袍老人，面色慈和，望著他微微而笑。

蕭翎舒展一下臂腿，但覺全身舒暢無比，有如脫胎換骨，一挺身爬了起來，怔怔地望著黃袍老人，暗道：原來他沒有死……

只聽那黃袍老人笑道：「孩子，你醒了嗎？」

蕭翎道：「老伯伯，你還好好活著嗎？」他想到那老人面壁而坐的情景，目下雖然見他笑容慈和，明明是好好的人，但仍似不敢深信。

黃袍老人笑道：「自然是活著的人。」

蕭翎歎道：「老伯伯，你在深谷中很久了？」

黃袍老人道：「大概有三十年。」

蕭翎吃了一驚，道：「三十年，啊！好長的一段時光！」

忽然想到那木屋之中，白紗蒙面之人，當下隨著說道：「老前輩既然未死，想那木屋中的人，定然也是活的了？」

黃袍老人道：「你見過她了？」

蕭翎道：「我看她盤膝坐在木榻之上，面上垂著厚紗，看不出她是否還有氣在，你既然未死，想來那人定然也不會死了。」

黃袍老人笑道：「你想的不錯啊！要知內功深厚之人，再習過龜息之法，閉上幾個時辰的呼吸，那可算不得什麼難事。」

蕭翎無限羨慕地說道：「原來習武有這麼多好處！」

那黃袍老人道：「你可想學武功嗎？」

蕭翎沉吟了一陣，道：「想學，不過我要學世間第一流的武功。」

黃袍老人笑道：「那你算找對人了，當今之世，能勝過老夫之人，可算絕無僅有了。」

他雖已是髮鬚俱白，但因久年僻處深山，孤獨伶仃，仍然保有一些赤子之心。

蕭翎一皺眉頭，沉思不言。

黃袍老人道：「怎麼？你可是有些不信任老夫的話嗎？」

蕭翎道：「你自稱武功高強，世無敵手，那你比北天尊者如何？」

黃袍老人不由呆了一呆，接道：「那老魔頭的武功高強，盛名久著……」

蕭翎無限失望地說道：「那你是打他不過了。」

黃袍老人雙眉陡然一聳，道：「誰說的，老夫雖然知那老魔的凶名，但卻從未和他動過手，在老夫想來，他未必是我的敵手，至多打上一個半斤八兩。」

蕭翎抬頭望著那黃衣老人，目光中流露出無限敬佩之色，道：「老伯伯，你可要收我爲徒嗎？」

黃袍老人搖著手，道：「不成，我不能收你。」

蕭翎突然長歎一聲，道：「可是我說話得罪了你老人家嗎？」

黃袍老人笑道：「你如想學成第一流的武功，那就不能拜我爲師，但如你想學第二流的武功，那就快給老夫叩頭，拜我爲師。」

蕭翎呆了一呆，道：「我越聽越不明白了，老伯伯可否說明白些？」

黃袍老人哈哈大笑，道：「天機不可洩露，如果告訴你就不靈了。」言下面有得色，心中似是極爲歡暢。

蕭翎一時間想不出個中玄妙，抱頭苦思。

黃袍老人停下大笑之聲，目光投在蕭翎臉上，凝注了良久，叫道：「喂！小娃兒，這事不用想了，你想破腦袋，只怕也是想不明白，眼下倒是有一件重要之事，咱們先要商量一番，咱們非親非故，我如傳你武功，豈不是太吃虧了。」

蕭翎道：「那樣怎麼辦呢？」

黃袍老人道：「老夫吃一點小虧，收你做個乾兒子吧！」

蕭翎怔了一怔，忖道：你收我做爲弟子，父子、師徒輩份如一，你哪裏吃虧了。

那黃袍老人看蕭翎滿臉迷惘之色，神色間更是得意，笑道：「老夫如不告訴你，那你是永遠想不明白了，如論老夫的年歲，做你祖父，也不爲過，我收你做爲義子，豈不是吃了虧嗎？」

蕭翎暗暗笑道：原來如此，他既這般斤斤計較輩份，想來他在武林之中，定然是一位輩份極高的人物！

只聽那黃袍老人接道：「還有一件事，你必須先答覆老夫，我才收你做爲義子，那就是，你學會老夫武功，日後在江湖上行走之時，不論遇上武功何等高強的人物，只要他是活人，那就要和他平輩論交，不能讓老夫吃虧。」

蕭翎暗自忖道：他想的當真是遠。

起身一揖道：「翎兒記下了。」

他聰慧絕倫，看這老人古古怪怪的，生怕他等一會兒，又改了主意，趕忙起身一揖，接著拜了下去。

那黃袍老人端然而坐，受了蕭翎三拜九叩的大禮，直待蕭翎拜完起身，才微微一笑，說道：「起來吧！我有話告訴你。」

蕭翎站起身子，坐在那老人一側，道：「義父有何訓教？」

黃袍老人伸出手來，拂著蕭翎亂髮，道：「義父練的是童子一元功，如若你隨我練此武功，基礎一奠，那是終身一世，不能娶妻，豈不絕了老夫的乾孫子麼……」

蕭翎道：「這個翎兒不怕！」

黃袍老人雙目一瞪，道：「不成，我因練這童子一元功，樹下了一個強敵，纏鬥了幾十年，還是未能解決，何況這武功，屬於純剛至猛的路子，剛則易折，我不能害了自己的乾兒子。」

他似是覺出適才之言、太過小覷自己，忍不住又接口笑道：「剛雖易折，但極剛則柔，不過那非要數十年苦修難以辦到，幾十年雖然轉瞬即過，但人生有限，等你由剛則柔，豈不要變成了小老頭子，因此你學不得義父這種功夫。」

那黃袍老人看蕭翎沉思不言，突然一整臉色，道：「老夫只怕難以活得多久了，孩子，你既然認我做義父，我如不能把你造成一株武林奇葩，日後你在江湖之上走動，受人輕藐，豈不要大大損及老夫的威名嗎？」

蕭翎道：「翎兒愚笨，不解義父之言。」

黃袍老人笑道：「不能怪你笨，只怪老夫沒說清楚，在這深谷之中，除了義父外，還隱居著兩位絕世高人……」

蕭翎接道：「啊！那木屋中，面垂白紗的人……」

黃袍老人接道：「不錯，但她是以輕功、暗器和指法獨步武林，至於修習的內功，也屬於一種偏激之學，此外還有一個，住的地方更是古怪，要是我不指點，你絕然找他不著。」

蕭翎童心大動，急急問道：「他住在什麼地方？」

黃袍老人笑道：「孩子，他住在半空中。」

蕭翎奇道：「住在半空中？」

黃袍老人笑道：「不錯啊，我們三人在此地修練三十年，隔上一些時間，總要比試武功一次，但比來比去，總是打個平分秋色，誰也無法勝得……」

他本正談得興高采烈，卻忽然長長歎息一聲，黯然說道：「孩子啊！你可知道，我為什麼住在這裏幾十年不出去嗎？」

蕭翎忽然想到那「禁宮之鑰」，無數的武林高手，追蹤搶奪，口頭上雖說是為了一窺那禁宮之秘，其實還是想從那禁宮之中，得點前輩遺留的武功，以做爭雄武林之圖。

習武之人，最重名心，我這位義父，在這深谷絕壑之中，一住數十年，只怕也不是出於甘心情願，定然和那爭名之心有關。

念頭一動，微笑說道：「義父定是為盛名所累，才在這深壑幽谷之中，一住數十年。」

黃袍老人歎道：「孩子，你只算猜對了一半，唉！幽居數十年，除了為一點爭名之心外，還牽纏到一個情字，此事說來話長，咱們父子，日後相處的時日正多，以後再告訴你也是一樣；唉！其實直到你那哭聲鬧醒我之後，我還未參透名之一關，但此刻我卻茅塞頓開，回首前塵，盡是那可笑可悲的事。」

這幾句話，語含禪機，那蕭翎雖然聰明，卻也是聽不明白。

只見那黃袍老者輕捋胸前白髯，沉吟了一陣，嚴肅地說道：「孩子，急不如快，咱們這就去找那酸秀才去。」拉起蕭翎，大步向室外走去。

艷陽當空，百花如錦，小溪潺潺，幽谷中景色如畫。

黃袍老人仰臉長吁一口氣，伸手遙指著正東說道：「翎兒，看到了嗎？那就是酸秀才住的地方。」

蕭翎極盡目力望去，果見正東方一處懸崖之下，晃動著一點黑影。

黃袍老人一手提起蕭翎，道：「欲習上乘武功，必得先從內功著手，那酸秀才習的玄門正宗內功，你如能得他傳授內功、劍法、刀法、掌法，和柳仙子的輕功、指法、暗器，不出五年，你就能回江湖去了。」

黃袍老人飛行時速很快，蕭翎只覺兩耳風生，山壁花樹，掠目而過，就一會兒的工夫，人已到了晃動的黑影下面。

抬頭望去，只見那晃動的黑影，竟然是一個籐子編成的軟榻，隱隱可見一個人盤膝坐在上面，兩側峰上，各有兩條長籐，繫在那軟榻之上，吊在兩峰之間，山風吹來搖擺不定。

蕭翎估計那軟榻距地，至少要三十丈以上，萬一不慎掉了下來，別說血肉之軀，縱然一塊堅石，也將摔得粉碎，大為擔心地問道：「義父，他日夜就坐在那籐床上嗎？」

黃袍老人哈哈大笑，道：「孩子，你可是擔心他摔下來嗎？這個不用替他擔心，他坐了幾十年，就沒有摔下來過。」

只聽那黃袍老人高聲叫道：「酸秀才，想通那宗神功了嗎？」

懸空軟榻上，傳下來朗朗的笑聲，道：「怎麼？南兄可是有些技癢了嗎？」

黃袍老人笑道：「算老夫打你不過，咱們以後不用比了。」

此言似是大大地出那軟榻上人的意外，良久之後，才聽那軟榻上傳下來一聲歎息，道：「南兄的武功，實在不在兄弟之下。」

這吊榻距地甚高，但兩人對答之言，卻聽得清清楚楚，連那歎息之聲，也清楚的傳了下來，如在耳際。

黃袍老人突然附在蕭翎耳邊說道：「那酸秀才外和內剛，你說話時要小心一些。」

蕭翎點頭道：「翎兒緊記義父之言。」

這黃袍老人性格孤傲，爲了名氣之爭，隱居這深谷數十年不履塵世，但此刻爲了蕭翎，卻自甘承認打人不過。

只見一條長籐，由軟榻上垂了下來，緊接著傳下來一陣笑聲，道：「南兄這般給兄弟面子，兄弟是感激不盡，你叫那娃兒上來吧。」

言下之意是說，你自認打不過，那是有求於我，垂籐接引蕭翎，更是一針見血，盡揭那老人心中之秘。

在。

黃袍老人黯然一笑，道：「孩子，你上去吧！」緩緩轉身而去。

蕭翎只覺義父那笑容中，包含著無比的委屈、無限的淒涼，只是一時間，想不出原因何在。

他怔怔地望著黃袍老人的背影，像是突然老了甚多，蹣跚而去，消失在花樹叢中。

回頭看時，垂籐已到頭頂，當下伸手抓住垂籐，向上攀去。

他無意中服了千年石菌，又得那黃袍老人憑藉本身真氣，打通了三陰絕脈，不知不覺，氣力大增，攀籐而上，速度竟然甚快，不大工夫，已攀上了四、五丈高。

只聽一聲：「抓牢了。」垂籐突然向上收去，蕭翎覺著眼睛一花，有如駭浪馳舟、天空行馬，糊糊塗塗的翻上了軟榻。

定神望去，只見一個身著淺藍長衫的儒巾中年文士，盤膝坐在榻中，面露微笑，正望著自己，想到義父相囑之言，此人外和內剛，趕忙拜了下去，道：「蕭翎叩見老前輩。」

中年文士神色慈和地笑道：「你坐下。」

蕭翎道：「晚輩站著也是一樣。」挺身站起，垂手肅立。

中年文士淡淡一笑，道：「定是那南逸公說了我的閒話，你才這般拘謹。」

上下打量了蕭翎一陣，收起臉上笑容，道：「孩子，你能到了此地，可算得曠世奇緣，而且來的時間又恰當無比。」

蕭翎茫然應道：「晚輩幸得遇上我義父和老前輩，要不然勢必被活活困死這深谷之中不可。」

兩人問答之言，卻是各不相關。

中年文士突然朗朗一笑，道：「怎麼？那南逸公收你做爲義子了？」

蕭翎暗道：慚愧，我連義父的姓名，也不知道。

當下含含糊糊地應道：「就是那送我來此的人。」

中年文士道：「就是那黃袍老人，他叫南逸公……」

微微一頓，又道：「他送你到此，你可知爲了什麼？」

蕭翎道：「他要晚輩相求老前輩傳授內功、劍術。」

中年文士沉吟一陣，笑道：「我如不允傳你武功，你那義父勢非要和我拚命不可……」

蕭翎突覺胸中熱血浮動，忍不住說道：「老前輩也不用太過爲難，如若晚輩的才質愚魯，不堪造就，那就不用多費心了。」

那中年文士微微一笑，道：「就因爲你的稟賦過人，我才猶豫該不該傳你武功。」

那中年文士兩目突然暴射出兩道精芒，臉色嚴肅地說道：「南逸公和我比了數十年武功，始終是不分勝敗，他本是喜好遊樂之人，爲了爭一口氣，竟然會在這深谷中，幽居了數十年，未出此谷一步，雖說山中無甲子，歲月逐雲飛，但數十年時光，在一個人有限的生命之中，實非一個短暫的時間，他竟然爲你放棄了爭勝之心，自認打我不過，這雖是一句謙遜之言，但在他而言，實比殺了他還要難過。」

蕭翎似懂非懂地點點頭，道：「義父愛我甚深，這個翎兒知道。」

中年文士道：「我們三人，雖是所學不同，但卻是各擅勝場，這幾十年來，大家幽居這深谷之中，與世隔絕，各盡其能的參研武功，希望能夠勝得對方，也好出此絕谷……」

蕭翎道：「要是你們三人比不出勝敗來，就永遠不出谷嗎？」

中年文士道：「不錯，我們來到此地之時，相約許下誓言，誰要能勝得兩人，就可以出此絕谷，餘下兩人，再行比試，那得勝之人，亦可離此，但必得相距那第一位離谷人三年之後。」

蕭翎道：「那兩次落敗之人，難道就永遠不能離去嗎？」

中年文士道：「那人要終老此地，一生不能出谷……」

只聽那中年文士接道：「起初幾年，我們彼此之間，都是充滿得勝的信念，每半年比試一次，為了求得公平，各出心裁，輪流主持打賭，先由兩個賭輸之人，出手相搏，再依序輪番搏鬥，但卻始終無法分出勝敗，他善以掌法稱絕，柳仙子以指法領先，我以劍術制勝，每場比過之後，三人都累到精疲力竭，寄望於下一場勝得兩人。但五年之後，連經十場比試，彼此心中都有些明白，要想壓倒兩人，實是困難萬端，三人協議改為一年比試一次，又五年，改作三年比試一次，忽忽數十年，就在我們三人爭勝之心下，度了過去。」

蕭翎心想：既不分勝敗，那是各有所長，還要比個什麼勁呢？

中年文士仰臉望天，長長吁一口氣，接道：「我們隱此絕谷，度過數十年的光陰，但卻也有一種好處，那就是我們三人的武功，都有了驚人的進步，昔年甚多不解之處，都在這數十年中參悟了出來，如若能得出江湖，那是足以傲視武林了……」

他忽的長長一歎，黯然接道：「可是我們都已面臨到體能的極限，這數十年來用盡心智，想創出幾招深奧的手法，以求制勝，肉身雖然是端坐不動，但內心、腦際卻是江海浪潮，從未休息，數十年來，可算得沒有片刻寧靜，大大的背逆了修身養生之道；這幾月來，我已不如你那義父，但我習的內功，卻是玄門中上乘心法，如若能稍注養生之道，活上一百歲，實是輕而易舉，只為一點名心所累，竟然飲鴆止渴，明知錯了，卻偏是如箭在弦，不得不發，我既如此，想你那義父和那柳仙子，亦必有此不久人世的感覺。」

蕭翎聽得大為震驚，暗道：原來他們都已有了死亡的感覺。

那中年文士兩道銳利的目光，凝注在蕭翎的臉上，道：「因此，我說你來得太巧了，你如早來幾年，我們爭勝之心仍切，不管你驚擾到哪一個人，也難活命；如是晚來幾年，只能見到三具白骨。可是你卻無巧不巧的，在我們死之將至，名心漸淡的當兒，趕來了此地。」

一陣山風吹來，吊榻突然晃動起來，蕭翎心中一慌，站立不穩，一個觔斗，向下栽去。

那中年文士右手一抖，手中軟籐突然飛了出去，纏住了向下急墜的蕭翎，手腕一挫，蕭翎身不由己地翻了上來，又落在軟榻之上。

中年文士微微一笑，道：「害怕嗎？」

蕭翎道：「有一點怕。」

中年文士道：「你如學會了我們三人的武功，天下恐難再有勝你之人，你要是一旦淪入魔道，豈不是世間一大禍害。」

蕭翎道：「老前輩此慮不錯，但晚輩又該將如何？」

中年文士道：「再過三月，就是我們三人比武之期，屆時我當和你義父相商，想個法子在你身上加些限制。目下我先傳你內功築基之法。」

那中年文士傳了蕭翎坐息之法，起身離開軟榻，踏著那吊榻的籐索而去。

蕭翎心想：我還道他是跳下去的，原來是借這籐索而去。

需知那吊榻距地三十餘丈，再好的輕功，也是難以一躍而下。

那中年文士去勢奇快，眨眼間，已看不見，只餘下蕭翎一人坐在軟榻之上，他既怕山風吹動吊榻，把自己翻了下去，又怕那籐索突然斷去，憂心重重，但卻又無可如何，只好不去想它，依照那人傳的口訣，運氣行功。

直待天色入夜，那中年文士才回到吊榻上，手中拿了幾枚鮮果，和一隻烤好的山雞，笑道：「這是你兩日食用之物。」

交給蕭翎，轉身又去。

夜色朦朧，山風漸強，吊榻的晃動，更見厲害，搖擺不定，驚心動魄。蕭翎心中害怕，只好運氣行功，也只有如此，才能忘去身處的險境，隨時有粉身碎骨之危。

一連兩日夜，不見那中年文士回來，蕭翎眼見山雞、生果盡都用完，如若那中年文士再不回來，那是只有挨餓了。

一想到食物用盡，頓覺腹中飢腸轆轆，仰望雲天，正是落日時分，彩霞絢爛，映照著山峰積雪，幻出了綺麗無倫的景色。

驀然間，那白雪峰後，現出一點黑影，那黑影來勢奇快，片刻之間來到谷中，已然清晰可見，正是那帶自己到此的巨鳥大鵬。

蕭翎看得高興，大聲叫道：「鵬兄，鵬兄，快來帶我下去，摘幾枚生果。」

那巨鳥卻不理他呼叫之言，雙翼一斂，落入谷底，蕭翎估計牠落地之處，距離巨松下木屋甚近。

蕭翎暗暗想道：鳥兒究竟不是人，豈能解得人言。

太陽沉下山去，絢爛的彩霞，已爲朦朧的夜色掩去，天上閃起了明滅的星光，但仍不見那中年文士回來。

蕭翎長長歎息一聲，自言自語地說道：「看來他今晚上，又不會回來了。」失望中無法排遣，只好又開始運氣行功起來。

時光匆匆，又過三天，蕭翎在飢餓中度過了三晝夜，但也在飢餓中有了成就。他賭氣要忍受飢餓，把心神集中在修習內功之上，只有在真氣流達四肢，渾然忘我之際，才能忘去飢餓，他雖然有著過人的毅力，堅強的性格，但卻無法克服那飢餓加諸的痛苦。當他由那渾然忘我中，不時就覺腹中的飢火上騰，餓腸折轉，除了忍受飢餓之外，他還得忍受那太陽曝曬的痛苦，唯一能使他忘去痛苦的，是屏棄胸中所有的雜念，忘去自己的存在，但每次由行功運息，進入那渾然忘我之境，必得先經過一番飢餓痛苦的折磨，才能澄清思慮，進入那渾然無我的境界。

這日，他坐息醒來，忽然聞到一陣強烈的肉香，撲入了鼻中。回頭望去，只見那中年文士面帶微笑，站在身後，手中提著一隻烤好的山雞，強烈的肉香，勾動蕭翎腹中飢火，恨不得伸手搶過山雞，一口吞下，但他卻強自忍了下去。

那中年文士舉起手中烤好的山雞，遞了過去，笑道：「孩子，艱苦嗎？」

蕭翎想到這幾日受的飢餓、曝曬之苦，實非人所能忍受，但他一向嘴強，淡淡一笑，道：「一點飢餓之苦，算不了什麼。」

中年文士點頭說道：「天將降大任於斯人也，必先勞其筋骨，餓其體膚，苦其心志。孩子，你的成就，大大的超出了我的預料之外，快把這隻山雞吃下。」

蕭翎接過山雞，立時大嚼大吃起來。他腹中飢餓難耐，一隻肥大的山雞，竟然完全吃了下去，抬頭看去，那中年文士，早已不知何時走去。

蕭翎暗暗想道：他這一去，又不知要幾時才能回來，我勢必又得做忍耐著飢餓的準備。

在這上不著天，下不著地的境遇之中，他唯一能想到的，就是飢餓的事，既然克服了飢餓的威脅，自是極易澄清心中的雜念，玄門上乘內功的築基工作，就在他存心和飢餓的搏鬥中，奠定了起來。

果然，那中年文士這一去，過了四天，才轉回吊榻上，又帶來了一隻烤好的山雞和很多水果。

蕭翎內功大進，禪定的時間漸久，肉體上的痛苦，逐漸減少。

輪轉日月，匆匆時光，轉眼之間，過了三月。

在這三月之中，他嘗試了從未經歷的驚險，狂風大雨，閃電奔雷，軟榻像一艘行駛在狂濤怒海中的小舟，起伏波蕩，忽升忽沉，他擔心那起沉的軟榻被狂風吹翻，把自己跌摔下去，又憂慮那繫在兩峰上的籐索，突然斷去，當真是經常面臨著生死邊緣。

每當他面臨驚險時，他就用禪定之法，使自己渾然忘我，在蕭翎只不過是用此來逃避那驚心魂魄的感覺，但他卻不知這正是玄門上乘內功心法中，最難的大慧定力。

度過了最難的一關，正好顛倒了這上乘內功修爲的法則，由深入淺，短短三月，竟然紮下了極深厚的基礎。

這時，他由禪定無我中，清醒過來，只覺全身氣血流暢，舒適無比，似欲要騰空飛去，但下臨深谷，一個忍耐不住，那將要摔個粉身碎骨，他極力按捺下心中那躍躍欲動的衝動，不得不疏導那湧集在丹田中的一口真氣，漸漸地由煩惱進入寂靜，那一股躍躍欲動的感覺，也隨著流轉的真氣，消失於無形之中。

這正是內功初奠之後，面臨的最大干擾，平常之人，在這種成敗交關的當兒，都有師長或同門師兄弟從旁相助，以本身真氣，疏導他胸中的衝動，這一股衝動之氣，如是無法疏入經脈，勢必在身上到處流竄，形露於外，是暴急焦躁，內則有岔氣、破穴之危，亦即道家所謂的走火入魔。蕭翎憑仗著一股強烈的求生意志，生恐跌下軟榻，竟然未借外來助力，把蠢動於胸腹間的一股流動真氣，流歸經脈。

醒來時，天已入夜，冰輪高掛，月華似水，那中年文士，不知何時又回到了軟榻之上，雙目中閃動奇異的光芒，望著蕭翎，點點頭讚道：「孩子，你的稟賦，實非常人能夠及得，竟然能不借外力，度過了一次險關。」

蕭翎茫然問道：「什麼險關？」

中年文士道：「你適才可有衝動欲飛的感覺嗎？」

蕭翎道：「是啊！但我怕從這軟榻上跌了下去，只得硬把那衝動的念頭，給壓了下去。」

中年文士道：「這正是我玄門上乘心法要訣，孩子，你在無意中體會了箇中重大訣竅。」

蕭翎若有所知地點頭應道：「這個，晚輩還不太瞭解。」

中年文士仰臉望望天上明月，道：「此刻，已經沒有時間給你說了，咱們走吧！」

蕭翎道：「去見我義父嗎？」

中年文士道：「還有那柳仙子。」

探手一把，抓起蕭翎，沿著那籐索，疾奔而行。

蕭翎探首下望，只覺一陣頭暈，趕忙閉上了眼睛。但覺身子懸空而行，急風撲面，心中卻在擔憂那中年文士抱著自己，重量增了甚多，如若籐索負荷不了，驟然斷去，勢必要摔一個屍骨無存。

正忖思之間，突覺身子停了下來，睜眼看去，只見停身在一個積冰堆雪的絕峰上。這片峰頂只不過兩丈見方，堅冰如鏡，滑難留足，反映月光，一片通明。左面七尺外，盤膝坐著一個長髮披垂、面目姣好的中年婦人，想來定是那柳仙子了，右面坐著那黃袍老人南逸公，兩人都閉著兩目，面容異常嚴肅。

中年文士緩緩放下蕭翎，也盤膝坐了下去，閉下雙目，不再理會蕭翎。南逸公忽然睜開眼來，望著蕭翎微微一笑，道：「莊兄辛苦了。」那中年文士道：「幸未辱命，令郎確已得兄弟內功心法要訣，如若兄弟今宵不死，三年內可傳兄弟衣缽。」

柳仙子冷冷說道：「今宵咱們如是還不能分出勝敗，只怕再難有比試的機會了。」那中年文士朗朗一笑，道：「兄弟亦有同感。」南逸公接道：「莊兄的內功、劍術，高過兄弟一籌，兄弟自知難以勝過他了……」柳仙子冷笑一聲，接道：「那你是勝過我了。」右手一揚，點出一指，疾勁指風，直襲向南逸公的前胸。

南逸公左掌一推，劈出了一掌，迎向指風，但見兩人身軀，同時晃動一下，身不由己地向後滑退半尺。

柳仙子冷冷道：「三年時光，你的掌力又強了不少。」雙手連揚，點出五指。

南逸公說：「好說，好說，柳仙子的指上功力，進境不在兄弟之下。」口中說話，雙掌連連揮舞劈出，強勁的掌風，排山湧出，擋過五縷指風。

蕭翎正向義父行去，只因這堅冰上滑難著足，雖只數尺的距離，走起來卻是十分艱苦，行及一半，那柳仙子已和南逸公打了起來，指勁掌力，交相激盪，餘力不衰，波及蕭翎，哪裏還能向前走動，就是坐也無法坐穩，這還是南逸公早已留心到他，盡量把柳仙子點來的指力引開，不使傷著蕭翎。

這時，兩人打得更見激烈，那柳仙子一指連一指的點向南逸公，南逸公卻是全採守勢，兩掌左拍右推，引開、化解柳仙子的指力。

忽然間，一股強猛的力道波蕩而來，蕭翎被那強力一撞，哪裏還能坐得住，直向峰下滑去。

南逸公眼看蕭翎被傷，心頭大怒，厲喝一聲，呼呼反擊兩掌，劈向了柳仙子。他雖有反擊之能，但卻無分心救助蕭翎之力，眼看蕭翎雙手揮抓，卻抓不住可資借力之物。那中年文士忽的反臂一抓，蕭翎驟覺一股強大的吸力，把自己硬吸過去。

蕭翎舉起衣袖，擦拭一下頭上的汗水，低聲說道：「多謝老前輩相救。」

中年文士既不答話，也未睜動一下雙目，似是連說一句話的工夫，也騰不出來。

蕭翎仔細看去，皎潔的月光下，只見他頂門之上，似是浮動著一層白氣，臉色莊嚴肅穆，知他行功正值緊要關頭，剛才出手相救，已是極度危險之事，哪裏還敢出言打擾，心想這三人打鬥，自己勢難從中排解，如若妄自行動，反而礙了幾人手腳，影響所及，非同小可，但看到他們比試武功的險象，又由不得不替義父擔心，唯一的辦法，就是不管他們比武，當下閉上雙目，竟也運氣調息，想進入那渾然忘我之境，不理身側打鬥之事。但這次卻是難以如願，真氣似調息不勻，始終無法使心情平復下來，忍不住還是睜眼去瞧。

這時，南逸公和柳仙子的打鬥，似已不若適才的激烈，相對良久，才互攻一招，發出的指、掌，也不似剛才那般激烈，暗勁應手而生，劃空風嘯。

他哪裏知道，這等看是平淡的鬥法，才是真的凶險之搏，一指、一掌的攻襲，無不是運足了全身功力，而且各憑內功，硬把對方指力、掌勁，承受下來，如若有一人功力稍有不濟，立時將重傷當場，輕則殘廢，重則殞命。

兩人互攻了一十三招之後，突然停了下來，不再出手。

不知過去了多少時光，皎月已然偏西，再未見兩人出手互攻。

忽然響起一聲柳仙子嬌脆、冷漠的聲音，道：「莊山貝，這五年以來，不知你的劍術如何？」

莊山貝微微一笑，道：「柳仙子可要較量較量在下的劍道嗎？」

柳仙子道：「正要領教，你亮劍出來吧！」

莊山貝探手入懷，摸出了一把五寸八分左右的短劍，退了皮鞘，道：「柳仙子，請留心了。」

柳仙子冷笑一聲，道：「儘管施爲，諒你也傷我不了。」

忽見那莊山貝手中短劍一震，脫手飛出，繞空打了一轉，飛攻向柳仙子。

只見柳仙子揚手一指，點向短劍，短劍吃那指力一震，在高空旋轉了兩次，又向柳仙子攻了過去。

但見柳仙子指力亂點，那短劍有如生了翅膀一般，始終不肯退落，莊山貝卻似由掌中發出了一股暗勁，吸住了短劍，手臂舞動，揮轉之間，短劍隨著團團亂轉。

足足過了半個時辰，莊山貝突然右掌一揮，短劍直向正西飛去。

一道白光，疾如電奔，啪的一聲，擊落在一塊山石上，那山石應手而裂成兩半。

南逸公道：「莊兄這馭劍之法，果然又長進了許多。」

莊山貝一招手，收了短劍，道：「南兄過獎小弟了。」

柳仙子道：「縱然他馭劍術獨步武林，也是無能傷得我柳仙子。」

南逸公道：「這事何足爲奇，只要傷不了你柳仙子，兄弟也自信絕難傷到我……」

莊山貝突然長長歎息一聲，語意深長地道：「兩位說得不錯，兄弟再練三年，也難勝得兩位。」

柳仙子、南逸公各自沉默不言，其實，兩人心中感慨萬千，三人比了幾十年，表面之上，雖然沒有分出勝敗，但兩人心中知道，莊山貝實要強過兩人一些。

良久之後，南逸公才接口說道：「莊兄不用謙虛，莊兄如想把兄弟完全打敗，雖非易事，但兄弟自知內力上恐難及莊兄綿長，如若上天能再假咱們三個人十年壽命，莊兄可能在千招內勝得兄弟。」

莊山貝道：「好說，好說，南兄過獎兄弟了。」

柳仙子冷哼一聲，道：「南逸公，你認輸了？」

南逸公道：「兄弟說的句句真實之言。」

柳仙子道：「你知不知道，咱們已難活過五年……」

目光一掠莊山貝，接道：「如若咱們都死了，莊山貝自然是不勞而獲。」

她言語之間，斷言自己和南逸公難以活過五年，但對莊山貝，卻是不能預斷。

南逸公道：「兄弟自料能夠再活上三年，那已是夠長的了。」

他仰臉望望夜空，接道：「唉！其實兄弟三年前，就該認輸，就是莊兄這一手馭劍氣功，已非兄弟所及。」

那柳仙子雖是女流之輩，但她好勝之心，實則尤過男兒，冷哼一聲，道：「武功一道博大深奧，人生短短百年，如何能夠盡都學會！莊山貝馭劍氣功雖然強過咱們，但掌力、指功，卻是遜上一籌。」

莊山貝忽然微微一笑，道：「柳仙子說得不錯，咱們三人比武數十次，始終是個平分秋色之局，唉！兩位都覺著難以再踐下一個比武之約，兄弟又何嘗不是如此……」

他臉色一整，緩緩吁一口氣，道：「兄弟在近月之中，已覺出身體有了變化，不瞞兩位，如是再像昔年比武一般，咱們三人都打到精疲力竭，只怕難再活上三個月了。」

南逸公道：「這個兄弟亦有同感。」

柳仙子望望莊山貝，又瞧瞧南逸公，突然長長一歎，道：「兩位都不願再作盛名之爭了？」

莊山貝哈哈一笑，道：「柳仙子的指法、輕功，世無匹敵，兄弟再習上三十年，也是難以及得。」

南逸公道：「柳仙子那幾手『三元聯第』、『漫天花雨』、『五鳳朝陽』的暗器手法，兄弟更是望塵莫及。」

柳仙子嗯了一聲，突然站起身子，轉身疾奔而去，眨眼間，人已下了冰峰不見。

莊山貝一揮手，道：「南兄，能在生死交關之間，放棄了好勝之心，對咱們三人而言，都有著莫大的益處，至低限度，可以使咱們多活上兩年時光。」

南逸公目注蕭翎，說道：「莊兄請多多照顧兄弟的義子，兄弟就感激不盡了。」站起身子，緩步向峰下走去。

莊山貝道：「兄弟亦不願使一生辛苦得來的武功，隨屍骨埋葬此谷，南兄只管放心。」

蕭翎突然站了起來，叫道：「義父！」放腿向前追去。

十一　師徒情深

這峰頂積冰滑溜異常，蕭翎行得兩步，撲的一聲，跌在地上，但他衝奔之力未消，人雖跌倒，但仍然向前滑衝過去。

南逸公右手一翻，立時有一股暗勁，推了過來，力道柔和，但卻很強，蕭翎向前滑衝的身子，吃那力道一推，立時倒向後退去。

耳際間同時響起了南逸公的聲音，道：「孩子，修武築基，最怕分心，事關你一生的成就，不要以我爲念，好好的追隨你莊伯伯，學習武功，他修習的玄門正宗心法，你如能得他垂青，是終身受用不盡了。」聲音中充滿著慈愛之情。

蕭翎只覺一股熱血衝了上來，熱淚盈眶地抬頭望去，冰峰上，哪裏還有南逸公的影子。

莊山貝突然伸出右手，按在蕭翎背後的命門穴上，說道：「孩子，快些靜下心來。」

蕭翎只覺一股熱力，由莊山貝的掌心內，源源而出，攻入內腑，直透四肢百脈，趕忙運氣相引。

耳邊響起莊山貝的聲音，道：「孩子，你那義父南逸公，一生孤傲自負，當年我們相約到此比武，就是他的主張，山居數十年，竟是改了個性，昔年他嗜殺任性，凡是犯到他手下的人，縱然能夠保得性命，亦必要落下殘廢之軀，武林中人，聞他之名，無不退避三舍，想不到他垂暮之年，竟然動了慈愛之念，對你這般愛護。孩子，你不能負了他一番苦心，他不僅希望我盡傳所能，而且寄望你能盡得我們三人的絕學。」

蕭翎只覺他掌心之內的熱力，愈來愈強，有如長江大河般，洶湧攻入內腑，心想說幾句話，竟是難以分神。

只聽莊山貝接道：「這些日子裏，你的成就，大大的超過了我的預想，因此，也激起了我的好奇之心，世上如能有一個人，集你義父、柳仙子和我的武功於一身，不知世間是否還有敵手？」

他自說自話，蕭翎能聞難答。

過了片刻，蕭翎已能控制那攻入內腑的熱力，隨著行血，運轉於經脈之間，和那外來熱力融合一起，漸漸的，進入了忘我之境。

醒來時，陽光耀目，已是日上三竿。

這座絕峰，高出群山，峰頂之上，雖然終年在太陽照射之下，但堅冰盈尺，凝結了數千百年，每當盛夏之日，陽光強烈，峰頂上積冰，表層融化，但陽光一弱，積水立時又成堅冰。

此刻，朝陽照射在積冰上，反射出片片金芒，遠山上皚皚積雪，幻出一片閃光彩霞，景色綺麗，人生罕見，不禁心中一喜，叫道：「老前輩，山峰積雪，彩霞絢爛，這景物能得幾回見。」只覺空山寂寂，不聞回應之聲，回頭看去，哪裏還有莊山貝的人影。

蕭翎心念一轉，是了，他把我一人留在那吊榻之上，要我全心一意，進修內功，這時，又把我一個人留在這絕峰之上，必然另有作用。

時近中午，太陽光更見強烈，蕭翎曝曬於日光之下，身上肌膚隱隱作疼，但峰上的冰層，經過陽光曝曬，泛起縷縷白煙，寒冷更濃，烈日積冰，在山峰上交織成一種寒熱各極的感受。

蕭翎為了抗拒寒熱交迫的侵襲，不由得運起內功抗拒，他雖已得莊山貝玄門上乘心法，初奠內功基礎，但還不知如何運氣和外來的侵襲對抗，但在這寒熱交迫之中，為了減少疼苦，極自然的，又會運功抵抗外來的侵襲。

天色入夜，狂風怒吼，積冰光滑的峰頂上，風勢尤為猛惡，蕭翎覺著那猛烈的風勢，直似要拔山而起，心中大為震駭，暗道：這風勢來得如此猛惡，峰頂積冰光滑無物可攀，豈不要被吹下峰去。

一種強烈的求生意志，使他揮拳在堅冰上敲打，積冰終於被他打了一個缺口，然後用手挖了一個可以攀附的小洞，伏身冰上，度過了漫漫的長夜，身上堅冰，溶化成水，濕透了他僅著的一條棉褲。原來他上身的衣服，都在懸岩石筍間，採食那千年石菌時，結做索繩之用了。

流光匆匆，蕭翎在這積冰如鏡的峰頂，度過了百日之久，一百個白天和寒夜，日曬、雨打、風吹、寒侵。

莊山貝每隔上幾日，總是來看他一次，指點那內功心法，送給他一些食物，但卻絕口不談帶他下峰之事，倔強的蕭翎，竟然也忍住不提。

在這等艱苦、險惡的積冰絕峰之上，激發了蕭翎生命中的潛能，晝抗烈日，夜御嚴寒，內功進境奇速。

這一夜，藍天如洗，皓月當空，山風輕吹，蕭翎繞峰頂行了一周，月色下見群山羅列足下，不禁豪情大發，仰天縱聲長嘯。

嘯聲中，忽然響起了一聲輕輕歎息，道：「好一個堅強的孩子。」

蕭翎回頭望去，只見身後六、七尺處，站著一個全身藍衣的中年婦人，百日之前，他目視三人比武之事，對這婦人留下了深刻的印象，一眼之下，立時認出來人正是那柳仙子，當下抱拳一揖，道：「晚輩蕭翎，見過柳老前輩。」

柳仙子微微一笑，道：「孩子，你留在這冰峰上多久了？」

蕭翎道：「今夜明月當頭，剛好是一百天了。」

柳仙子冷哼一聲，道：「那酸秀才中了孔孟之毒，說什麼，身擔大任者，必行勞骨、餓體，把你留在這絕峰之上受苦，我就不信，不受這日曬、雨打之苦，就學不成上乘武功，走！跟我下峰去，我要叫他瞧瞧看，不受這些折磨，能不能學成上乘武功。」

蕭翎心下爲難，暗暗忖道：我義父要我跟那莊老前輩學武，我雖未拜他爲師，未定名份，但事實上已有師徒之實，豈可不告而去……

正自爲難間，突然一個極細微聲音，傳入耳際，道：「孩子，求人不如等人，你這百日之苦，並未白受，跟她去吧！」

語聲熟悉，正是那莊山貝的口音。

蕭翎抱拳一禮，道：「多謝老前輩的成全。」

柳仙子道：「我要讓那酸秀才見識一下，不習玄門乾清氣功，亦可入登峰造極之境……」

她越說越火，揚手一指，點了出去，無形勁氣，激射而出，擊在丈餘的冰地上，嗤的一聲，冰屑紛飛，那堅逾鐵石的積冰，應手裂了一尺方圓、五寸深淺的凹坑，接道：「那酸秀才的乾清罡氣，手中利劍，未必就強過我這修羅指力。」

身軀一晃，人已到蕭翎身前，一把抱起蕭翎，疾奔而出。

此刻的蕭翎，實已有了很好的內功，膽子大了甚多，睜眼看柳仙子，飛奔下峰的身法，有如流星飛墜，一起一落間，就是數丈，只需借物一阻下落之勢，立時又飛身而起，端的是驚險絕倫、觸目驚心。

柳仙子帶蕭翎飛落谷底，直入那巨松下的木屋之中。

這時，木屋中的情景，已和蕭翎初見時，大不相同，只見錦帳繡被，陳設得十分豪華。

柳仙子微微一笑，道：「孩子，這地方可比那山峰好些嗎？我要你在這舒適的環境之中，仍然能習成絕技。」

蕭翎從此過上了安適的生活，那柳仙子好勝之心，十分強烈，蕭翎生活雖然舒適，但柳仙子督促他習武卻嚴厲異常。

一年時光，匆匆而過，蕭翎在柳仙子嚴厲督促之下，修羅指功大有進境。

這柳仙子以輕功、修羅指和暗器，稱絕一代，蕭翎在一年苦學之中，盡得訣竅。

一年來，他未見過義父南逸公和莊山貝，雖然兩人近在咫尺，但柳仙子督促嚴格，竟然抽不出片刻時光，去探望兩人。

這天早晨，蕭翎用功完畢，睜眼忽見南逸公和一個身著大紅袈裟的和尚，在木屋外面青草地上，相對而立，各出右掌相觸一起，似是正在比拚內力，那和尚神色自若，南逸公卻是滿頭大汗，處境甚是險惡。

蕭翎心頭大震，一躍而起，衝出木屋。

只見莊山貝手執短劍，站在一側，目注雙方搏鬥，柳仙子卻倚在木屋壁上，臉上的神情極是奇異。

蕭翎一年來武功大進，心知莽撞不得，如若大呼小叫，分擾義父心神，只怕南逸公立時要傷在那和尚手中，是以心中雖然驚駭震盪，但卻極力壓制著呼喝的衝動。

只聽一聲細微的聲音，傳入耳中，道：「孩子，快些過來。」

雖然年餘不見，蕭翎一聽之下，仍能辨出是莊山貝的聲音，回顧了柳仙子一眼，緩步向莊山貝身前行去。

那柳仙子雖然眼見蕭翎由身前走過，卻是視如不見。

蕭翎心中盤旋著千百疑問，放快腳步，行到了莊山貝的身前，低聲說道：「老前輩，我義父形勢危殆，你去替他下來吧！」

莊山貝神色肅穆地說道：「你義父內力雄渾，還可支撐一些時候……」

朝陽由谷口透射入來，照在南逸公和那紅衣和尚的身上，那身軀高大的紅衣僧人，臉上也隱隱現出汗水，南逸公形狀更是狼狽，汗水濕透了整個黃袍。

蕭翎只覺熱血沸騰，伸手從莊山貝手中奪過短劍。

莊山貝猝不及防，竟然被他一把奪去，但莊山貝的武功，何等高強，右手一揮，扣住了蕭翎右腕脈穴，低聲說道：「孩子，你要幹什麼？」

蕭翎道：「我要去助義父，殺了那紅衣和尚！」

莊山貝低聲說道：「孩子，不能衝動，今日之事，種因於數十年前，而且牽連柳仙子和你義父之間的恩怨，你雖有著很深的孝心，但你的武功，卻是難擋那紅衣和尚的一擊，我如出手，恐將激起那柳仙子的反感，弄巧成拙了。」右手微一加力，奪下了蕭翎手中的短劍。

蕭翎心中一震，接道：「怎麼？難道那柳仙子要幫助那紅衣和尚嗎？」

莊山貝道：「柳仙子此刻的心情如何，連我也無法忖度，但這一年來，我和你義父，都大改了昔年那苦苦靜參武學的生活，笑傲松月，石室論道，但武功卻反而大有進境，始知數十年來各窮心智，實犯了欲速不達之病，妄圖以苦修超越人體的極限，卻忘了寧靜而致遠，這中間微妙消長之機，一時間，也無法給你說得清楚……」

莊山貝說到這兒，突然住口不言，雙目暴射出冷電一般的寒芒。

蕭翎轉臉望去，只見南逸公身著黃袍，波紋蕩漾，全身後仰半尺，顯是已難抗拒那紅衣和尚深厚的內力，不自覺脫口大叫一聲。

南逸公突然轉過臉來，望了蕭翎一眼，後仰的身軀，一挺而起，扳平劣勢，雙方又成了一個平分秋色之局。

莊山貝長長吁一口氣，道：「你義父不願讓你看到他敗在和尚手中，運功反擊對方了。」

蕭翎道：「但願義父能夠勝過那大和尚。」

莊山貝心中瞭然，南逸公這盡出餘力的反擊，反將要減少他的支撐時間，暗暗歎息一聲，道：「翎兒，我有兩句重要之言，你必得牢牢記著，全心奉行。」

蕭翎道：「什麼事？」

莊山貝道：「我一出手，你必須立刻回到你義父石室中去，在那石室中，我已手錄了一本絹冊，以你的才智聰明，和現已奠下的基礎，只要你肯用心去學，不難盡得你義父和我的真傳……」

突聞一聲尖叫，道：「住手！」

只見那緊倚木門而立的柳仙子，縱身一躍，直向場中飛去。

莊山貝喜道：「好啊！柳仙子如肯出面……」

一語未完，突見南逸公整個身子飛起了一丈多高，向外摔去。

柳仙子本是向兩人搏鬥之處躍去，身子還未著地，大變已生，立時一提真氣，身軀一轉，向南逸公摔落之處飛去。

她輕功卓絕天下，但見人影一閃，竟是先那南逸公摔落的身子而到，雙臂一展，把南逸公接在懷中。

莊山貝早已怒聲喝道：「好一個黑心和尚，乘人不備，暗施算計，豈是英雄所爲。」喝聲中，白芒一閃，直向那紅衣和尚撲去。

原來那紅衣和尚，在柳仙子大喝住手聲中，乘著南逸公收回內力之際，陡然用出全身功力攻出一掌，南逸公驟不及防，吃他強猛的內力一震，傷了內腑，人也被震得飛了起來。

莊山貝含憤出手，劍勢威猛異常，人未到，強烈的劍氣，已破空先至。

那紅衣和尚反手劈出一掌，一股強猛絕倫的掌力，直擊過來。

莊山貝一沉丹田，向前疾衝的身子，陡然停了下來，手中短劍搖揮，幻起朵朵劍花，劍氣、掌力一觸之下，那個紅衣和尚，陡然向後退了兩步，莊山貝也被震得雙肩晃動，身不由己地向後退了一步。

那紅衣和尚冷笑一聲，道：「倚多爲勝，佛爺要失陪了。」喝聲中轉身一躍，疾如流矢般飛奔而去。

莊山貝未料到，他竟然會返身逃走，略一猶豫，那和尚已到三丈開外，追趕已自不及，當下提聚真氣，短劍脫手飛出。一道白光疾如閃電，直向紅衣和尚飛去。

只見那紅衣和尙突然回頭拍出一掌，橫向劍上擊去，短劍旋轉，懸空打了兩個翻身，斜落一側，那紅衣和尙，卻一伏身疾竄而去。

蕭翎轉臉望去，只見莊山貝閉目而立，頂門間隱隱現出汗水。

蕭翎心中一驚：怎麼？難道他也受了傷嗎？

緩步走了過去，說道：「莊老前輩，你怎麼啦？」

莊山貝緩緩睜開雙目，道：「我很好，孩子，你可看到我剛才那投擲出手的一劍嗎？」

蕭翎道：「看到了。」心中暗想：你追人不上，那是只好把兵刃當做暗器出手了。

只聽莊山貝嚴肅地說道：「孩子，那就是劍道最高的心法，馭劍術，只不過我火候不夠，難以身劍合一，傷敵於五丈之內。」

回目望去，只見柳仙子盤膝而坐，右掌按在南逸公的背心上，正在替他療傷，當下又道：「孩子，咱們走遠些，柳仙子內功深厚，身上又懷有二位前輩遺留人間的兩粒靈丹，有她相救，你義父當可無恙，咱們不要驚擾她。」牽著蕭翎，直向那短劍飄落之處行去。

蕭翎心中雖然惦念義父的安危，但卻又不敢抗拒莊山貝之命，只好任他牽著行去。

莊山貝撿起短劍，歎道：「此人武功，果是高強，我這全力一擊，只不過削落他兩個手指。」

蕭翎凝神望去，果見那青草地上，遺落有兩個血淋淋的手指。

莊山貝短劍一揮，挑起了兩個斷指，說道：「可惜我的火候，差那麼一點，唉！只要能再增加一成火候，今日這紅衣和尚，縱然是能夠逃得性命，至少將留下一隻手掌。」
蕭翎只覺這句話，大有含意，只是一時間卻思解不透，不禁皺起眉頭，苦苦思索起來。
這時，莊山貝已帶著蕭翎轉過幾叢花樹，說道：「孩子，你在想什麼？」
蕭翎道：「我在想，如何才能使這馭劍術，留傳世間？」
莊山貝道：「此技非同小可，豈是人人可傳，如果是稟賦不好，那就是學上一輩子，也只能和我一般，止於擲劍傷敵而已，終生難有大成。」
蕭翎暗暗想道：我如想助岳姊姊，抗拒天下無數的英雄人物，那是非得練成上乘武功不可，當下說道：「老前輩，不知晚輩可否學此神技？」
莊山貝笑道：「你骨格清奇，乃百世難求的習武之材，如肯下苦功，十年內當有大成。」
蕭翎悠然神往，說道：「還請老前輩慈悲。」
莊山貝仰臉望著天上一片浮動的白雲，道：「盡我所知，這馭劍之術，該是劍道中登峰造極的大成之術，劍道中若還有高過此技之學，那就是我孤陋寡聞了。」
蕭翎道：「我義父誇讚老前輩的內功是玄門正宗，劍術卓絕一時。」
莊山貝仰起臉來，長長吁了一口氣，道：「我受了先天體質的限制，又是在弱冠之後，才開始習學武功，雖得良師，卻是難有大成，為了不負恩師厚望，我亦曾痛下苦功，想以勤補拙，可惜稟賦難當大任，雖有良師，亦然無可奈何……」
他緩緩轉過頭來，兩道目光，凝注蕭翎身上，道：「孩子，你明白我的話嗎？」

蕭翎先是點頭，但又立時搖頭，接道：「我不大明白。」

莊山貝指著草地上的兩個斷指，道：「那紅衣和尙斷指的一筆仇恨，已記在你的帳上了，日後你如在江湖之上行走，那和尙絕然不會放過你的……」

蕭翎接道：「難道老前輩和柳仙子，都打他不過嗎？」

莊山貝道：「他這負傷一去，定然將先找一處隱秘的所在療治傷勢，諒他受此挫折，也不敢再來三聖谷。」

蕭翎暗道：原來此地叫三聖谷，定是他們自己取的名字了。

說話之間，瞥見柳仙子急急奔來。

莊山貝起身相迎，說道：「南兄的傷勢如何？」

柳仙子向莊山貝道：「不妨事了。想不到他竟是一個那等卑下的人，日後如若我們再見到他，絕不放過。」

莊山貝微微一笑，道：「這樣也好，南兄雖是受了點傷，但卻化解了你們之間數十年的嫌怨，這點傷受的値得！」

柳仙子目光凝注到蕭翎身上，岔開話題，道：「酸秀才，你看翎兒的稟賦如何？」

莊山貝道：「上上之才，世所罕見。」

柳仙子道：「你既垂愛，爲什麼不要他拜列門牆？」

目光一轉，望著蕭翎，道：「笨孩子，還不快些拜見師父。」

蕭翎應聲拜倒，行了大禮。

柳仙子嬌聲笑道：「翎兒雖是我南師兄的義子，但卻是你的徒弟，日後他如打人不過，可是你莊山貝沒有教好。」

莊山貝臉色一整，抱拳一揖，道：「還得柳仙子多多成全。」

柳仙子笑道：「傾盡所能，絕不藏私。」

笑聲中轉身一躍，人已到兩丈開外。

莊山貝回顧了蕭翎一眼，道：「走！瞧瞧你義父去。」

兩人行入木屋，只見南逸公仰臥在木榻之上，柳仙子站在榻旁，正在運內功推拿南逸公的穴道，見兩人進屋來，微微一笑，仍不停手。

莊山貝望了望南逸公的臉色，笑道：「南兄傷勢，雖已無礙，但也得三、五天養息，才能盡復神功，我暫帶翎兒借住南兄石室。」帶蕭翎離開木屋。

五日之後，南逸公、柳仙子聯袂同來石室，蕭翎行功正值緊要關頭，雖知義父入室，卻是不能起身拜見。

莊山貝眼看南逸公傷體盡復，神采奕奕，人也似年輕了不少，心知這一對師兄妹，糾纏了數十年，鬧不清楚的嫌恨，已然完全消除，只可惜青春難回，時光不能倒流，兩人都是花甲以上的遲暮之年，夕陽無限好，只是近黃昏。

南逸公眼看蕭翎練功勤奮，心中快慰，一拉柳仙子，低聲說道：「咱們不能擾亂莊兄課徒，翎兒用功。」雙雙轉身而去。

匆匆歲月，似水年華，蕭翎在師父、義父、柳仙子嚴厲的督促之下，過了數年，雖然火候尚差，但卻已盡得三人的武功竅要真傳。

這日，蕭翎習劍完畢，轉回石室，只見莊山貝盤膝而坐，睜著雙目，似是正在等他歸來。

蕭翎放下短劍，拜伏地上，道：「師父，可有話訓教徒兒嗎？」

莊山貝點點頭，道：「翎兒，你已在這山谷中住有五年多的時光了，如今，你也應該到江湖上去歷練歷練了。」

蕭翎呆了一呆，道：「弟子武功尚未學成……」

莊山貝搖頭接道：「學無止境，你再多留五年，一樣是覺著尚未盡窺堂奧，其實你已盡得我們三人絕學，只要能刻苦自勵，自有進展……」

蕭翎習藝繁忙，對周圍事物，都未留心，此刻仔細一想，才想到，近半年來，師父、義父和柳仙子三人，很少離開木屋、石室，隱隱間覺著三人都老了很多。

抬眼看去，師父那滿頭青髮，已漸成蒼白之色，不禁心頭大慟，低聲叫道：「師父……」

莊山貝突然一瞪雙目，冷厲地接道：「你義父和柳仙子，都在木屋中等你，今天日落之前，離開此谷。」

這幾句說得斬釘截鐵，蕭翎哪敢多言，拜了三拜，起身離開石室，向那木屋之中行去。

木門大開，南逸公和柳仙子，並肩盤坐在木榻之上，南逸公鬚髮如銀，臉色枯黃，似是大病初癒的樣子。

容色明艷的柳仙子，竟也形貌大變，蒼白的臉色，堆纍的皺紋，已不復初見時照人的艷光。

三人在這深谷中，一住數十年，比武數十次，但均能青春長駐，那南逸公雖早已白髯如銀，但臉色紅潤，有如童子，莊山貝儒衫青髮，看上去，不過四十許人，柳仙子更是駐顏有術，明艷若青春少婦。

但此刻，這三人都顯得那般老邁，使人頓感覺三人已入風燭殘年之境。

蕭翎黯然神傷，熱淚奪眶而出。

南逸公輕輕歎息一聲，道：「孩子，不要哭，天下無不散的筵席，你在這深谷留居五年有餘，也該到外面去看看了……」伸手指著木榻前一個黃色的包袱，道：「那是你柳姑母生平最爲珍視的，一併送你，以壯行色。」

蕭翎道：「翎兒五年日砥武學，未能盡過一日孝心，容翎兒晚走三日，也好爲義父、姑母，盡幾日孝道。」

柳仙子搖頭微笑，道：「孩子，你能有此心意，十分難得，但限你今日離山之事，早已在半年之前決定，你義父、師父和我，幾經商討，才留你到今日，唉！孩子，我們已盡到最大的心力了，只要能多留你一個時辰，我也不願你早走一個時辰，你不用求告了……」

她輕輕歎息一聲，慈愛地接道：「榻前的黃色包袱之內，有一張地圖，那是你師父手筆繪製，指明你下山之路；還有一副千年蛟皮手套，可避刀劍，那是我珍藏一生之物，你也帶下山去，備不時之需；兩粒靈丹，功能起死回生，療傷除毒，好好珍惜用它。快些去吧！」

蕭翎提起了黃色包袱仍是戀戀不捨，倚門揮淚，不肯離去。

南逸公突然睜開雙目，大聲喝道：「癡兒，還不快走，尚戀什麼？」

蕭翎心頭一震，長揖拜別，道：「義父、姑母，多多珍重，翎兒去了。」緩步退出木屋。

柳仙子舉手一揮，兩扇木門，砰然關上。

蕭翎孺慕情深，對木屋又拜了兩拜，才起身行去，走了幾步，突然想起，還未向師父辭行，匆匆又奔入那石室中去。

但見石室已空，哪裏還有莊山貝的影子。

蕭翎只覺一陣悲苦，泛上心來，繞室行了一遍，才緩步離開。

蕭翎這時已是武林中第一流的身手，和來時大不相同，提聚真氣，縱身攀登上百丈峭壁。峰上冰封依舊，但冰中反映出來的影子，已非是當年的蕭翎模樣，那時的蕭翎，還是不滿五尺的兒童，此刻卻已是昂然七尺的英俊少年。

看到衣服，蕭翎才想起，這些時日中，自己一直未穿過衣服，全身只穿著一條短褲。

蕭翎穿上衣服，回顧留居數年的三聖谷，只見谷中山花如錦，開得和來時一般繁盛，細想這五年來，從未發現過花樹凋謝，暗道：原來這谷中的花樹，四季不謝，八節常春。

他對著那山谷拜了三拜，暗暗祝道：三位老人家聖壽無疆。

拜後起身，依照圖上所示，下山而去。

次日天色微明時分，已出了山區。

放眼江流滾滾，又到長江岸畔。

蕭翎望著那滔天濁浪，心中泛起無限感慨，回想落江往事，歷歷如在目前，但流光如輪，轉眼間已然過了五年，五年來，在人生中也不算太短的時光，不知岳姊姊是否還安好無恙。

一想到岳姊姊，不禁豪氣忽發，仰天長嘯一聲，邁開大步，向前行去。

太陽爬上中天，已然是近午時分。

蕭翎一陣放腿而行，也不知走了多少路程，但見行人接踵擦肩，竟然到了一座熱鬧的城市中。

蕭翎隨著人潮，進入了鬧區，忽覺一陣酒肉香氣，撲鼻襲來。

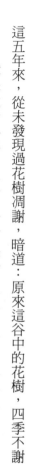

酒氣飯香，勾動他轆轆飢腸，抬頭看去，只見一座高大的酒樓，矗立眼前，蕭翎腹中飢餓，信步走了進去。

這飯店生意興隆，十幾張桌子上，坐滿了人，蕭翎衣著破舊，又不合身，而且赤著雙足，穿了一雙草履，這是他在三聖谷中，自己採集山籐編製而成，經過這一段奔行早已經破去，有道是車、船、店、腳、牙，最是勢利，看蕭翎赤足草履，衣衫不整，又是正在午忙時間，也沒有人過來理他，蕭翎還不解人間冷暖之事，只道店夥計無暇招呼，看樓下食客擁擠，就舉步向樓上走去。

登樓一看，大大出了蕭翎的意外，只見窗明几淨，打掃的異常明亮，卻不見一個食客，不禁心頭納悶，暗道：樓下那等擁擠，座無虛席，但樓上卻連一個食客也是沒有……

忖思之間，瞥見一個店夥計急急跑了進來，打量了一陣，道：「大爺可是周二爺請的客人嗎？」

蕭翎這身奇形怪狀的裝束，反使那店夥計迷惑起來，竟然不敢怠慢，蕭翎微微一皺眉頭，道：「周二爺，哪一個周二爺？」

店夥計眼睛一瞪，吼道：「好小子，你是混水摸魚來了，快給我滾下去！」一掌向蕭翎胸前推去。

蕭翎此時的武功，豈同小可，縱是不運氣，也有一種本能的反擊之力，店夥計一掌擊中蕭翎前胸，只覺如擊在堅石金鐵之上，腕骨劇疼如裂，同時有一股強勁的反震之力，回撞過來，竟身不由己一個觔斗，倒翻了過去，撞在桌子上，一陣砰砰亂響，桌倒椅翻，杯碗亂飛。

這一跤跌得那店夥計鼻青臉腫，但也跌開了他的心竅，掙扎站起，兜頭一個長揖，道：「大爺，你老真人不露相，小子有眼無珠，不識泰山，周二爺到來時，你老千萬別提這回事，你請坐，我給你提壺熱茶。」

蕭翎看他前倨後恭之態，心中暗暗好笑，正待說出自己根本不認識什麼周二爺，那店夥計已抱著頭溜了下去。

望著那店夥計奔下樓梯的背影，心中暗自盤算道：那周二爺如不是巨紳，定然也是一方的綠林雄主，我要訪查岳姊姊的下落，勢非得在武林中的人物口中打聽不可，何況袋中無錢，腹中又甚飢餓，只好先混它一頓吃吃再說……

片刻之後，那店夥計頭上包著白紗，雙手捧著茶盤上來，先給蕭翎倒了一杯茶，才去收拾那摔破的杯盤，神情之間，恭謹無比。

蕭翎選了個靠窗的位子坐下，望著樓下熙攘人群，出神之間，忽聽一陣步履聲傳來，回頭望去，只見一個花白長髯、身軀魁梧的老叟，帶著一個全身青衣的少女，走上樓來。

那老叟濃眉、虎目、方臉、海口，精神奕奕，滿臉紅光，兩道眼神，有如冷電暴射而出，掃了蕭翎一眼，在蕭翎對面坐了下來。

青衣少女坐在老人的身側，眼觀鼻，鼻觀心，目不斜視。

那店夥計看這兩人神情，哪裏還敢多問，先沏上一壺茶，才陪笑說道：「老爺子，可是周二爺的高賓？」

那老人冷哼一聲，不置可否。

店夥計已被蕭翎嚇破了膽子，看那老人神色不好，放下茶壺，打個躬，退了下去。

那老人兩道目光，一直注視著蕭翎，蕭翎被他看得有些不好意思，偏過頭去，望向窗外。

只聽腳踏樓板之聲，那老人竟然站起了身子，緩步走了過去，舉起手中茶杯，道：「小兄弟高名上姓？」

蕭翎端杯而起，道：「在下蕭翎，老前……」

他本想稱呼老前輩，說了一半，忽然想起義父之言，不論遇上何等武林人物，都要和他平輩論交，當下改口說道：「老兄有何見教？」

那老人長眉聳動，臉色微微一變，就是那微閉雙目、正襟而坐的青衣少女，也不禁閃動秀目，望了蕭翎兩眼。

只聽那老人自言自語地說道：「世間同名之人甚多，此蕭翎，未必就是彼蕭翎？」

蕭翎聽得心中一動，道：「難道老兄台，還見過另一位蕭翎不成？」

那老人道：「老夫雖未見過，但卻是久聞他的大名了。」

蕭翎哦了一聲，道：「有這等事？」

那老人道：「老夫八手神龍端木正。」

蕭翎道：「端木老兄。」

那老人緩緩放下茶杯，伸出右手，道：「今日得會蕭大俠，實乃老夫的榮幸。」

蕭翎看他右手已近前胸，只好伸出手去，道：「以後還望端木老兄多多指教。」

只覺五指一緊，那老人已握住自己的右手。

他從無江湖閱歷，雖和老人雙手相握，仍然無備，只感到那老人的掌勢愈收愈緊，才忽然警覺到不對，暗中一提真氣，內勁直貫右手。

那老人突覺掌中緊握的五指，由柔而堅，變得有如鋼條一般，心中暗暗吃驚，忖道：那蕭翎出道不足一年，竟能名聲大噪，果是名不虛傳。

當下鬆開右手，哈哈一笑，道：「蕭兄的盛名，果非幸至，老朽得罪了。」言語間大見恭敬起來。

蕭翎道：「好說，好說，端木兄的武功、內力，都不在兄弟之下。」心中納悶，暗暗忖道：他叫我蕭大俠，定然誤認我爲另一個蕭翎了。

突然拱手一禮，道：「老兄台，在下有事想要請教。」

八手神龍笑道：「蕭兄有何見教？」

蕭翎道：「兄弟以往從未在江湖之上闖過，這次是初入江湖，因此，只怕那位蕭翎是假冒兄弟之名。」

端木正兩道目光，一直在蕭翎身上打量不停，良久之後，才輕輕歎息一聲，道：「如若兩位果非一人，那就連老朽也有些搞不清楚了！」

蕭翎道：「請教原因何在？」

端木正道：「江湖傳言，那蕭翎人品俊雅，出沒無常，武功奇高，年歲也和蕭兄相仿，蕭兄此刻雖著布衣草履，但卻掩不住軒昂英氣，俊雅人品……」

只聽一陣咚咚之聲，似是有很多人上樓而來。

端木正一拱手，道：「此事咱們有暇再談。」

說完一句話，人已歸了座位。

就這眨眼工夫，樓門口處，已擁入十幾個人來。

這些人穿著各異，有著長衫，有著勁裝，但個個目透精芒，一望之下，立可辨出都是武林人物。

幾十道精芒閃動的眼神，一齊閃轉在蕭翎以及八手神龍和那青衣少女的背影之上。

突然間，一個四十多歲的中年大漢，排眾而出，直向蕭翎走了過去，冷漠地問道：「大駕何人？可接過敝莊二莊主的請帖了嗎？」

蕭翎目光一轉，看這人尖頭削腮，心中沒有好感，當下冷冷答道：「蕭翎。」

兩個字卻似有絕大的威力，那中年大漢駭然倒退了兩步，抱拳一揖，道：「原來是蕭大俠，失敬了！」

蕭翎心中暗道：好啊！這蕭翎的名字，竟然是這般的威風。

口中冷冷地說道：「好說了。」

只聽步履聲傳了過來，一個身著華衣的少年，帶著兩個小童，大搖大擺地走上樓來。

樓上群豪紛紛抱拳作禮，似是對那華衣少年，十分恭敬。

適才和蕭翎說話那尖頭削腮的大漢急步行了過去，和那華服少年低語一番，那華服少年先是微聳眉頭，繼而點頭一笑，直對蕭翎行了過來。

拱手說道：「兄弟周兆龍，不知蕭兄駕臨敝地，未能遠迎，還望原諒。」

此人一身華衣，聽他口氣，大概就是那店夥計口中的周二爺了。

蕭翎當下站了起來，道：「言重了，兄弟初到貴地，人地生疏……」

周兆龍伸手一把，抓住了蕭翎的右腕，暗合五指，發出內勁。

蕭翎吃過那八手神龍端木正的苦頭，他驟然出手，幾乎叫自己應變不及，周兆龍重施故技，蕭翎已有戒備，當下運氣右臂，也不讓避，故作不知。

周兆龍一把握住了蕭翎右腕，正是脈穴要害之處，他存心惡毒，如若此人真是蕭翎，必然將避開脈道要穴，如若不是蕭翎，這一握，立可置他於死地。

初入江湖的蕭翎，哪知江湖上的險惡狡詐，竟不知讓開腕脈要穴，但他內功深厚，玄門無上心法的乾清氣功，已有七成火候，這一氣貫右臂，行氣似珠，運勁若鋼，竟然把脈穴封住。

周兆龍只覺如握在一根鐵條之上，而且隱隱覺著，蕭翎肌膚之內，真氣流動，心頭大吃一驚，暗念道：這小子好深厚的內功。

趕忙放手笑道：「蕭兄的盛名卓著，兄弟早已傾慕，今日幸得一晤，足慰生平的渴慕。」

一面揮手對群豪說道：「諸位快請入席。」

那尖頭削腮大漢，躬身說道：「劍門雙英，和唐家的三姑娘，大駕還未趕到。」

周兆龍揮手笑道：「不用等他們了。」

那大漢面現難色，低聲說道：「二莊主今日之宴，原爲替三位遠客接風……」

周兆龍笑接道：「今日之宴，改爲替蕭兄洗塵。」

那大漢不敢再說，回首對店夥計道：「擺酒。」

酒席早已備好，片刻間酒菜齊上。

周兆龍和蕭翎坐了上席，舉杯笑道：「蕭兄遊戲風塵，真如見首不見尾的神龍，今日肯賞兄弟一個薄面，自報姓名相見，實叫兄弟感覺到榮寵萬分。」

蕭翎雖想解釋，但又覺其中複雜萬端，一時間也不知從何說起，只好舉杯說道：「周兄實是太客氣了。」

心中念頭輪轉，想道：那人冒我之名，我就借借他的名聲，也不爲過，何況此時心情，縱用千言萬語，只怕也無法說得清楚。念轉意決，立刻安下心來。

周兆龍似是有心和蕭翎結交，曲意奉承，極盡禮遇，滿樓群豪眼見周兆龍對蕭翎曲己結交之情，立時紛紛敬酒，詞態恭謹，把蕭翎捧上了三十三重天。

蕭翎涉世未深，初入江湖受人如此的寵敬，雖是聰明人，也不禁有些飄飄然難以自持，覺得這些人如此對待自己，實是盛情可感。

在這猜拳行令，群豪拱托蕭翎的熱鬧之下，八手神龍端木正和那青衣少女，僻坐一角，更是顯得淒涼、孤獨。

周兆龍早已暗示隨來群豪，不得查問那僻處一角的老人、少女，是以群豪儘管哄鬧，卻無人去攪擾那老人、少女的清靜，但周兆龍卻在暗中留神看那老人和少女的一舉一動。

如若蕭翎是常在江湖闖蕩的人，或是他稍微留心一些，必可查覺那周兆龍對那一老一少做戒備的神情。

歡笑敬酒聲中，突然奔上來一個滿頭大汗的勁裝漢子，剛一登上樓梯，立時遙對周兆龍一個長揖，道：「報二爺，劍門雙英的俠駕，已到了歸州城外。」

周兆龍一揮手，道：「知道了。」

那勁裝大漢抱拳一揖，轉身下樓而去。

那大漢剛去不久，又一個汗透勁服，滿臉塵土的大漢，奔上樓來，躬身在樓梯口處，躬身抱拳，說道：「報二爺，四川唐三姑娘的駕轎，已到了城外三里之處。」

周兆龍笑道：「好，我這就親往相迎。」

轉頭目注蕭翎，微微一笑，道：「等會兒兄弟要替蕭兄引見幾位名震武林的大英雄……」

話還未完，突聞一聲低沉的歎息聲，傳了過來。

蕭翎聞聲回頭，瞥見那青衣少女，已站了起來，翠袖揚處，三道白芒，悄無聲息地襲向了周兆龍的背後三處大穴。

陡然驚變，蕭翎未及思索，已揚手拍出一掌，口中大聲喝道：「周兄，小心了。」

周兆龍聞聲警覺，肩頭微晃，人已橫跨出三尺多遠，才轉身回頭望去。

蕭翎勢在意先，出掌奇快，周兆龍回頭望去，那三道白光已被蕭翎掌勢震的偏向一側。

那青衣少女眼看發出的三柄淬毒飛刀，被蕭翎掌力震的偏向五尺外飛去，心中又驚又恨，既驚蕭翎雄渾的內家劈空掌力，又恨他多管閒事，冷笑一聲，一雙翠袖齊揚，四道金芒，電射而出，兩柄奔向蕭翎前胸，兩柄射向周兆龍。

蕭翎雙手並出，一揮之間，竟然把兩道金芒，一齊接在手中。

周兆龍顯是不敢冒險，右手一抛，綠芒暴閃，叮咚兩聲，近身金芒，盡爲擊落。

這時，樓上群豪，暴喝一聲，分頭向八手神龍及那青衣少女撲去。

只聽周兆龍低聲歎道：「蕭兄藝高膽大，實叫兄弟佩服，這金劍兩側無數的鋒刺，尖利無比，縱然是練過鐵砂掌的功夫，也是無能禁受，上淬劇毒，人中必死，蕭兄竟能憑藉兩指之力，挾著金劍的劍身，毫釐之差，生死殊途……」

蕭翎轉眼望去，只見周兆龍右手握著一支翠玉尺，長約一尺二寸，隱隱泛現一片綠芒。

周兆龍不待蕭翎詢問，已搶先說道：「兄弟這翠玉尺，雖然談不上什麼稀世之寶，但卻是一種極爲少見的千年寒玉，堅如鐵石，不畏刀劍，蕭兄如若喜愛，兄弟願以玉尺相贈。」

蕭翎急忙雙手亂搖，道：「這個兄弟如何敢當？」

只聽兩聲悶哼，緊接著響起了砰砰兩聲大震。

轉眼望去，只見那些撲向八手神龍和青衣少女的群豪，已然躺下了四、五個。

八手神龍功力深厚，劈出的掌勢，威猛無濤，群豪雖然分由四面八方撲擊，仍是無法近他之身。

蕭翎掃掠那青衣少女一眼，只見那原本端莊嚴肅的臉上，此刻卻現出激憤之容，一雙圓圓的大眼睛中，充滿著仇恨和怨毒，蕭翎和她的目光一觸，不自覺心中一震。

回頭望去，只見那周兆龍仍是凝立不動，彷彿那些傷亡，都和他無關一般。

蕭翎眼看著傷者漸多，心中老大不忍，突然一邁步，欺身而上。

八手神龍端木正雙目盡赤，看蕭翎攻了上來，不禁大怒，厲聲喝道：「接老夫一掌試試。」呼的一掌，當臉劈到。

蕭翎初次和人動手，毫無經驗，看掌勢猛惡，竟不敢硬接，右手斜裏劃出，五指拂向端木正的脈門。

端木正霍然一驚，疾退兩步，道：「蘭花拂穴手。」

蕭翎道：「是啊！」忽見金芒一閃，刺向左肋，兵刃來到，寒風先至，蕭翎吃了一驚，身子一側，反臂拍出一掌。

他驚惶之間，無暇轉頭，這一掌勢在意先，只聽啪的一聲，一支金劍，斜裏飛出，那青衣少女疾退兩步，左手抱著右腕，雙目中淚水盈睫，顯是受傷不輕。

原來蕭翎反臂一掌，正擊在那青衣少女右腕之上。

蕭翎微微一怔，心中甚覺歉然，正想說幾句告罪之言，忽見八手神龍袍袖一抖，一片金星銀芒，漫天襲來。

耳際響起了周兆龍的聲音，道：「蕭兄小心暗器。」

那端木正號稱八手神龍，暗器手法，獨步武林，揮手之間，飛刀、袖箭、銀梭、金鏢等多達十餘件，當真是密如驟雨，分襲蕭翎全身十餘處大穴要害。

蕭翎心中大驚，右手疾急地拍出一掌，人卻向後躍去。

一股強猛的內勁，湧了出來，那飛來暗器，有如撞上了一堵無形的氣牆，斜飛橫走，紛紛向兩側偏去。

端木正突然長歎一聲，說道：「孩子，咱們走吧！」

左手一探，抱起那青衣少女，右手疾快地劈出了一掌，人卻穿窗而去。

蕭翎微一挫腰，人已到了窗口，但見人影去如驚鴻，轉眼不見，暗暗舒一口氣，回頭說道：「這兩人和周兄有過節嗎？」

周兆龍微微一笑，道：「江湖上恩怨是非，自是難免，這兩人兄弟不相識，不知爲何要行刺兄弟，今日多虧蕭兄相救，要不然兄弟恐早已傷在那淬毒飛刀之下了。」

只聽一個低沉的聲音說道：「報二爺，劍門雙英的俠駕，已到了樓下。」

周兆龍低聲說：「快些把受傷的人扶下樓去。」

牽著蕭翎右手，接道：「走！蕭兄弟，我替你引見一下劍門雙英，多識幾個人，總是無害。」

蕭翎只好隨著周兆龍走下樓梯，剛行到店門口處，兩匹高大的健馬，已到店外，馬上坐著兩個身著淺灰勁裝，身披黑色斗篷的大漢。

周兆龍放開蕭翎，雙手抱拳，道：「兄弟適才遇上了刺客，未能遠迎二兄，還望恕罪。」

馬上人一躍而下，齊聲說道：「周兄言重了，那刺客可曾抓到？」

周兆龍笑道：「刺客已逃，有勞二兄下問。」

那當先一個年齡較大，留有黑色長髯的大漢說道：「可惜我們兄弟晚了一步，如若能早到一步，量他難以逃走。」

後面一個年紀較輕的，白面無鬚之人，接道：「什麼人吃了豹膽熊心，敢對周兄無禮？」

周兆龍笑道：「來人武功高強，連傷了敝莊七位好漢……」

目光一轉，投注在蕭翎身上，接道：「如非這位蕭兄援手，兄弟恐早已傷在那刺客的淬毒飛刀之下了。」

那黑髯大漢望著蕭翎，道：「這位是……」

周兆龍笑道：「兄弟忘記為二位引見了……」

指著蕭翎道：「這位就是近年中崛起江湖的蕭大俠蕭翎，蕭兄年紀不大，但藝業驚人，早已是名重武林的人物了。」

那大漢上下打量了蕭翎一眼，似是不信，微一拱手，道：「久仰大名了。」

蕭翎雖覺此人詞態冷漠，但還未覺到對方有著看不起自己之心，遂抱拳還了一禮，道：「好說，好說。」

周兆龍指著當先那黑髯大漢，道：「這位是劍門雙英的老大，追風劍裴百里……」

微微一頓，又指著白面無髯的大漢，接道：「這位是老二，無影劍譚侗。」

蕭翎又一抱拳，道：「以後還望二位多多指教。」

裴百里冷冷地說道：「咱們兄弟不敢當。」

周兆龍眉頭一皺，道：「二兄跋涉遠來，腹中想已飢餓，樓上備有酒飯，爲二兄接風洗塵。」牽著蕭翎，閃到一側，欠身讓客。

譚侗緊隨裴百里的身後，行近蕭翎身側時，突然屈指一彈，一縷指風，襲向蕭翎左膝間的「陽關」穴。

蕭翎萬不料他突然彈指施襲，一時慌張失措，駭然避開。

譚侗微微一笑，道：「蕭兄好快的閃避身法。」詞意刻薄異常。

周兆龍生恐蕭翎氣憤之下，絕袂而去，暗施傳音之術，說道：「蕭兄看在兄弟份上，不用介意，這兩人雄倨一方，狂放慣了，再有機會時，蕭兄不妨露一、兩種絕技，給他們見識一下，以後，他們就自知收斂了。」

蕭翎本想發作，但聽得周兆龍這一勸，反倒不好意思起來，強忍下這股悶氣。

樓上殘席早已重整，周兆龍牽著蕭翎和劍門雙英，同坐一桌。

裴百里搶過酒壺先倒了一杯酒，站起說道：「蕭兄，咱們初度見面，兄弟先敬一杯。」

蕭翎已有戒心，緩緩站了起來，正待舉手去接酒杯，突聽一聲微響，一枚隱泛藍光的銀針，刺入了酒杯之中，同時耳際響起了一個嬌若銀鈴的笑聲，道：「好啊！客人還未到齊，你們就喝起酒來，我瞧哪一個有臉子，敢把那杯酒喝下肚去。」

轉頭望去，只見一個身著紅衫紅裙的妙齡少女，斜倚在樓梯口處，咯咯大笑。

周兆龍起身一個長揖，道：「三姑娘好俊的輕功，咱們這樣多的眼睛，竟然未見三姑娘幾時上了樓來。」

那紅衣少女笑容突然一斂，冷冷地說道：「周二莊主飛函相請，邀我來此，竟然是這等怠慢，那是顯然瞧不起我唐三姑了。」

周兆龍拱手陪笑，道：「唐三姑說的哪裏話，兄弟對四川唐門絕技，仰慕萬分，豈有存心怠慢三姑娘的道理，只因兄弟適才遇上了刺客，才致有失遠迎，失了禮數。」

唐三姑秀眉聳動，星目在劍門雙英臉上一轉，道：「有這兩位名劍在此，想那刺客，不死亦要傷在劍下了。」

裴百里心中早就不樂，唐三姑一現身就發出毒針射穿他手中酒杯，但礙於周兆龍的情面，不便發作，哪裏還能再忍受唐三姑的撩撥，冷笑一聲，接道：「四川唐門的暗器，威震江湖，這個咱們兄弟是早就聽說過了，今日見識姑娘這毒針穿杯的絕技，又開了一次眼界……」

唐三姑淡淡一笑，道：「好說，好說，你可是有些不大服氣嗎？」

裴百里話未說完，又被她接了過去，心中更是惱怒，臉色一變，慍道：「四川唐家的毒藥、暗器，雖然毒絕天下，但劍門雙英還未放在心上……」

唐三姑一面緩步行來，一面接道：「你如不信唐家的暗器之毒，那就不妨把手中一杯酒喝下去試試看？」

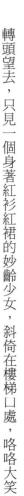

十二 江湖風濤

裴百里低頭一看，只見杯中之酒，已變成了一片紫黑之色，心頭駭然，但神情仍是十分鎮靜，冷笑一聲，道：「就算吃了這一杯藥酒，也未必能把我裴某人毒死。」

唐三姑淡淡一笑，道：「那就請吧。」

裴百里暗運內力，杯中毒酒突然化作一道細小的噴泉，飛起三尺多高，直向唐三姑櫻唇中射了過去，口中卻淡淡說道：「來而不往非禮也，在下先敬三姑一杯。」

只見唐三姑櫻口輕啓，吹氣如蘭，那射向櫻口的毒酒，忽然又折轉向裴百里酒杯之中射出。

這兩人各以上乘內功，逼出杯中毒酒，往返折射，蔚爲奇觀，只見樓上群豪個個凝神相注，目瞪口呆。

裴百里暗暗驚歎道：這唐三姑一個女流之輩，武功如此了得，江湖上只傳四川唐家的暗器，毒絕天下，未免是委屈他們。

唐三姑也爲對方的深厚內功所懾，暗自吃驚，心想：無怪這劍門雙英，能得周兆龍這般尊敬，果是名不虛傳，武林中只傳誦劍門雙英劍術，卻不料內功竟也是這般精純。

這兩人相互生出了敬仰之心，敵意頓消，相視一笑，齊齊坐了下去。

只聽周兆龍朗聲說道：「在下再替三姑娘引見一位朋友……」

指著蕭翎道：「就是這一位，鼎鼎大名的蕭翎蕭大俠。」

唐三姑秋波一轉，投注到蕭翎身上，他雖然衣著破舊，滿臉風塵之色，但卻掩不住那天生的秀拔英挺，不禁微微一笑，道：「江湖間盛傳那蕭翎，劍如神龍，人如玉，今日方知見面尤勝傳言許多。只可惜這身裝束，未免不夠風雅。」

周兆龍笑道：「蕭兄不願炫露，這般衣著，無非便於江湖之上行動罷了。」

只見唐三姑緩緩站起，伸出纖纖玉手，挽起酒壺，滿斟了一杯酒，輕啓櫻唇，笑道：「蕭相公布衣玩世，那正是名士風采，適才賤妾言語間多有得罪，奉敬一杯水酒，聊表歉意。」

眾目睽睽，她這般婉轉道來，直似旁若無人。

蕭翎有著手足無措之感，緩緩站了起來，茫然端了酒杯，說道：「唐三姑娘言重了。」仰臉喝了下去。

唐三姑一仰臉，也把杯中酒喝個點滴不剩。

她的爲人一向是我行我素，蕭翎破衣草履本不起眼，唐三姑原也未把他放在眼中，但經過一番仔細品量，卻不禁怦然心動，只見他輪廓端正，英華內蘊，清秀中含蘊一種剛健氣度，有著溫文爾雅的美，也有著豪情慷慨的英雄氣質，但最是撩人處，還是那一雙黑白分明，朗如寒星的眼睛，猶如深壑大海，霧裏冬陽，有時清澈照人，有時卻一片迷茫，叫人看不真切。

她幼小在唐門威名翼護下長大，行走江湖，任性放浪，武林中人，大都怕結怨唐門，對她都遜讓三分，十餘年來，養成一股驕狂之氣，有如脫韁之馬，心之所願，那是從不顧及旁人。

她既對蕭翎生出了好感，縱然在大庭廣眾之間，也是不多顧忌，緩緩站起身來，走到蕭翎身邊坐下。

蕭翎只覺一陣脂粉的幽香，撲入鼻中，不安地移動了一下身軀，正襟而坐。

無影劍譚侗冷冷地望了唐三姑一眼，緩緩站了起來，道：「兄弟也敬蕭兄一杯。」右手一伸，平托酒杯，遞了過去。

蕭翎想到適才他彈指襲穴一事，料想這杯酒定非好意，星目中寒芒一閃，暗自運起了乾清罡氣，護住身子，正待伸手去取，忽見一隻粉白皓腕，橫由身前伸過。

耳際間響起唐三姑的嬌笑，道：「這杯酒讓我替你喝吧！」

無影劍譚侗，五指暗蓄功勁，只待蕭翎接取酒杯時，暗點他的脈穴，卻不料半路裏忽然殺出個程咬金來，唐三姑橫裏插手，竟是代他喝酒，而且動作奇快，玉腕一伸，纖纖玉指，已搭在酒杯之上。

蕭翎一看唐三姑代行出頭，知她一番好意，只好坐著不動。

譚侗冷冷說道：「三姑娘如若想和在下拚酒，譚某人自是捨命奉陪，這杯酒是敬蕭兄的，三姑娘何苦要掃兄弟的面子？」

唐三姑道：「反正是一杯酒，誰喝也是一樣。」取過酒杯，一飲而盡。

譚侗臉色大變，但卻忍了下去，五指上蓄勁未發。

周兆龍眼看情形，愈來愈行緊張，再吃下去，勢非要鬧出事情不可，趕忙起身說道：「大莊主還在莊中相候諸位，咱們也該去了。」

也不容劍門雙英答話，舉手一揮，道：「回莊。」

四周群豪，紛紛站起，下樓而去。

劍門雙英臉上一片陰沉，隨著站起了身子。

唐姑娘卻依然是笑容滿面，隨著蕭翎身側下來。

店門口，早有人牽馬恭候，周兆龍欠身肅客，先讓劍門雙英上了馬，說道：「三姑娘坐的轎子，已經備好……」

唐三姑接道：「我要騎馬。」

側身低聲對著蕭翎，道：「劍門雙英處心積慮要暗算於你，不過，你和我走在一起，就不用怕他們了。」

蕭翎跨上馬鞍，周兆龍早已控緩在等候，道：「兩位慢慢走，兄弟要先行一步。」

唐三姑笑道：「咱們也該走啦！」一掌拍在蕭翎的坐馬上，和蕭翎並騎而行。

快馬如飛，轉眼間跑出了六、七里路。

只見周兆龍縱馬如飛而至，遙遙抱拳道：「有擾兩位。」

唐三姑道：「什麼事？」

周兆龍道：「小事情，有幾位武林同道，下顧敝莊，兩位請慢一點走，兄弟先回莊去，此事原本不願驚擾兩位，但恐兩位入莊之時，誤以為兄弟怠慢佳賓。」一帶韁，就要放馬疾奔。

蕭翎突然說道：「既是有人相犯貴莊，在下等亦當同去，或可略助一臂。」

周兆龍道：「區區小事，怎敢有勞蕭兄和三姑娘。」

蕭翎道：「彼此相交，正該如此。」

唐三姑道：「救人事急，咱們得快些走了。」一抖轀繩，當先縱馬急馳。

三匹快馬，急如流星閃電，飛奔在一條碎石鋪成的大道上。

這條路行人甚少，但修築得卻整齊寬闊，兩旁插柳植花，風物宜人。

繞過了一座突起的石崗，景物忽然一變。

觸目百花雜陳，五色繽紛，那寬闊大道，也至此而斷。

花叢後，轉出來好幾個青衣少年，垂手肅立道旁。

周兆龍一躍下馬，拱手笑道：「到了。」

唐三姑和蕭翎雙雙躍下馬背，幾個青衣人，伸手接過幾人坐馬，轉入右側花叢之中，消失不見。

蕭翎追隨莊山貝學藝數年，不但盡得莊山貝武功真傳，而且學得了易理五行，一看那雜陳百花行列分佈，已瞧出暗合五行之數，微微一笑，道：「寓奇陣於花樹之中，當真是高明的很。」

周兆龍眉宇間閃掠過一抹驚異之色，口中卻微微一笑，道：「雕蟲小技，蕭兄見笑了。」

蕭翎胸無城府，那周兆龍又是有意籠絡於他，處處討好，蕭翎如何能不跌入圈套之中，當下縱目四望，一面笑道：「正奇變化，相互爲用，如若這花樹陣中，再布上一些反五行，那就更見佳妙了。」

周兆龍心中大爲震駭，暗道：此人小小年紀，但卻身懷絕技，胸羅萬象，幸是他涉世未深，還未盡解江湖間的權謀運用，如是假以時日歷練，必將是武林中一代天驕人才，如果不能收爲己用，必得趁早殺之……

穿過十丈花陣，但見翠樹迎風，樓台亭閣，景物綺麗。

兩扇黑漆巨門，早已大開，只見十二個身著勁裝，懷抱雁翎刀的大漢，分列大門兩側。

只聽唐三姑嬌聲笑道：「啊喲！二莊主，這等重禮迎接，叫我們如何敢當。」

周兆龍笑道：「蕭兄和三姑娘駕臨敝莊，給足了兄弟的面子，自是應該大禮相迎。」

三人行近門前，十二個勁裝大漢，突然揮動手中雁翎刀，但見刀花一錯，紅綢子飄飄亂飛，十二人姿勢全變，右手單刀，斜指地上，左手立掌當胸，欠身垂首，神態恭謹無比。

蕭翎一時間，不知是否該答人之禮，不禁停了下來。

周兆龍大邁一步，挽著蕭翎的左手，說道：「蕭兄請啊！」並肩而入。

進得大門，樂聲忽起，十二個分執絃管樂器的彩衣少女，緩緩奏起細樂。

周兆龍側身讓蕭翎行前半步，穿過一道白石鋪成的小徑，步入大廳。

大廳中極盡豪華，紅氈鋪地，白玉做壁，雕樑畫棟，四個身著白綾的垂髫美婢，手捧玉盤，款步迎來。

周兆龍肅容讓客，笑道：「兩位請稍坐片刻，兄弟去請大莊主來。」

蕭翎道：「如此大禮相待，兄弟心已不安，如何還能驚動大莊主。」

心下暗自狐疑，想道：方才說是有人犯莊，但我一路行來，不見半點跡痕，想來那來訪之人，定是百花山莊的朋友了，下人傳事不明，才有誤報。」

周兆龍道：「不瞞蕭兄和三姑娘說，在下義兄，一向很少見客，但蕭兄乃名重一時的大俠，兄弟有幸攀交，三姑娘武林世家，門望盛譽，百年不衰，自是又當別論了。」

轉身行了幾步，突然又停了下來。

原來，他突然想到自己一走，蕭翎如若問起這百花莊的底細，唐三姑口沒遮攔，洩露了自己身分之秘，大有不便，目下和蕭翎初交不久，對他為人性格，尚未瞭解，唐三姑一洩底細，蕭翎或即將拂袖而去，這一場用心，豈不是白費了。

當下舉手一招，喚過一個美婢，低言數語，那美婢匆匆出廳而去，自己卻重又退了回來，拱手一笑道：「兄弟一去，實有怠慢佳賓之嫌……」

蕭翎接道：「周兄儘管請便。」

周兆龍道：「我已著人去請大莊主。」

唐三姑笑道：「百花山莊二莊主這般的屈己待客，我還是初次見到。」

周兆龍道：「兄弟和蕭兄雖是初交，但卻一見如故，但願蕭兄能折節下交，也把我周某人當個朋友看待……」

蕭翎急急接道：「兄弟得周兄垂顧，幸何如之。」

這時，三個白衣美婢，行了過來，手托玉盤，奉上香茗。

唐三姑大眼睛轉了兩轉，忽然問道：「貴莊中全無警兆，犯莊之人，可是退走了嗎？」

周兆龍道：「江湖之上，雖是難免是非，但冤家宜解不宜結，敝莊……」

唐三姑道：「哼！武林中有誰不知你們兩兄弟居心……」

周兆龍重重咳了一聲，接道：「三姑娘此次雖是應了兄弟之邀，束裝東來，但得以結識蕭大俠，可算得不虛此行，日後兩位並騎江湖，英雄佳人，珠聯璧輝，定然將大大哄動武林。」

唐三姑只覺心中一甜，回眸望著蕭翎一笑，道：「只怕我沒有這好福氣。」

蕭翎心中若有所覺，但卻又不全然明瞭，怔了一怔，道：「好說，好說……」

正自苦思不出措詞，瞥見一個白衣小婢，急奔而入，步履矯健，分明是身懷武功，直奔三人身前，欠身說道：「大莊主在望花樓恭候佳賓。」

周兆龍一揮手，道：「知道啦！」

起身抱拳對蕭翎一禮，道：「有勞蕭兄登樓一行，兄弟心甚不安。」

蕭翎道：「兄弟應該拜見大莊主。」

周兆龍當先帶路，穿過了二重庭院，但見奇花羅布，環繞著一座青石砌成的高樓。

蕭翎約略一眼，暗估那石樓要高在九丈以上，工程宏偉，異常壯觀。

周兆龍帶兩人拾梯而上，直登樓頂。

蕭翎心中暗數，這石樓共有一十三層，每一層都有一人把守，把守之人的年歲，越到上層越大，到了十二層樓，守門之人，已是個髮鬚皆白的老叟了。

七層之前的守門人，還對周兆龍欠身作禮，愈高愈冷漠，十層之上的守門人，竟是望也不望周兆龍一眼，看樣子，不攔他已然是很給面子了。

蕭翎心中想道：這大莊主不知是何等人物，氣魄如此之大？

忖思之間，已登上了第十三層。

周兆龍搶先一步，抱拳說道：「拜見大哥。」一撩衣襟，似要跪拜。

只聽一個微帶沙啞的聲音，說道：「不用施禮了。」

蕭翎轉目看去，只見北面壁間靠窗處，一張雕花的檀木椅上，坐著一個黑鬚及腹，儒巾長衫，駝背的中年文士，面色紅潤，豐頰隆額，濃眉海口，氣度威嚴，凜凜然懾人心神，如若他不是駝背，神態將更見肅穆。

周兆龍放下衣襟，欠身行到那人身側，指著蕭翎道：「這位就是小弟結交不久的蕭翎蕭大俠。」

駝背文士微笑頷首道：「後起之秀，果是神采不凡。」

蕭翎聽他口氣托大，不由激起傲氣，右手微微一揮，道：「兄弟蕭翎，請教老兄貴姓？」

周兆龍臉色微變，心中暗叫糟糕，生恐大莊主突然變臉，下令逐客，他熟知大哥性格，此事幾乎是定而不移。

但事情卻大大地出了他意料之外，那駝背文士微微一笑，道：「在下沈木風，號稱血影子，你滿意了吧？」

蕭翎淡淡一笑，道：「原來是沈兄，久仰，久仰。」

唐三姑嬌軀微微顫動了一下，她雖知百花山莊盛名，向為江湖視作畏途，但卻不知百花山莊的大莊主，竟然是江湖上人人畏懼的血影子，當下欠身說道：「小女子常聽祖母談起沈老前……」

她本想說老前輩，但話將出口之際，突然想起自己和周兆龍平輩論交，這血影子是他義兄，自己如若叫聲沈老前輩，豈不自貶身分。

沈木風似是知她心中之難，淡淡一笑，道：「在下和唐老太太，有過數面之緣，但武林無長幼，咱們各交各的朋友就是。」

舉起雙手突然互擊一掌。

只聽一陣軋軋之聲，屋壁間，突然裂現出一扇門來，四個身著紅衣的美艷少女，每人手中捧著一個錦墩，款步分行到幾人身側，放下錦墩。

沈木風微微一笑，道：「兩位請坐。」

蕭翎首先移步，大模大樣地坐了下去。

唐三姑嫣然一笑，也隨著坐了下去。

沈木風回顧了周兆龍一眼，道：「二弟也坐下吧！」

周兆龍道：「謝大哥賞坐。」

行近錦墩，正襟挺胸地坐了下去。

蕭翎暗暗忖道：這兩人雖是稱兄道弟，但這周兆龍對這血影子的敬畏，似是尤過師徒。

忖思之間，瞥見那裂開的石門中，又走出四個綠衣的美豔少女，每人手中托著一個玉盤，盤上放著一只瓷杯，分行到四人身前，屈下雙膝，高高舉起玉盤，頂在頭上。

蕭翎心想這沈木風好大的排場，當先伸手入盤，取過瓷杯，打開蓋子，立時有一股清香之氣，衝入了鼻中。

低頭看去，只見杯中一片深綠的濃汁，也不知是什麼東西，酒不像酒，茶不像茶。

沈木風掃掠了蕭翎和唐三姑一眼，道：「不知兩位駕臨寒莊，未備美味待客，請吃千年松參茶，聊表在下待客之誠。」當先舉起瓷杯，一飲而盡。

緩緩把目光移注到蕭翎的臉上，道：「蕭老弟出道不過年餘時光，但已聲名大噪武林，想必是身懷絕世之技了？」

蕭翎正待否認，那聲名大噪武林的蕭翎，是另有其人，並非自己，沈木風已接口說道：「不知蕭老弟，可否顯露出一、兩種絕技，讓在下也開開眼界。」

周兆龍道：「蕭兄的武功，兄弟是親眼看到，還望能給我們兄長一個薄面。」

蕭翎目光一轉，只見四個綠衣少女，並肩站在靠壁之處，心中忽然一動，想起柳仙子窮盡了數年苦功，研練而成的一種絕技「迴旋指力」。

當下舉手對著一位綠衣女一招，說道：「請借姑娘玉盤上的瓷杯一用。」

那綠衣女望了沈木風一眼，才款款行近蕭翎身側，屈膝跪下，雙手舉起玉盤。

蕭翎伸手取過一只瓷杯道：「兄弟如若失手，諸位不要見笑。」

這番話雖是謙詞，其實也是實情，他雖得莊山貝、南逸公、柳仙子三人傳授，但自己究竟有了幾成火候，學得多少，心中卻茫然不知。

周兆龍笑道：「蕭兄不用謙辭，兄弟等拭目一觀。」

事情已如滿弦之箭，不得不發了，蕭翎心中雖無把握，也只有硬著頭皮挺了下去，緩緩站起了身子，暗運內力，手腕一振，一只瓷杯，穿窗飛了出去。

唐三姑暗暗歎息一聲，忖道：這等拙劣的暗器手法，也敢拿出來丟人現眼。

她心中對蕭翎情意真切，對他的榮辱，關懷異常，眼看蕭翎竟以此等平淡無奇的暗器手法，打出瓷杯，心頭難過至極。

那瓷杯飛出窗外，有如投海泥牛，半晌不聞聲息。

周兆龍臉上微現訝然之色，望了蕭翎一眼。

沈木風神態肅穆，一語不發，他爲人一向陰沉，別人也無法看出他心中是怒，是樂，就是那追隨他十餘年的拜弟周兆龍，也是無法預測他的喜怒。

望花樓一片靜寂，靜的可聽得心跳聲音。

蕭翎心頭暗急，忖道：糟糕，莫非是用錯了暗勁，那瓷杯直飛而去，或是力道用的不夠，瓷杯認向不準，中途碰上了什麼物體撞碎，這個醜可是出得大了。

正自焦慮之間，忽然沈木風臉色一變，側身讓開窗口。

只聽呼的一聲，一團白影，由沈木風身後窗中飛了進來，直向蕭翎撲去。

唐三姑驚叫一聲，正待揚腕發出暗器，蕭翎右手已突然疾伸而出，道：「三姑娘不用驚駭，這是瓷杯。」

凝神望去，只見蕭翎手中托著的，正是那只擲出窗外的瓷杯。

樓上又是一陣沉寂，但這次沉寂，卻和上次不同，是驚駭的一種沉寂。

半晌之後，周兆龍才長身而起，抱拳一禮，道：「名不虛傳，蕭兄這驚世駭俗的武功，讓人歎爲觀止矣，兄弟又開了一次眼界。」

唐三姑長長吁了一口氣，粉臉上綻開出如花笑容，道：「我們唐家世代以暗器馳名武林，但我卻未見過這樣手法。」

沈木風微微頷首，道：「數十年前，有一位巾幗女傑柳仙子，以輕功、暗器、修羅指，名震武林，號稱武林三絕，在下出道晚了幾年，未能得睹那柳仙子的風采，但蕭兄這等迴旋暗器的手法，縱然柳仙子重臨江湖，只怕也要自歎弗如了。」

蕭翎心中暗道：這暗器手法正是柳仙子傳授之技，除她之外，世界上人只怕再也無人有這奇奧的暗器手法了，口中卻微笑說道：「諸位過獎。」

緩緩將手中瓷杯，放入玉盤之中。

只見沈木風舉手一招，那托著玉盤的綠衣女，立時急步行了過去，沈木風伸出右手，取過一只瓷杯言道：「在下也用這一只瓷杯獻醜。」

緩緩伸出左手，掌心托著瓷杯，此人除了駝背之外，玉面長鬚，生相十分俊雅，纖長手指，瑩白如雲。

只見他五根瑩白的手指，逐漸由白泛紅，片刻之後，成了一片血赤，掌中瓷杯，也漸漸泛起一片殷色。

大約有一盞熱茶工夫，沈木風掌指上的紅色，逐漸退去，又恢復那瑩白之色，但那雪白的瓷杯，卻變成了一片灰白，沈木風輕輕一吹，掌心瓷杯突然化作一陣細灰，飄落一地。

蕭翎心頭駭然，暗暗驚道：是什麼內功，如此厲害？

但聞沈木風朗朗一笑，道：「獻醜，獻醜。」

舉手一揮，道：「擺酒。」

周兆龍先是一怔，繼而微微一笑，走近蕭翎身旁，低聲說道：「望花樓乃大莊主靜修之地，平常之人，難得登上一步，在此地設筵待客，那可是從未聞過之事，足見大莊主對蕭兄的推崇了。」

蕭翎口中謙遜道：「得蒙莊主如此盛情款待，兄弟甚感不安。」心中卻是暗自忖道：這又有什麼稀奇之處，也值得這般鄭重，令兄也不過是一個莊主而已。

但聞細音傳來，十分悅耳動聽，一對美艷小婢，魚貫由那壁間門戶中走出，送上餐具桌椅，桌椅剛剛擺好，酒菜隨著上來。

沈木風緩緩站起身子，蕭翎暗暗吃了一驚，原來此人身體奇高，這一站，足足有九尺以上，如若不是駝背，只怕要一丈開外了。

周兆龍拱手笑道：「蕭兄請入上座。」

蕭翎道：「這個兄弟如何敢當。」

沈木風道：「百花山莊，立莊以來，蕭兄是我沈某人第一次在這望花樓上歡筵的佳賓。」

蕭翎道：「兄弟亦甚感榮寵。」

沈木風微微一笑，坐了下去，唐三姑卻傍著蕭翎一側坐下。

沈木風、周兆龍，各坐一方相陪。

席間的佳餚美味，無一不是珍品，蕭翎雖然出身官宦世家，吃過不少罕奇之物，但這筵席上的東西，卻大都是未曾品嚐之物，只覺吃來味美可口。

一席酒罷，沈木風起身送客，抱拳對蕭翎笑道：「在下身體有些不適，還未療養復元，恕我不送下樓了。」

蕭翎一揮手，道：「不敢勞動大駕。」轉身大步而行。

周兆龍緊行一步，走在蕭翎身側，笑道：「蕭兄那迴旋暗器手法，當真是技絕人世，兄弟今日還是初次聞見，如若蕭兄不吝絕技，還望今後能指點一、二。」

蕭翎正自為難之際，唐三姑卻接口說道：「此等師門絕技，蕭兄未得師父允准之前，只怕是不能隨便傳人。」

周兆龍微微一笑，道：「兄弟只不過是一句玩笑之言，蕭兄不用認真。」

唐三姑此刻已然心向蕭翎，怕他承擔下來，以後難以改口，當下重重地咳了一聲，道：「奇怪呀，怎麼未見那劍門雙英，他們哪裏去了？」

周兆龍心中雖然恨她打岔，但卻話題已被岔開，自是難再接上，只好微微一笑，道：「劍門二英，已被兄弟派人引入別院休息，唐姑娘可是想見見他們嗎？」

要知蕭翎那「迴旋指力」，打出暗器的手法，乃武林從未聞見之學，周兆龍原想趁他幾分酒意，用話擠著他承諾下來，好叫他無法反悔，卻不料唐三姑從中打岔，叫他心願難償。

唐三姑道：「誰稀罕見他們了。」

周兆龍搶前一步，把蕭翎和唐三姑帶入一座風景幽美的跨院之中。

這百花山莊，佔地不下百畝，莊院遼闊，放眼望去，但見亭台樓閣，不知有多少院落。

百盆奇種蘭花環繞著一座精細的瓦舍，紅牆綠門，極盡華麗。

兩個容色嬌艷的翠衣小婢，早已迎候門前，見三人緩步行來，齊齊跪了下去。

周兆龍微微一笑，道：「這座蘭花精舍，乃敝莊貴賓下榻之處，不知蕭兄是否看得上眼？」一面說話，一面舉步入室。

蕭翎道：「蕭翎有何德能，承蒙如此款待，實叫兄弟難安。」

周兆龍道：「蕭兄能夠看得上眼，兄弟就大感榮幸了……」

語聲微微一頓，接道：「蕭兄一路風塵勞累，也該早些休息了，兄弟不多打擾……」目光一轉，掃掠了兩個翠衣小婢一眼，道：「好好侍候蕭爺，如果有怠慢貴賓之處，你們就別想活了。」

兩個翠衣小婢齊齊躬身應道：「奴婢等不敢。」

周兆龍欠身抱拳，說道：「蕭兄如有什麼需要，儘管支使這兩個丫頭，兄弟告退了。」

蕭翎還了一禮，道：「周兄儘管請便。」

周兆龍回顧了唐三姑一眼，道：「三姑娘的宿住之處，就在蕭兄這蘭花精舍西首的梅花閣，兄弟領先帶路！」

唐三姑望著蕭翎，嫣然笑道：「蕭兄休息吧！我要走了。」

蕭翎道：「三姑娘一路勞累，也是該休息一下。」抱拳送客。

周兆龍帶著唐三姑離開蘭花精舍，穿越過一段碎石小徑，直入梅花閣。

這梅花閣，顧名思義，滿植梅花，品類繁多，不下十餘種，看上去又有一番古雅清麗的景象。

梅花環繞中，有一座聳立的閣樓，兩個白衣小婢，早已迎候閣外。

蘭花精舍和這梅花閣，雖然是緊相連接，但因庭院廣大，精舍和閣樓，相距亦有十餘丈遠近。

周兆龍帶著唐三姑步入閣中，輕輕咳了一聲，笑道：「三姑娘，那蕭翎的人品如何？」

唐三姑常年在江湖之上闖蕩，雖還是姑娘身分，但卻是早已沒有了兒女情態，當下微微一笑，道：「嗯！英俊瀟灑，秀出群倫，比起你周二莊主，那是強得多了。」

周兆龍淡淡一笑，道：「不敢，不敢，兄弟從未對三姑娘存有非分之想。」

唐三姑笑道：「那是最好不過，要不然就要嘗嘗我唐家一十八種絕毒天下的暗器滋味。」

周兆龍道：「唐門一十八種絕毒暗器，不知三姑娘學會幾種？」

唐三姑道：「不怕周兄見笑，小妹麼，只會一十二種。」

周兆龍道：「了不起，一十二種絕毒暗器，那是足以行遍天下了。但不知唐家的暗器手法，比起那八手神龍端木正如何？」

唐三姑笑道：「那八手神龍端木正，我雖未曾見過，但卻聽家母說過，如說手法，或將是各有千秋，但如講到對敵傷人，端木正豈足以和我們唐家相提並論。」

周兆龍道：「願聞高見。」

唐三姑道：「唐家一十八種絕毒暗器中，有九種是小巧之物，落時無聲無息，且可一發數十枚，劇毒淬煉，見血封喉，諒那端木正也難以及得。」

周兆龍道：「領教了……」臉色突然一整，接道：「三姑娘接得在下函邀，肯翩然惠臨百花山莊，使蓬蓽生輝不少，但兄弟有一件事，如鯁在喉，不吐不快，還得望三姑娘大度包涵。」說話時神情嚴肅，鄭重其事。

唐三姑微一沉吟，道：「可是爲了蕭翎嗎？」

周兆龍道：「三姑娘說對了一成，因爲此事不但關係著蕭翎，而且也關係著你三姑娘，還牽扯我們百花山莊和區區在下，因此三姑娘只算說對了一成。」

唐三姑道：「你說吧，我洗耳恭聽。」

周兆龍道：「兄弟想和三姑娘來個君子協定，那就是，三姑娘和蕭翎的私人情事，兄弟不加過問，而且還一力促成，不過，也望三姑娘不與蕭翎談起，我百花山莊中的一切情事！」

唐三姑一皺眉頭，沉吟了一陣，說道：「如若他問起我呢？我既不能騙他，也不能推諉說是不知道啊！」

周兆龍道：「其實三姑娘知道的，也不過是百不及一，只不過是聽到江湖上一些傳聞罷了，如若是蕭翎問你，你盡可推到兄弟身上，要他問我就是。」

唐三姑道：「如若我說了，那要怎麼辦呢？」

周兆龍雙目精芒閃動，說道：「兄弟自然也要在蕭翎面前，說三姑娘的壞話了……」

唐三姑輕輕歎息一聲，道：「好吧！咱們就此一言爲定。」

周兆龍一抱拳，道：「三姑娘早些安息，兄弟告辭。」大步出閣而去。

再說蕭翎眼望兩人去遠，返身回入精舍，尚未坐下，一個翠衣小婢已捧了一杯茶送上，蕭翎接過茶杯，道：「有勞姑娘。」

那翠衣小婢欠身說道：「蕭爺這般稱呼我們，如被莊主知曉，定然難免一場好打，小婢叫玉蘭，她叫金蘭，蕭爺以後請呼叫我們名字就是。」

金蘭接口說道：「浴湯早已備好，蕭爺，可要沐浴一下嗎？」

蕭翎想到跋涉奔走，已然快兩天沒有洗澡，點頭笑道：「勞請帶路，在下也實該洗個澡了。」

金蘭轉過身子，款步行去，穿過敞廳，直入浴室，果是浴湯早已備好，蒸蒸熱氣上騰。

二婢魚貫退出浴室，蕭翎關好室門，才寬衣沐浴。

浴罷出室，二婢早已恭候在門外，金蘭捧過一套新衣，說道：「莊主吩咐奴婢等爲蕭爺備好了衣服。」

蕭翎剛剛換好新裝，玉蘭已推門而入，手托玉盤，盤上放了一杯人參蓮子湯，笑道：「蕭爺換著新裝，更見俊雅，奴婢等三生有幸，得以侍候蕭爺。」

蕭翎出身官宦世家，兒時身受婢女的侍候，尤有記憶，忍不住嗤的一笑，道：「你很會說話。」

玉蘭嫣然一笑，道：「不是小婢討好蕭爺，這百花山莊中，佳賓川流不息，倒也有不少瀟灑的俊雅人物，但如和蕭爺這一比較，實不啻天壤之別。」

蕭翎望了玉蘭一眼，笑道：「你們這百花山莊，不但風物絕佳，而且氣魄宏大，豪華瑰麗，雖王宮亦難比擬。」

金蘭掩口笑道：「蕭爺年少英俊，資兼文武，無怪能受我們莊主敬重，這蘭花精舍，一向是甚少迎客，就奴婢記憶所及，數年來，不過三次而已。」

蕭翎道：「這麼說來，你們百花山莊的迎客之處，是很多的了。」

玉蘭接口道：「就奴婢所知，除了這蘭花精舍之外，還有梅花閣、牡丹亭、翠竹軒等三處，百花山莊，一向是高朋滿座，賓客川流不息，但這蘭花精舍，卻是終年空著，很少人住過，但今年倒是兩度做迎賓之用，開前所未有的先例。」

蕭翎心中忽然一動，暗道：聽她之言，凡是能得住進這蘭花精舍之人，似是百花山莊極爲敬重的賓客，我和周兆龍不過是萍水相逢，初次論交，竟然得他們這般敬重？

心中在想，嘴裏卻隨口問道：「兩位姑娘可是常住在蘭花精舍中嗎？」

金蘭微微一笑，道：「是啊！凡是留住在蘭花精舍中的客人，都歸我們姊姊接待，百花山莊中，每一座待客閣軒中，都有專司待客之責的人。」

蕭翎道：「那你們可記得，上次居住這蘭花精舍的佳賓，是何等人物嗎？」

二婢沉吟了一陣，玉蘭才低聲說道：「莊中之秘，奴婢等本是不敢多言，但蕭爺正人君子，與眾不同，奴婢不能相欺，但也望蕭爺答應我們，今宵所言之事，不對外人談起，我姊姊才敢暢言所知。」

蕭翎好奇之心大起，點頭應道：「好吧！我不說出去就是。」

玉蘭道：「三個月前吧，那位留住這蘭花精舍的人，也極得我們莊主敬重，他叫宇文寒濤。」

蕭翎心中低吟道：宇文寒濤、宇文寒濤，啊！好熟悉的名字啊……

玉蘭看蕭翎凝目沉思，忍不住叫道：「蕭爺，你在想什麼？」

蕭翎如夢初醒般啊了一聲，道：「那位宇文寒濤，是什麼樣子的人物？」

金蘭道：「看上去四十多歲，儒巾長衫，黑髯及腹，蕭爺認識他嗎？」

蕭翎道：「這個名字很熟……」

玉蘭接道：「那宇文寒濤，有一個極其容易記起的特點，那就是他整日提著一個描金箱子，寸步不離，也不知那箱子裏放的是什麼珍貴之物，睡覺時枕在頭下，吃飯時放在身側，哼！生怕給別人偷了去似的！」

蕭翎只覺腦際中靈光一閃，五年前三元觀中的往事，一幕幕展現腦際，心馳神往，久久不言。

金蘭嗤的一笑，道：「蕭爺，你好像有很多心事，可要奴婢等爲你高歌一曲？」

蕭翎微微一笑，道：「不敢再多勞動兩位，二位自管休息去吧！」

二婢相互望了一眼，欠身辭去。

蕭翎隨手掩上了房門，盤膝坐在榻上，運氣調息，但覺重重疑雲，泛上心頭，竟是難以安心行功。

他毫無江湖閱歷，心中雖然覺著這百花山莊有些不對，但卻想不出哪裏不對。

突然間，亮起了一道閃光，緊接著雷聲大震，竟然下起雨來了。

蕭翎揚手一揮，一陣暗勁，湧了過去，熄去火燭，仰臥在床上，想著日來所聞所見，越想竟是越覺不對，自己言語中盡多破綻，那周兆龍似該早發覺自己並非那名震江湖的蕭翎。

那一十三層的望花樓中，似是到處佈滿著機關，守護是那等嚴謹，好像隨時都會有人攻襲一般。

他思緒如潮，難以入夢，不覺間，已然是二更過後，聽窗外雨聲淅瀝，更是毫無睡意，披衣而起，輕啓室門，步入庭院。他怕驚動了二婢，落步甚輕。

只覺一陣涼風，迎面吹來，心神陡然一清，抬頭望去，望花樓上，燈光明亮，似是那沈木風還未安歇。

閃光劃空而過，瞥見數丈外一條人影，漫步行來，匆匆一瞥面，蕭翎雖是有過人的目力，也不過只看出來人是一個嬌小的體形，當下一吸真氣，橫移數尺，貼壁而立。

只見來人也不隱蔽，竟是踏著石徑而來。

蕭翎究是初入江湖，沉不住氣，忍不住低聲喝道：「什麼人？」

那人影頓然而住，答道：「是我，你可是蕭兄嗎？」

柔音細細，赫然是唐三姑娘的聲音。

蕭翎迎了過去，道：「深更半夜，你不睡覺，跑來這裏做甚？」

唐三姑低聲說道：「說話聲音低些，不要驚動了那兩個丫頭，百花山莊中，人人都是會家子，耳目極是靈敏……」

不容蕭翎接口，又搶先說道：「你又爲什麼不睡呢？」

蕭翎道：「我睡不著，想在雨夜中散散步。」

唐三姑微微一笑，道：「那咱們就在雨中走走如何？」

蕭翎心中正悶著重重疑問，暗道：她雖是女流之輩，但出身武林世家，見聞甚廣，倒是不妨向她請教一些疑難。當下舉步，向一片花叢中行去。

唐三姑冒雨而來，全身衣服，已然淋濕，但見蕭翎的衣服，未爲雨淋，伸手牽著蕭翎左腕，道：「咱們到那邊花架下去，別要淋濕了衣服。」

蕭翎知她是一番好心，也不便拒絕，只好任她牽著行去。

兩人剛剛奔入花架下，突見一道紅光沖天而起，升高約七、八丈後，爆開了一片火花。緊接著，亮起數盞紅燈，高高挑起。

蕭翎凝目望去，只見那數盞高挑的紅燈，忽沉忽升，不停地移動。

唐三姑輕輕一扯蕭翎的衣服，道：「有人摸進了百花山莊，如若不找到咱們跟前，你就不要多管閒事，因爲咱們如若擅自出手，不但難以使那周兆龍心生感激，反將招引起他們多疑之心。」

蕭翎奇道：「爲什麼？」

唐三姑道：「他不願咱們知道這百花山莊中太多的秘密。」

蕭翎輕輕嗯了一聲，道：「三姑娘的高論不錯。」

定神看去，風雨中只見那紅燈忽沉忽起，忽左忽右，但卻聽不到一點聲息。

唐三姑看那紅燈，沉浮移動，久久不停，又輕聲對蕭翎說道：「來人武功甚高，看樣子，恐一時之間，還難擊退，嗯！是啦，這些人定然白晝來探過道，對這莊中的佈置，雖然未必能瞭若指掌，但卻有了大略的瞭然。」

她似是要在蕭翎面前表現出她的廣博見解，微微一頓，又接著說道：「這些人，似是想攻向那望花樓。」

十三　義結金蘭

蕭翎仔細看去，果然發覺高挑的紅燈，都緩緩集中向望花樓。

這時，那望花樓上的燈光，早已熄去。

只聽一陣嬌嫩呼叫之聲，傳了過來，道：「蕭爺……」

蕭翎一皺眉頭，大步出了花架，道：「玉蘭嗎？」

一陣急促的步履之聲，傳了過來，道：「正是小婢。」聲落人到，玉蘭、金蘭聯袂而至，一色絹帕包頭，勁裝佩劍。

金蘭目光一掠唐三姑，道：「姑娘也在此地，那是最好不過。」

唐三姑道：「我剛到不久。」

玉蘭微微一笑，道：「小婢等適才接得二莊主傳來的口諭，問兩位是否有興致去看看熱鬧，如是有此興致，奴婢們即刻帶兩位前往，如是沒有興致，兩位請早些休息。」

蕭翎看那高挑紅燈，突然沉落下去，只餘一盞，在夜暗風雨中移動，不禁動了好奇之心，道：「既是周二莊主相請，我等自是應該去瞧瞧才對。」

玉蘭道：「蕭爺既有興致，奴婢等走前一步，替兩位帶路。」

蕭翎道：「不要慌。」飛步奔入臥室，取了隨身帶來之物，才隨著二婢行去。

二人行速甚快，地勢又熟，只見她們穿花繞樹，片刻間，已到了望花樓下。

蕭翎抬頭望去，只見一個身軀魁梧的勁裝大漢，手中高舉著一盞紅燈，周兆龍仍然是穿著一身華麗衣服，赤手空拳，但他身後卻排列著一行懷抱利刃的勁裝大漢。

但見玉蘭腳步加快，兩個飛躍，人已到周兆龍的身前，欠身說道：「蕭爺和三姑娘大駕已到。」

周兆龍轉身迎了過來，笑道：「有擾兩位清興，兄弟不安得很。」

蕭翎道：「言重了，那犯莊之人哪裏去了？」

周兆龍笑道：「已進了望花樓。」

蕭翎道：「周兄，何以不攔住他們呢？」

周兆龍笑道：「他們指名要闖望花樓，如若不讓他們試試，只怕他們死也難以瞑目。」口氣平和，行若無事一般。

但見火光閃動，望花樓一十三層，同時亮起了明亮的燈光。

周兆龍低聲笑道：「蕭兄和三姑是否想登樓去瞧瞧他們的搏鬥？」

蕭翎按不下好奇之心，說道：「如是可以的話，兄弟倒是想登樓見識一番。」

周兆龍笑道：「好吧！咱們就上樓去看看吧！」

回顧身側的玉蘭、金蘭一眼，說道：「你們回蘭花精舍去吧！」

二婢躬身一禮，返身而去。

目光一轉，掃掠了那些懷抱利刃的勁裝大漢一眼，接道：「你們守在樓下，如若那登樓之人，能夠全身下樓，便送他們出莊，不許留難。」

蕭翎只聽得暗暗讚道：這周兆龍的氣度，果然非常人能及。

只見周兆龍雙手抱拳，微微一笑，道：「蕭兄和三姑娘請。」

唐三姑正待謙辭，瞥見蕭翎已大步進了望花樓，立時舉步緊隨蕭翎身後而入。

周兆龍負起雙手，走在最後。

蕭翎凝目望去，只見那守護第一層樓的勁裝人，面色蒼白，靠在壁上，手中一柄鋸齒刀，垂在地上，右臂間鮮血濕透了大半個衣袖，顯是受了重傷。

周兆龍對那傷者淡淡一笑，道：「怎麼？他們上了第二層嗎？」言詞間，既無慰問之意，亦無代他療治傷勢之心。

那大漢掙動了一下身軀，說道：「奴才無能，擋不住那來犯之敵……」

周兆龍接道：「不要緊。」牽著蕭翎，登上了第二層樓。

只見那守門之人，盤膝坐在地上，身前放著一把奇形外門兵刃萬字梅花奪，雙眼眼角和兩個嘴角間，尚在滴著鮮血。

周兆龍微微一皺眉頭，沉聲問道：「來人呢？」

那人道：「奴才中了一掌，傷及內腑，被他們衝上去了。」
周兆龍道：「蕭兄，咱們上三樓看看。」拉著蕭翎，奔上三樓。
三樓上打鬥痕跡猶新，那守樓的勁裝大漢，抱著左臂，靠在一張木桌上。
周兆龍不再問那傷者，拉著蕭翎直登四樓。
燭光照耀之下，只見那守樓大漢，仰臥在地板上，全身有四、五處創傷，仍在流著鮮血。
一陣兵刃的交擊之聲，由五樓傳了下來。
周兆龍道：「蕭兄，來人正在五樓，咱們快些去看。」
但聞樓上兵刃的撞擊之聲，十分猛烈，顯是惡戰已到了緊要關頭。
蕭翎翻身一躍，直奔五樓。
五樓上正展開著一場猛烈的惡戰，劍花錯落，刀光如雪，裹起了兩條人影。
靠在樓梯口處，站著一個胸垂花白長髯的老者，右手握著一個李公拐，另一個三旬左右的大漢，手中橫著一柄長劍。
那老者神態沉著，望了周兆龍和蕭翎等一眼，仍然不動聲色，但那大漢卻有些沉不住氣，長劍一揮，擋住了三人。
蕭翎走在最先，那大漢伸來長劍，劍尖直逼蕭翎的胸前，不及半寸，蕭翎心中極是厭惡，冷冷地說道：「拿開。」
左手一拂，暗蓄修羅指力，彈在劍身之上。

但聞錚的一聲，那大漢手中長劍，突然脫手飛了出去，撞在牆壁上。

在場之人，無一不看的暗暗驚心，他這隨手彈指一拂，竟然能使對方緊握的兵刃，脫手飛出，除了少林的一指禪功外，世間還很少聞到此種驚人的指上功大。

那握劍大漢，長劍被蕭翎彈指一擊，脫出手後，驚奇、慚愧，交集心頭，呆在當地，說不出話，良久之後，才愕然一聲長歎，退到那老者身側。

只見那花白長髯的老者，一頓手中的李公拐，道：「住手！」聲若突發的焦雷，震得人耳際嗡嗡作響。

那交錯的劍光刀影，乍然分開，現出兩個人來。

一個二十上下，全身勁裝的英俊少年，手中握著一柄長劍，另一個四旬左右的大漢，手中橫著一柄厚背薄刃的鬼頭刀。

那握劍少年欠身說道：「師父有何訓教？」

那老者長歎一聲，道：「百花山莊中藏龍臥虎，今生只怕已難報你爹爹的大仇了。」

那少年雙目中滾下來兩行熱淚，道：「爲人子者不能手刃親仇，還有何顏立足人世。」長劍一揚，疾向頸上抹去。

那老者揚手一揮，一股暗勁衝了過去，正擊在那少年右肘間的曲池穴，那少年但覺手肘一麻，長劍脫手落地，那老者冷笑一聲，道：「好啊！你可想死給爲師的看嗎？」

那英俊少年一屈雙膝，跪了下來，道：「弟子，弟子……天膽也不敢有此用心。」

那老者臉上泛現出悲憤之容，長歎一聲，道：「孩子，撿起兵刃，咱們走！」
那少年不敢再出言頂撞，撿起長劍，退到那老者身側。
蕭翎只看得如墜在五里雲霧之中，茫然不知所措。
只見那老者回過頭去，對蕭翎一抱拳，道：「請教兄台高名上姓？」
蕭翎道：「在下蕭翎。」
那老者先是微微一怔，繼而說道：「原來是蕭大俠，老朽今宵承蒙教訓，終生感激，青山不改，綠水長流，咱們後會有期。」
回顧了身後兩個弟子一眼，接道：「咱們走！」鐵拐觸地，當先行去。
那大漢、少年，臉上泛現出困惑、迷惘的神色，但見師父忿忿而去，只好緊隨身後而行。
三人去如飆風，眨眼間走得蹤跡全無。
蕭翎一皺眉頭，道：「周兄，這三位是何等人物？」
周兆龍笑道：「江湖上盡多狂妄之徒，蕭兄不用理他們，也就是了。」
唐三姑突然接道：「那老頭子好像是傳說中的跛俠常大海……」
周兆龍冷冷瞪了唐三姑一眼，道：「兄弟從未聽過此人之名。」
唐三姑已然警覺，住口不言。
蕭翎道：「跛俠常大海，這人既有俠名，那自然不會是壞人了。」
唐三姑想到和周兆龍相約之言，當下微微一笑，道：「我只聽母親提過此人之名，但是不是他，那就不清楚了。」
周兆龍道：「蕭兄的大名，已然震動武林，這三人知難而退，算他們運氣不錯。」
蕭翎道：「好說，好說……」
周兆龍道：「被這三人一擾，打攪了兩位的安歇，此刻時光已是不早，蕭兄和三姑娘也該早些休息了。」
當先帶路，直把蕭翎送回蘭花精舍才告辭而去。
金蘭、玉蘭，早已恭候室中，屈下一膝，替蕭翎脫下靴子，笑道：「蕭爺可想吃些夜點？」
蕭翎一揮手，道：「不用了，你們去睡吧！」
金蘭一笑而去，玉蘭卻在室內一張木椅上坐了下來。
蕭翎又待催她去，玉蘭已搶先說道：「蕭爺儘管上榻休息，小婢守在這裏等候使喚。」
蕭翎兩手亂搖道：「孤男寡女，長夜漫漫豈可同處一室，這不行，你快退出去，你坐在這裏，我睡不著。」
玉蘭緩緩站起身來，神色黯然，雙目中流露出無限的憂苦，欲言又止地款步退了出去。
蕭翎不願再和她搭訕，雖然看出她神情有異，但也不願多問，關上房門，登榻休息，心中暗暗地想道：這兩個丫頭似是有些不對，明日得告訴周兄，另行換兩個來。念轉意定，閉目睡去。

這一覺睡得十分香甜，醒來天已大亮，著衣起床，打開室門，金蘭、玉蘭晨妝早罷，相候室外。

二婢今天換著了一身銀紅短裝，明艷照人，巧笑倩兮，齊齊躬身，嬌聲說道：「蕭爺早安。」

蕭翎笑道：「不用了，你們這百花山莊好大的規矩。」

玉蘭道：「婢子們如若侍候不好，要受二莊主的責打，但得蕭爺快樂，小婢等是萬死不辭。」

蕭翎不願和二婢糾纏，說道：「我要到室外走走，你們不用跟著我了。」舉步出室。

但見花色絢爛，蘭香撲鼻，心神為之一暢，漫步向花間走去。

昨夜陰雲早散，東方天際，旭日初升，金黃色的陽光，照在露珠上，閃閃生輝，有如千萬顆珍珠，散在五色繽紛的花葉上。

蕭翎徘徊在花叢中，心神一清，腦際登時泛升起重重疑雲。

他感覺，這座美麗的百花山莊，似是潛伏著無數的隱秘，籠罩著一層神秘的氣氛。

那大莊主沈木風，口頭上雖和周兆龍稱兄道弟，但那周兆龍對他的敬畏，卻尤過父子師徒。

那金蘭、玉蘭二婢，看上去端莊秀麗，但舉動卻又是那般放蕩輕浮……

正忖思間，突聽一陣朗朗的笑聲傳了過來，道：「蕭兄，怎不多睡一會兒，可是那兩個丫頭侍候不周嗎？」

蕭翎轉頭望去，只見周兆龍一襲青衫，緩步行了過來，只好迎了上去，拱手笑道：「二位姑娘的禮數太多……」

瞥見二婢，並肩站在丈餘外傍花而立，柳眉輕鎖，滿臉哀愁，目光中流現出無限驚恐，他本想說二婢禮數太多，兄弟深覺不慣，要周兆龍調換兩個新人，但見二婢那樣驚恐之色，不自覺改口說道：「兄弟承蒙這般款待，心中不安得很。」

周兆龍笑道：「大莊主心感蕭兄昨宵代爲逐敵之情，特命兄弟邀請蕭兄再上望花樓頭一敘，兄弟未便驚擾蕭兄的好夢，不敢早來打擾。」

蕭翎心中暗想：他如果真是感激於我，爲什麼不肯移樽就教，卻要我上樓一敘。口中卻應道：「兄弟去梳洗一下，周兄請稍等片刻。」

大步奔入室中，二婢早已備好面水，蕭翎匆匆梳洗完畢，隨著周兆龍同向望花樓去。

周兆龍心思縝密，默查蕭翎神色，已料到他心中所思，不待表示，搶先說道：「大莊主身體不適，尚未完全康復，不能親來相請，特命兄弟向蕭兄致歉。」

這一來，蕭翎倒覺著不好意思起來，急急說道：「周兄言重了。」

周兆龍微微一笑，道：「大莊主自養痾望花樓以來，從未接見過賓客，獨獨對蕭兄這般看重，確實從未有過之事。」

談話之間，已到了望花樓。

周兆龍帶著蕭翎，直登上十三層樓。
沈木風早已在樓門口處，微笑相迎。
蕭翎一抱拳，道：「承蒙寵召，不知有何見教？」
沈木風笑道：「昨宵承蒙代退強敵，在下甚爲感激。」
蕭翎道：「區區小事，何足掛齒。」
目光轉動，覺出這樓上，和昨日有些不同。
原來，靠東面壁間，垂著一幅八尺寬的黃綾幔子。
沈木風肅客入座後，說道：「周二弟昨宵談起蕭兄，對蕭兄的武功爲人，敬佩的五體投地，言中之意，頗有高攀蕭兄的用心！」
蕭翎茫然說道：「什麼事？」
周兆龍接道：「大莊主亦覺著蕭兄才華絕世，爲百代難見之才，有心結盟相交，不知蕭兄意下如何？」
蕭翎怔了一怔，道：「這個兄弟如何能高攀得上兩位，我不過是一個末學後進……」
周兆龍接道：「昔有劉關張桃園結義，患難與共，留下千古美談，兄弟等不才，也不願古人專美於前。」
蕭翎暗暗想道：這兩人突然對我這般器重，不知是何用心，難道當真是爲了我的武功高強？

他雖身兼三位異人之長，但自己仍是不明白，自己武功究竟到了何等程度，在武林該列名第幾流中人物。

周兆龍伸手拉開黃綾垂幔，只見一幅桃園三結義的畫像，掛在壁間，壁前的香案上，早已擺好四色禮品，和一大碗好酒，兩支高大的紅燭，分列畫像兩側。

看樣子是只要蕭翎答應，立時就可以各敘年庚，結作兄弟。

周兆龍雙目凝注在蕭翎的臉上，緩緩說道：「蕭兄是否看得起我們兄弟，還望明言賜告。」

蕭翎沉吟了一陣，道：「這個得讓兄弟考慮考慮，才能答覆。」

沈木風臉色微變，道：「此等結盟相交的事，豈可強人所難，蕭兄如不願和咱們結作兄弟，也就算了。」

這是個極為尷尬的場面，沈木風、周兆龍四道目光一齊盯注在蕭翎的身上，那周兆龍目光之中，更是流露出無限的乞求之色，沈木風卻是神色如常，叫人無法看出他心中之意。

蕭翎輕輕咳了一聲，站起身子，道：「兩位這般看重兄弟，兄弟如再推辭，那是不近情理了。」他年輕面嫩，雖覺事出突然，卻是難以堅持，被兩人情面困擾，竟是答應了下來。

沈木風那毫無表情的臉上，綻開了一片笑容，道：「蕭兄弟但請放心，咱們今日結盟之後，從此肝膽相照，生死與共，兄弟如有需用為兄等之處，自是水裏水中去，火裏火中行。」

舉步行近畫像前香案上，合手輕擊兩掌。

但見壁間暗門啓動，走出來兩個素衣少女，點燃火燭後，悄然退下。

沈木風當先屈膝跪倒，合掌說道：「沈木風，現年五十八歲，今日和周兆龍、蕭翎，結盟訂交，從此患難相扶，生死與共，如有異心，不得善終，天神共鑒。」祝畢站起身來，取過桌上鋒利的匕首，刺破中指，一滴鮮血，滴入酒中。

周兆龍和蕭翎如法炮製，各在那劉關張畫像之前，立下誓言，滴血入酒。

沈木風調開血酒，三人各飲一杯，舉手一揮，兩個素衣少女急急行了過來，收了香案、畫像，撤下黃幔，退了下去。

沈木風心中似很歡樂，微微一笑，道：「三弟，從此之後，咱們是結盟的手足兄弟，彼此如有什麼爲難之事，儘管說出來。」

蕭翎突然想起岳小釵來，說道：「小弟眼下就有一樁爲難之事，不知如何著手？」

沈木風道：「什麼事情？只要爲兄力所能及，定當全力以赴。」

蕭翎笑道：「也算不上什麼緊要之事，只不過是我想要尋找中州二賈。」

他記憶之中，只有中州二賈，知道那岳小釵的下落，他若要想找到岳小釵，勢必得先要找著中州二賈不可。

沈木風沉吟了片刻，道：「五年之前，中州二賈突然隱沒江湖，匿跡不見，世人大都誤以爲他們死去，或是已經積夠了金銀珠寶，避世不出，但他們卻逃不過爲兄的慧眼，這兩人不但未死，而且也未避世不出，仍然和往常一般的在江湖之上走動，只不過憑仗著奇妙的易容藥物，改變了樣子而已。」

周兆龍道：「那中州二賈和咱百花山莊，可有來往嗎？」

沈木風笑道：「昔年我們倒有過數面之緣，但道不同不相爲謀，彼此井水不犯河水。」

蕭翎接口道：「大哥可知道那中州二賈現在何處嗎？」

沈木風輕輕歎息一聲，道：「十年來，我一直養痾在望花樓上，從未離開過百花山莊一步，對中州二賈目下的行蹤，還難說出，但爲兄的當盡我之力，絕不使兄弟失望。」

蕭翎心中甚爲感動，道：「多謝大哥……」

沈木風搖手攔住蕭翎，不讓他再說下去，接道：「兄弟，你急於要找那中州二賈，爲了何事？」

蕭翎心中暗道：此事牽扯到我岳姊姊和那「禁宮之鑰」，眼下還是不要說出的好，但他又不善說謊，沉吟良久，仍是想不出適當的措詞。

沈木風微微一笑，道：「兄弟如有不便出口之處，那就不用說了，爲兄的當盡我之能，爲兄弟追查那中州二賈的下落，五日之內，當可給你一點消息……」

他微微一頓，又道：「你們下樓去吧！爲兄的也已到了行功的時間。」

周兆龍和蕭翎起身告辭，離開了望花樓，周兆龍一直送蕭翎到蘭花精舍，才告辭而去。

蕭翎和衣臥在榻上，越想越覺不對，心中暗暗自責，道：這藏龍臥虎的百花山莊，似是隱藏著無限的神秘，自己尚未認清那沈木風和周兆龍的爲人，竟然和人結作兄弟，情勢已成，此後如若發現義兄都非好人，豈不是要自背誓言嗎……

但轉念又想到，這兩人相待的情意，在當時情景之下，如不答應，實在給人太過下不了台……這兩個矛盾的念頭，不停地在他心中激盪衝突，他不願去想這件事，但又無法拋得開這盤旋在腦際的兩個衝突念頭。

玉蘭、金蘭二人，悄然站在室中一角，看他凝目沉思，若有無限心事，也不敢驚擾於他，悄然退出室外……

歸州城外酒樓上，八手神龍端木正行刺那周兆龍的一幕往事，又清晰地展現蕭翎腦際，面容冷肅、端莊的少女，臨去時眼神中流現出的怨恨，和臉上的激憤之色，有如一顆隕星，落在了他的心上，揮之不去。

還有那跛俠常大海，這些人，似都非凶惡之輩，何以竟然和百花山莊結下了很深的仇恨。這些疑問，在他心中構成了重要的疑雲。

正自忖思間，突聽室門呀然而開，唐三姑緩步走了進來。

蕭翎一躍而起，道：「臥室不便留客，咱們到外面廳中去談吧！」

唐三姑搖頭笑道：「你哪來這樣多的酸禮，內室外室，不都一樣。」口中雖是反駁，但人卻退到了外室。

蕭翎隨後而出，肅容入座。

唐三姑開門見山地問道：「你去了望花樓？不知那沈大莊主找你去幹什麼？」

蕭翎沉吟一陣，道：「他們在那望花樓上，擺好了香案，要和我結爲兄弟。」

唐三姑的臉上，泛起一種難以言喻的神色，不知她心中是喜是愁，半晌之後，才輕輕歎息一聲，問道：「你答應了沒有？」

蕭翎道：「他們殷殷相請，我自是不好拒人於千里之外。」

唐三姑道：「那你是答應了？」

蕭翎道：「答應了！」

唐三姑道：「你可知道江湖上極爲重視長幼之序，師徒之間有如父子，那是不用談了，結過盟的兄弟，亦都得終身受命於長兄，你既已和那沈大莊主、周二莊主結作兄弟之盟，此後，凡是兩人所諭，你必要全力以赴了。」

蕭翎想起心中積存的重重疑雲，不禁一聲長歎，道：「如若他們要我做的事，非我所願，我自然要他們收回成命。」

唐三姑目光流動，四下望了一眼，道：「如若他們要你去殺一個人，你去是不去？」

蕭翎道：「那要看那人是好還是壞，如是作惡多端的人，殺了他爲世除害，有何不可？」

唐三姑低聲說道：「如若是好人呢？」

蕭翎呆了一呆，半晌答不出話，他心中想到此事，頓覺心中惶惶，不知如何措詞。

唐三姑接道：「如是你不知那人的好壞，你又將該當如何？」

蕭翎但覺心中一陣怦怦跳動，仍是答不出話。

唐三姑微微一笑，又道：「咱們是相識的人，你瞧瞧我是好是壞呢？」

蕭翎道：「在下和姑娘相識不久，不敢妄言。」

唐三姑又道：「如是你那兩位盟兄，此刻傳下手諭，要你在一個時辰之內，提我的人頭見他，你要怎麼辦呢？」

蕭翎道：「這個，在下從未想到過此事！」

唐三姑忽然站起身來，滿室繞走，目光卻是不停地四下流轉，似是要藉這走動，查看四周，是否有人在暗中窺聽。

蕭翎早已心有所疑，此刻心中鬱結更深，突然站了起來，道：「我要去找他們問清楚！」

唐三姑急道：「不行，你要去問他們什麼……」

突然伸出食指，輕輕按在櫻唇之上，低聲急急說道：「有人來了，快坐下去。」當先就原位坐好。

蕭翎抬頭望去，只見一群分著五色勁裝的大漢，緩步向蘭花精舍行來。

這些人個個佩帶著兵刃，似是要出征一般。

蕭翎心頭茫然，猜不出這些人到蘭花精舍，是何居心。

但見那些分著五色勁服的大漢，在蘭花精舍外面排成五行，每行五人，共有五五二十五人，然後，五個當先領隊之人，直向蘭花精舍行來。

蕭翎心中納悶，回顧了唐三姑一眼，道：「這些人來這裏做什麼？」

唐三姑說道：「你不用緊張，反正他們絕對不是來捉你，急什麼呢？先坐下來，聽他們進來說些什麼。」

那五個分著五色服裝的大漢，行近蘭花精舍外面，一列橫排，垂手肅立，那當先一個身穿紅衣的大漢，緩步走入室中，遙遙對蕭翎抱拳一揖，道：「小人等奉命而來，向三爺報到。」

蕭翎微微一怔，舉手一揮，道：「什麼事情？」

紅衣大漢道：「我等奉命，此後終身追隨三爺，聽候差遣。」

蕭翎暗暗想道：此後終身追隨於我，不知是何緣故？

嘴裏卻隨口問道：「奉誰人之命？」

那紅衣大漢道：「二莊主轉下大莊主的手諭，要我等來見三莊主。」

蕭翎有些茫然無策之感，側臉望了唐三姑一眼，揮手說道：「你們先行退去，等我見過二莊主後，再作道理。」

那紅衣大漢應聲而退，和室外之人合在一起，退出了蘭花精舍。

蕭翎眼看那些身著彩衣的人去遠，才低聲問唐三姑，道：「三姑娘，這些人用心何在？」

唐三姑笑道：「事情很明白嘛，你已是這百花山莊的三莊主了，豈可無隨行護駕之人，我已替你看過了，那行至室外的五個帶隊之人，武功都還不錯，都是內外兼修的高手。」

蕭翎默然垂下頭去，心中卻是百感交集，理不出一個頭緒。

唐三姑緩緩站了起來，行近蕭翎身側，柔聲說道：「你可是有些……」

只聽一聲輕咳，打斷了唐三姑未完之言。
抬頭看去，只見金蘭手托茶盤站在室門口，雙目盯注著唐三姑的臉上，神情間充滿敵意。
唐三姑故作不知，淡淡一笑接道：「你既然有些後悔答應得太快，那就不用跟我去了。」
施展傳音入密之術，接道：「這丫頭已然對我動了懷疑，咱們胡扯一通，讓她聽不出一個所以然來。」
蕭翎心中奇怪，初和這唐三姑相見之時，只見她一副驕狂之氣，就是周兆龍也未放入眼中，但自見了那血影子沈木風後，神態突然收斂很多，好像忽然對百花山莊，生出畏懼之心。
只見金蘭緩步走了過來，低聲說道：「三爺用茶嗎？」
蕭翎伸手取過茶杯，問道：「你怎麼稱我三爺起來？」
金蘭笑道：「百花山莊中上上下下的人，有誰不知蕭爺加盟之事，您已是百花山莊的三莊主。」
蕭翎一皺眉頭還未來得及開口，那金蘭又接著說道：「二爺已派了快馬傳出金花令諭，曉知三爺加盟的事，百花山莊也將大開盛宴，邀請武林高手，祝賀三爺入盟。」
蕭翎奇道：「這有什麼好慶祝的……」
只聽一陣朗朗笑聲傳來，接道：「這等大事，豈可不賀。」周兆龍大步行了進來。
蕭翎起身說道：「二哥請坐。」
周兆龍笑道：「三弟，大哥對你器重異常，不但咱們百花山莊，要張燈結綵，爲你祝賀，而且還請了當今武林中，幾位出類拔萃的人物，在咱們百花山莊，來一次英雄大會，使三弟一舉之間，成爲江湖上人人皆知的英雄人物。」

蕭翎道：「小弟何能，勞大哥這般鋪張。」

周兆龍笑道：「兄長之命，咱們做兄弟的豈可不從……」目光一轉，望著唐三姑笑道：「三姑娘的祖母，也列在貴賓之中。」

唐三姑道：「沈大莊主能看得起我們唐家，那是我們唐家的榮幸。」

周兆龍微微一笑，道：「屆時尙望三姑娘和令祖母一起同來。」

唐三姑淡淡一笑，道：「周兄可是在下逐客令嗎？」

周兆龍道：「好說，好說，三姑娘太多心了。」

唐三姑道：「你們兄弟或將有機要之事相商，我要告辭了。」

周兆龍一抱拳，道：「在下不送。」

唐三姑道：「怎敢有勞。」步出蘭花精舍而去。

周兆龍望著唐三姑背影去遠，落座笑道：「大哥因修習一種至高的武功，不幸走火入魔，已絕跡江湖整整十年，近來沉痾已好，武功亦已圓滿練成，又得三弟加盟，可算是百花山莊立莊以來，從未有過的大喜事。」

蕭翎道：「大哥功行圓滿，那自是一大喜事，但小弟加盟，卻是算不得什麼。」

周兆龍笑道：「三弟不可自輕，以你武功而論，當世武林只怕還很難找出幾個敵手……」

只聽得一陣急促的步履之聲，傳了過來，一個身著紅衣的大漢，扶著一個全身黑衣的大漢，奔入了蘭花精舍。

那紅衣大漢不敢闖入室中，扶著那黑衣大漢奔到門口，立時自動停了下來，肅然站在門外，高聲說道：「二莊主、三莊主都在裏面，你自己進去吧！」

那黑衣人有如酒醉一般，跌跌撞撞地衝了進來。

蕭翎霍然離座，肩頭一晃，人已到了門口，伸手扶住了那黑衣人。

凝目望去，只見那人左肋處，衣服破裂，血水已然凝結，想是受傷已經很久，又經一陣奔走，神志已然有些不清楚了。

周兆龍端坐未動，沉聲說道：「三弟，放開他，讓他休息一下。」

蕭翎道：「這人受傷很重，只怕是很難復元了。」

右掌輕輕按在那人背心之上，一股熱力，由那人的命門穴中，直衝而入。

那黑衣人吃蕭翎深厚的內力，攻入體內，催動著行血真氣，將蒼白的臉色上，逐漸泛現出輕淡的血色，神志也緩緩地清醒過來。

睜大了一雙眼睛望著周兆龍，口齒啓動了半晌，叫出一聲：「二莊主。」

周兆龍面色肅穆，語氣森冷地說道：「你怎麼受了傷？」

只聽那黑衣人斷斷續續地道：「小的……在江畔，被人刺……了一劍，傷得很重……」

周兆龍接道：「我知道你傷得很重，只怕是已經救不活了，快些把經過講出來吧！」

黑衣人道：「那人問我是不是百花山莊中人……大莊主……是不是叫血影子沈木風……」

周兆龍接道：「你可告訴了他嗎？」

黑衣人道：「小的牢記著咱們百花山莊的規矩……縱是身受嚴刑拷打……也……也不會說出莊中情形。」

周兆龍微微點頭，道：「那很好，你往下說吧！」

黑衣人道：「小的心中怒他出言無狀，叱責了他幾句，那人就拔出劍來，刺了小的一劍……」

周兆龍道：「你是死人麼？站在那裏等著他刺？」

黑衣人道：「他出手太快了……快的叫人看不清楚，我只覺眼前寒光一閃，人已中劍倒了下去。」

周兆龍臉色微變，道：「他只攻了一招，就傷了你？你還記得那人的形貌嗎？」

黑衣人道：「詳細形貌，已然記不清楚了，只記得他年紀很輕，出手奇快……」話至此處，已然講不清楚，唔唔呀呀，也不知他說的什麼。

周兆龍霍然站立起來，抓過身旁的茶杯，舉手一揮，把一杯冷茶，潑在那黑衣人的臉上，又厲聲問道：「那人叫什麼名字，你知道嗎？」

黑衣人吃那冷茶一激，神智忽然一清，道：「小的記不清了，好像叫什麼蕭……翎……」

蕭翎聽得怔了一怔，道：「他叫蕭翎？」

那黑衣人身子一陣抖動，緩緩閉上雙目逝去。

周兆龍臉色一片鎮靜，毫無激動之色，說道：「三弟，放開他吧！他已經死了。」

蕭翎緩緩放下那黑衣人的屍體，彈了一下衣袖上的水珠，心中暗想道：這位盟兄看上去十分溫文爾雅，怎的心地如此歹毒，只不過是想問幾句話，就不惜見死不救。

只聽周兆龍溫和笑聲，傳入耳際，道：「怎麼？三弟可是覺得我心地太狠嗎……」微微一頓，接道：「唉！三弟，在江湖上揚名立萬，必得講究心狠手辣，有道是：量小非君子，無毒不丈夫，這量、毒二字，各自奧妙不同，但卻要靠人去如何應用。」

蕭翎輕輕歎息一聲，道：「二哥，小弟有幾句話，如鯁在喉，不吐不快。」

周兆龍微微一笑，道：「三弟儘管請說，爲兄的洗耳恭聽。」

蕭翎道：「適才那黑衣人提起的蕭翎，只怕……只怕那人才是真正揚名武林的蕭翎。」

周兆龍道：「這麼說來，三弟用蕭翎之名，是冒充的了？」

蕭翎道：「這倒不是，兄弟的名字，就叫蕭翎，那人也叫蕭翎，不知是何用心？」

周兆龍道：「世間盡多同姓同名之人，那也不算什麼，三弟不用放在心上。」

蕭翎接道：「小弟想到江畔去瞧瞧，那人是否還在。」

周兆龍道：「不用去了，他一定不在啦。」

蕭翎回顧那黑衣人一眼，道：「難道咱們就任他傷人之後，平安而去嗎？」

周兆龍道：「三弟之意呢？」

蕭翎道：「找那人討還一個公道。」

周兆龍略一沉吟，道：「就依三弟之見。」

舉手一拍，那肅立在門口的紅衣人，急步奔了進來，躬身一禮，垂手肅立，周兆龍一指那黑衣人的屍體，道：「把這人屍體拖出去埋了，再替我和三爺備兩匹馬。」

那紅衣人應了一聲，扛起那黑衣人屍體退去。

蕭翎道：「二哥也要去嗎？」

周兆龍道：「三弟武功，天下都可去得，只是江湖上經驗缺乏，難以對付狡詐人物，爲兄的相偕同去，也好從旁照應。」

說話之間，那紅衣人已去而復轉，站在室外，抱拳說道：「請兩位莊主登程。」

周兆龍當先舉步而行，笑道：「三弟用的什麼兵刃，莊中皆有準備，吩咐一聲，讓他們取來。」

蕭翎道：「小弟用劍。」

周兆龍一揮手，向那紅衣人道：「替三莊主帶上一把寶劍。」

那紅衣人應聲而去，沿花徑疾奔如飛。

周兆龍帶蕭翎緩步而出，穿越花徑，直向莊外。

請續看《金劍雕翎》之二

臥龍生武俠經典珍藏版 21

金劍雕翎（一）

作者：臥龍生
發行人：陳曉林
出版所：風雲時代出版股份有限公司
地址：10576台北市民生東路五段178號7樓之3
電話：(02) 2756-0949　　傳真：(02) 2765-3799
執行主編：劉宇青
美術設計：許惠芳
行銷企劃：林安莉
業務總監：張瑋鳳
出版日期：臥龍生60週年珍藏版 2023年1月
版權授權：春秋出版社呂秦書
ISBN ：978-986-5589-86-8
風雲書網：http://www.eastbooks.com.tw
官方部落格：http://eastbooks.pixnet.net/blog
Facebook：http://www.facebook.com/h7560949
E-mail：h7560949@ms15.hinet.net
劃撥帳號：12043291
戶名：風雲時代出版股份有限公司

風雲發行所：33373桃園市龜山區公西村2鄰復興街304巷96號
電話：(03) 318-1378　　傳真：(03) 318-1378
法律顧問：永然法律事務所 李永然律師
　　　　　北辰著作權事務所 蕭雄淋律師

行政院新聞局局版台業字第3595號 營利事業統一編號22759935

定價：320元

國家圖書館出版品預行編目資料

金劍雕翎／臥龍生 著. -- 臺北市：風雲時代出版股份有限公司，2021.06- 冊；公分（臥龍生武俠經典珍藏版）

ISBN：978-986-5589-86-8（第1冊：平裝）
ISBN：978-986-5589-87-5（第2冊：平裝）
ISBN：978-986-5589-88-2（第3冊：平裝）
ISBN：978-986-5589-89-9（第4冊：平裝）

863.57　　110007334